AF238296

ACCESO GRATIS a la Lectura en la Nube

Para visualizar el libro electrónico en la nube de lectura envíe junto a su nombre y apellidos una fotografía del código de barras situado en la contraportada del libro y otra del ticket de compra a la dirección:

ebooktirant@tirant.com

En un máximo de 72 horas laborables le enviaremos el código de acceso con sus instrucciones.

Comentarios de la Ley 2/2023 reguladora
de la protección de las personas que
informen sobre infracciones normativas
y de lucha contra la corrupción

Comentarios de la Ley 2/2023 reguladora de la protección de las personas que informen sobre infracciones normativas y de lucha contra la corrupción

JOSÉ ANTONIO FERNÁNDEZ AJENJO

tirant lo blanch
Valencia, 2023

Este trabajo ha sido elaborado desde el «Centro de Investigación para la Gobernanza Global» de la Universidad de Salamanca en la ejecución del Proyecto de Investigación PID2019-107743RB-I00 financiado por el Ministerio de Ciencia e Innovación.

Colección:
"Corrupción, crimen organizado y delincuencia económica"
Dirigida por:
NICOLÁS RODRÍGUEZ-GARCÍA
Catedrático de Derecho Procesal - Universidad de Salamanca
(ORCID ID: 0000-0003-0045-796X)

© José Antonio Fernández Ajenjo

© TIRANT LO BLANCH
EDITA: TIRANT LO BLANCH
C/ Artes Gráficas, 14 - 46010 - Valencia
TELFS.: 96/361 00 48 - 50
FAX: 96/369 41 51
Email:tlb@tirant.com
www.tirant.com
Librería virtual: www.tirant.es
DEPÓSITO LEGAL: V-3016-2023
ISBN: 978-84-1197-288-8
MAQUETA: Tink Factoría de Color

Si tiene alguna queja o sugerencia, envíenos un mail a: *atencioncliente@tirant.com*. En caso de no ser atendida su sugerencia, por favor, lea en *www.tirant.net/index.php/empresa/politicas-de-empresa* nuestro procedimiento de quejas.

Responsabilidad Social Corporativa: http://www.tirant.net/Docs/RSCTirant.pdf

ÍNDICE

ABREVIATURAS

ACA	Agencia Anticorrupción.
ACFE	Association of Certified Fraud Examiners.
AEAT	Agencia Estatal de la Administración Tributaria.
AFA	Agence Française Anticorruption.
AFCOS	Anti-fraud Coordination Service.
ANAC	Autorità Nazionale Anticorruzione.
APL	Anteproyecto de Ley reguladora de la protección de las personas que informen sobre infracciones normativas y de lucha contra la corrupción por la que se transpone la Directiva (UE) 2019/1937 del Parlamento Europeo y del Consejo, de 23 de octubre de 2019, relativa a la protección de las personas que informen sobre infracciones del Derecho de la Unión.
ATGUE	Auto del Tribunal General de la Unión Europea.
CE	Constitución Española, de 31 de octubre de 1978.
CEDH	Convenio Europeo de Derechos Humanos, hecho en Roma el 4 de noviembre de 1950.
CICC	Convención Interamericana contra la Corrupción, aprobada el 29 de marzo de 1996 por la Organización de los Estados Americanos.
CNMC	Comisión Nacional de los Mercados y la Competencia.
CNMV	Comisión Nacional del Mercado de Valores.
CNUCC	Convención de Naciones Unidas contra la Corrupción adoptada 31 de octubre de 2003 por la Asamblea General de las Naciones Unidas.
DOLAF	Decisión de la Comisión, de 28 de abril de 1999, por la que se crea la Oficina Europea de Lucha contra el Fraude.
DPIUE	Directiva (UE) 2019/1937 del Parlamento Europeo y del Consejo, de 23 de octubre de 2019, relativa a la protección de las personas que informen sobre infracciones del Derecho de la Unión.

EFS	Entidades Fiscalizadoras Superiores.
FGE	Fiscalía General del Estado.
GAO	U.S. Government Accountability Office.
IGAE	Intervención General de la Administración del Estado.
INT	World Bank Group's Department of Institutional Integrity.
LACA Andalucía	Ley 2/2021, de 18 de junio, de lucha contra el fraude y la corrupción en Andalucía y protección de la persona denunciante.
LACA Aragón	Ley 5/2017, de 1 de junio, de Integridad y Ética Públicas [Agencia de Integridad y Ética Públicas de Aragón].
LACA Asturias	Ley 8/2018, de 14 de septiembre, de Transparencia, Buen Gobierno y Grupos de Interés.
LACA Baleares	Ley 16/2016, de 9 de diciembre, de creación de la Oficina de Prevención y Lucha contra la Corrupción en las Illes Balears.
LACA Cataluña	Ley 14/2008, de 5 de noviembre, de la Oficina Antifraude de Cataluña.
LACA Navarra	Ley Foral 7/2018, de 17 de mayo, de creación de la Oficina de Buenas Prácticas y Anticorrupción de la Comunidad Foral de Navarra.
LACA Valencia	Ley 11/2016, de 28 de noviembre, de la Agencia de Prevención y Lucha contra el Fraude y la Corrupción de la Comunitat Valenciana.
LCSP	Ley 9/2017, de 8 de noviembre, de Contratos del Sector Público, por la que se transponen al ordenamiento jurídico español las Directivas del Parlamento Europeo y del Consejo 2014/23/UE y 2014/24/UE, de 26 de febrero de 2014.
LECr	Real Decreto de 14 de septiembre de 1882 por el que se aprueba la Ley de Enjuiciamiento Criminal.
LFTCU	Ley 7/1988, de 5 de abril, de Funcionamiento del Tribunal de Cuentas.
LG	Ley 50/1997, de 27 de noviembre, del Gobierno.

LGP	Ley 47/2003, de 26 de noviembre, General Presupuestaria.
LGS	Ley 38/2003, de 17 de noviembre, General de Subvenciones.
LJCA	Ley 29/1998, de 13 de julio, reguladora de la Jurisdicción Contencioso-administrativa.
LOPDGDD	Ley Orgánica 3/2018, de 5 de diciembre, de Protección de Datos Personales y Garantía de los Derechos Digitales.
LOPJ	Ley Orgánica 6/1985, de 1 de julio, del Poder Judicial.
LPAC	Ley 39/2015, de 1 de octubre, del Procedimiento Administrativo Común de las Administraciones Públicas.
LPI	Ley 2/2023, de 20 de febrero, reguladora de la protección de las personas que informen sobre infracciones normativas y de lucha contra la corrupción.
OAC	Oficina Antifraude de Cataluña.
OCEX	Órganos de Control Externo autonómicos.
OEA	Organización de Estados Americanos.
OLAF	Oficina Europea de Lucha Antifraude.
ONIF	Oficina Nacional de Investigación del Fraude.
RGPD	Reglamento (UE) 2016/679 del Parlamento Europeo y del Consejo, de 27 de abril de 2016, relativo a la protección de las personas físicas en lo que respecta al tratamiento de datos personales y a la libre circulación de estos datos y por el que se deroga la Directiva 95/46/CE.
ROLAF	Reglamento (UE, Euratom) 883/2013 del Parlamento Europeo y del Consejo, de 11 de septiembre de 2013.
SNCA	Servicio Nacional de Coordinación Antifraude.
STC	Sentencia del Tribunal Constitucional.
STEDH	Sentencia del Tribunal Europeo de Derechos Humanos.
STGUE	Sentencia del Tribunal General de la Unión Europea.
STJCE	Sentencia del Tribunal de Justicia de la Comunidad Europea.

STJUE	Sentencia del Tribunal de Justicia de la Unión Europea.
STPIUE	Sentencia del Tribunal de Primera Instancia de la Unión Europea.
STS	Sentencia del Tribunal Supremo.
TCE	Tribunal de Cuentas Europeo.
TFUE	Tratado de Funcionamiento de la Unión Europea.
TRLEBEP	Real Decreto Legislativo 5/2015, de 30 de octubre, por el que se aprueba el texto refundido de la Ley del Estatuto Básico del Empleado Público.
UE	Unión Europa.
UNODC	United Nations Office on Drugs and Crime.

INTRODUCCIÓN

§ 1. La **intrahistoria** de los pueblos ha acumulado en el subconsciente colectivo un fuerte resentimiento hacia la figura del denunciante, aunque sus informaciones comuniquen prácticas socialmente ilícitas o que incluso contribuyan a la persecución de delitos fuertemente penados por los ordenamientos jurídicos. Si nos remontamos, por ejemplo, al espacio social del bajo medievo y los comienzos del período renacentista, puede observarse como las luchas de religión europeas dejaron el recuerdo funesto de los delatores interesados sobre los correligionarios tildados de heréticos. Más contemporáneamente, las dictaduras de raíz fascista y comunista implantadas en Europa en la primera mitad del siglo XX se apoyaron en las acusaciones ciudadanas para reprimir con dureza a los considerados enemigos del régimen. De la misma forma, los españoles más veteranos recuerdan las historias contadas por nuestros mayores sobre las imputaciones interesadas que facilitaron las represalias en los bandos enfrentados durante la última contienda fratricida.

§ 2. Los **poderes públicos** también han recibido con recelo a los informadores de posibles infracciones sobre el ordenamiento jurídico. Por una parte, los juristas desconfían de la validez y las garantías jurídicas que ofrecen las pruebas presentadas por terceros ajenos al proceso que pueden ocultar, bajo el manto de actuar *pro bono publico*, intenciones torticeras que distorsionan el derecho de defensa. Por otro lado, las Administraciones y los Tribunales receptores de las denuncias temen verse desbordados por el trabajo estéril que puede precisar la tramitación de un sinfín de quejas y reclamaciones variopintas tras las que se esconden unos pocos asuntos realmente fundados.

§ 3. Los candidatos a **denunciantes**, por su parte, desconfían, en muchas ocasiones justificadamente, a la hora de prestar este deber social por temor a sufrir fuertes represalias en su ámbito laboral, personal o social. Los reiterados ejemplos de los colaboradores de la Justicia que han visto truncada su vida profesional y fuertemente dañado su entorno personal sirven de aviso a todo aquel que se aventure a propiciar, con su información, la persecución coercitiva de los presuntos malhechores.

§ 4. No obstante, las tornas se están trastocando, y la opinión pública y el entorno mediático han comenzado a reconocer como **héroes sociales**, aunque solo sea en casos especialmente emblemáticos, a quienes tienen la valentía de trasladar a las autoridades indicios de defraudaciones fiscales, acuerdos ilícitos en las contrataciones públicas, malversaciones de los fondos para subvenciones, la recepción de comisiones en los proyectos urbanísticos o las dañinas tramas de financiación ilegal de los partidos políticos.

§ 5. A pesar de la patente visibilidad y rechazo de algunas prácticas especialmente execrables, los *represaliadores,* término digno de alcanzar el reconocimiento lingüístico al definir a una realidad atemporal, persisten con contumacia en adoptar medidas contra aquellos que atentan contra el *estatus quo* de la "ley del silencio" y, en demasiadas ocasiones, cuentan con la colaboración nefanda, y a veces extrañamente desinteresada, de personas de la organización que no se encuentren directamente involucradas en los hechos espurios. La nueva autoridad política que accede al cargo tras el cese del afectado por el escándalo, quienes se mantienen en sus puestos directivos o incluso los propios compañeros más allegados al denunciante aplican una suerte de "muerte civil" a quien se considera, sino un "traidor", si al menos una persona indigna de confianza y de que quien conviene alejarse en el trato profesional y personal.

§ 6. El *modus operandi* contra el denunciante se reitera desgraciadamente como una lección bien aprendida, como tuvo ocasión de exponer Ana Garrido Ramos (denunciante del caso Gürtel y Premio Anticorrupción 2018 de Transparencia Internacional) en el Espacio *Compliance* de la CNMC celebrado el 19 de marzo de 2019: comienza con el acoso profesional ("no cumples bien con tu trabajo"), sigue con el acoso laboral ("no puedes seguir trabajando en esta empresa"), que posteriormente se transforma en acoso judicial ("te demandaremos en todas las instancias judiciales") y, en el peor de los casos, se transforma en acoso personal o físico ("atente a lo que pueda pasarte a ti o a tu familia").

§ 7. La necesidad de dotar de un **estatus especial** a los informantes trata de responder a estas prácticas perversas dirigidas a silenciar a presentes y futuros alertadores tanto en la esfera pública como privada. Por lo tanto, el fortalecimiento de la posición jurídica del ciudadano activamente denunciador ha sido el agente que ha propiciado la promulgación de la Directiva (UE) 2019/1937 del Parlamento Europeo y del Consejo, de 23 de octubre de 2019, relativa a la protección de las personas que informen sobre infracciones del Derecho de la Unión. Con la misma finalidad, se ha aprobado la Ley 2/2023, de 20 de febrero, reguladora de la protección de las personas que informen sobre infracciones normativas y de lucha contra la corrupción.

§ 8. Esta **normativa** pretende decantar la balanza definitivamente en favor de los informantes de actividades irregulares y terminar, al menos desde la perspectiva del ordenamiento jurídico, con la visión negativa de quienes hasta ahora han recibido calificaciones socialmente despectivas como "chivato", "delator" o "soplón". A continuación, se desarrollará un análisis de los antecedentes, fundamentos y régimen jurídico aplicables en el ordenamiento español a los sistemas de información sobre infracciones normativas y prácticas corruptas, así como en relación con el conjunto de medidas de protección de los informantes.

§ 9. Finalmente, como **advertencia preliminar,** y bajo el amparo de la extrema novedad de las cuestiones abordadas por la Ley del Informante, que no permite contar con un bagaje ni siquiera esbozado de la práctica administrativa, la jurisprudencia y la doctrina académica, debe resaltarse que las interpretaciones sobre las cuestiones controvertidas de la aplicación del texto normativo requerirán atenderse de forma cautelosa y contrastarse con las soluciones prácticas que se vayan afianzando.

PREÁMBULO

Antecedentes de política legislativa y de Derecho comparado

§ 10. La **normativa especializada** en la protección de los informantes es la historia de un largo fracaso jurídico e institucional de los regímenes democráticos. Los sistemas jurídicos privatistas, administrativos e incluso penales se han demostrado incapaces de garantizar la ausencia de represalias contra quienes ejercen el deber ciudadano de poner a disposición de las autoridades competentes indicios de la transgresión del ordenamiento jurídico.

Como ha afirmado la UNODC (2016, 2): "Es lamentable que, en muchos lugares de trabajo, los empleados se vuelven vulnerables por hacer una denuncia a una persona distinta del empleador, debido a un deber implícito o explícito de confidencialidad o por un sentido de lealtad". A pesar de esta constatación, la mayor de los regímenes políticos, las instituciones públicas o privadas o la sociedad civil no han conseguido revertir la aplicación de prácticas tan ominosas.

§ 11. En principio, la **normativa laboral, administrativa y penal** proscriben los ataques contra quienes ejercen el deber de denuncia. Y para ello enfatizan las más duras respuestas jurídicas, tales como la declaración de despidos nulos de pleno derecho viciados por el acoso laboral, la nulidad absoluta de los actos administrativos dictados por arbitrariedad o, en la esfera penal, la aplicación del delito de coacciones cuando se emplean arteros medios de presión.

§ 12. A decir verdad, en este último **ámbito penal** donde la reacción jurídico-institucional ha resultado ser más temprana, mediante la Ley Orgánica 19/1994, de 23 de diciembre, de protección a testigos y peritos en causas criminales. Hay que resaltar la fuerte contradicción que implica que este estatuto haya permitido, no sin excepciones, la protección de ciudadanos amenazados por peligrosas organizaciones criminales y, en cambio, la legislación civil y administrativa no pueda evitar las presiones abusivas e intolerables sobre los denunciantes de la esfera no penal.

§ 13. El estudio de la **evolución social** justifica aún más difícilmente esta discordancia, pues la reivindicación de la figura del denunciante como un elemento indispensable en la lucha contra el fraude y la corrupción remite al comienzo del último tercio del siglo XX. Tras el pionero caso Watergate de los años 70, al que se hará frecuente mención en este trabajo, comenzó a presentarse a los denunciantes, al menos en los países anglosajones, "como un ejemplo de coraje ciudadano y a menudo de auténticos héroes" (Ragués, 2013, 25). Tras este caso, el *whistleblower*, que la doctrina anglosajona consideraba hasta entonces únicamente como un cazarrecompensas, empezó a representar el papel de "resistencia ética" frente al interés de las Administraciones Públicas y las corporaciones privadas en ocultar el fenómeno de la corrupción (García-Moreno, 2020).

§ 14. Dos décadas más tarde, el **Informe Nolan** británico de 1995, que debatió el problema de la pérdida de confianza de la ciudadanía hacía sus gobernantes ante la desafección de los valores que deben inspirar el ejercicio de la función pública, supuso el punto de partida para implementar la denuncia interna de los funcionarios y procedimientos para facilitar el anonimato o la confidencialidad. La conclusión de este trabajo era rotunda: las políticas anticorrupción deben desarrollar instrumentos que faciliten la denuncia interna de los propios servidores públicos sobre los actos fraudulentos y la protección sin fisuras de aquellos que han dado el paso de descubrir las tropelías que llegan a su conocimiento.

§ 15. La precursora **Convención Interamericana contra la Corrupción** (CICC) de 1996 hacía referencia a la importancia de otorgar protección a quienes colaboren de buena fe en la lucha contra el fraude. En desarrollo de esta medida se ha instrumentado la Ley Modelo OEA, de 22 de marzo de 2013, para facilitar e incentivar la denuncia de actos de corrupción y proteger a sus denunciantes y testigos. En concreto, el artículo III.8 CICC, entre las medidas preventivas, establece:

> "Sistemas para proteger a los funcionarios públicos y ciudadanos particulares que denuncien de buena fe actos de corrupción, incluyendo la protección de su identidad, de conformidad con su Constitución y los principios fundamentales de su ordenamiento jurídico interno."

§ 16. La **Convención de Naciones Unidas contra la Corrupción** (CNUCC) de 2003 también ha reconocido la importancia de establecer una política de protección del denunciante, recogiéndose instrucciones precisas en la Guía Técnica de la Convención de las Naciones Unidas contra la Corrupción (Guía Técnica UNODC) de 2010, la Guía Legislativa para la aplicación de la Convención de las Naciones Unidas contra la Corrupción (Guía Legislativa UNODC) de 2012 y la Guía de recursos sobre buenas prácticas en la protección de los denunciantes (Guía Denunciantes UNODC) de 2016. En concreto, el artículo 33 CNUCC establece que:

> "Cada Estado Parte considerará la posibilidad de incorporar en su ordenamiento jurídico interno medidas apropiadas para proporcionar protección contra todo trato injustificado a las personas que denuncien ante las autoridades competentes, de buena fe y con motivos razonables, cualesquiera hechos relacionados con delitos tipificados con arreglo a la presente Convención."

§ 17. En el ámbito europeo, el **Consejo de Europa** también propuso la protección de los denunciantes en el Convenio Penal sobre la Corrupción de 27 de enero de 1999 y el Convenio Civil sobre la Corrupción de 4 de noviembre de 1999 en los artículos 22 y 9 respectivamente:

> "Artículo 22. Protección de los colaboradores de la justicia y de los testigos.
> Cada Parte adoptará las medidas legislativas y de otra índole que sean necesarias para garantizar una protección efectiva y apropiada: a) a las personas que proporcionen información relativa a los delitos tipificados de conformidad con los artículos 2 a 14 o que colaboren de otro modo con las autoridades encargadas de la investigación o de la persecución; b) a los testigos que presten testimonio en relación con esos delitos.".
> "Artículo 9. Protección de los empleados. Cada Estado Parte preverá en su legislación interna medidas de protección apropiadas contra sanciones injustificadas a los empleados que tengan motivos razonables para sospechar un acto de corrupción y que, de buena fe, comuniquen su sospecha a las personas o autoridades responsables".

§ 18. A esta propuesta se ha sumado la **OCDE** en la "Recomendación del Consejo para reforzar la lucha contra la corrupción de funcionarios públicos extranjeros en las transacciones comerciales internacionales" de 2009, que previene de asegurarse:

> "i) de que existen canales de fácil acceso para informar a las autoridades policiales y judiciales, de conformidad con sus principios jurídicos,

para denunciar las sospechas de actos de corrupción de funcionarios públicos extranjeros en las transacciones comerciales internacionales".

§ 19. En la **Declaración de Líderes del G20, Cumbre de Cannes** (2011) se aprobó el compromiso de introducir en los ordenamientos jurídicos nacionales legislación específica para la protección de los denunciantes, que se materializó en el trabajo de la OCDE (2017b) *"G20 Anti-Corruption Action Plan Protection of Whistleblowers: Study on Whistleblower Protection Frameworks, Compendium of Best Practices and Guiding Principles for Legislation"* que expresamente destaca:

> "Por lo tanto, la protección de los denunciantes del sector público y privado contra las represalias por denunciar de buena fe supuestos actos de corrupción y otras irregularidades es parte integral de los esfuerzos para combatir la corrupción, promover la integridad y responsabilidad del sector público y apoyar un entorno empresarial limpio".

§ 20. En el **Derecho comparado**, la normativa especializada e integral de protección de los denunciantes se ha incorporado paulatinamente al acervo legislativo de numerosos países. En nuestro entorno más cercano (Garrido, 2019) pueden destacarse la regulación de los *lanceurs d'alerte* en *Loi núm. 2016-1691 du 9 décembre 2016 relative à la transparence, à la lutte contre la corruption et à la modernisation de la vie économique* de Francia y la *Legge 30 novembre 2017, núm. 179, Disposizioni per la tutela degli autori di segnalazioni di reati o irregolarità di cui siano venuti a conoscenza nell'ambito di un rapporto di lavoro pubblico o privato* de Italia. La UNODC (2016) realizaba una enumeración más completa, citando los ejemplos de Australia, Bosnia y Herzegovina, Eslovaquia, Estados Unidos, Etiopía, India, Irlanda, Jamaica, Malasia, Malta, Perú, República de Corea, Serbia, Uganda, Vietnam y Zambia. A estos países pueden agregarse, según el estudio de García-Moreno (2020), Rumanía, Canadá, Bélgica, Israel, Nueva Zelanda, Sudáfrica, Japón, Ghana, Hungría, Uganda, Kosovo, Liberia e Italia.

§ 21. En este contexto, *Transparency International* (2013) ha elaborado los "principios internacionales de la legislación sobre los denunciantes", centrándose en establecer el concepto, los principios individuales, el alcance de su aplicación, los mecanismos de protección, los procedimientos de divulgación, la ayuda y participación, la estructura legislativa y la implementación.

§ 22. Por su parte, **Transparencia Internacional España** puso de manifiesto en 2017 la insuficiencia de nuestra legislación para garantizar la indemnidad de quienes denuncian la corrupción en el ámbito público y privado, para lo cual instaba a todos los partidos políticos a adoptar un conjunto de medidas que constituyen un auténtico prontuario en la materia, por lo que conviene reproducirlas a continuación:

– *"Garantía de confidencialidad de la identidad del denunciante* durante la tramitación o del procedimiento para evitar represalias tanto de compañeros como de jefes o superiores.

– *Prohibición expresa de remoción del cargo del denunciante* durante la sustanciación de las actuaciones originadas a partir de la denuncia realizada.

– *Designación de un órgano independiente* –o ajeno a la empresa en caso de entidades privadas– para la tramitación de las denuncias.

– *Establecimiento de plazos temporales razonables* para la tramitación de la denuncia efectuada.

– *Concesión del traslado provisional a otro puesto de trabajo* de similares características al denunciante durante la sustanciación del procedimiento, para así evitar represalias por parte de compañeros o superiores (siempre y cuando sea posible).

– *Garantía de representación legal al denunciante* en caso de ser necesaria, por ejemplo, para el caso en que de su denuncia se deriven procedimientos judiciales que le afecten.

– *Garantía de mantenimiento de prestaciones de la Seguridad Social o seguro médico* durante la sustanciación de la denuncia y hasta la completa finalización de las actuaciones relativas a la misma.

– *Establecimiento de una autoridad pública con potestad de establecer sanciones* para el caso en que se tomen represalias contra el denunciante, se obstaculice o se interfiera en el proceso de tramitación de la denuncia (Para ello, debería abrirse expediente disciplinario al responsable del hecho, incorporando el tipo al reglamento de régimen disciplinario como falta muy grave).

– *Facilitar la admisión de denuncias* sin necesidad de mayor aportación de documentación que la sustente, posibilitando incluso aquellas denuncias que surgen a partir de presunciones y que requieren de investigación para ser determinadas como indicios de hechos delictivos.

– *Refuerzo de la imparcialidad en el ejercicio de la función pública*, restringiendo la libre designación para puestos funcionariales y protegiendo al personal laboral del despido por denuncias de corrupción o fraude y regulando con mayor precisión los supuestos de conflictos de intereses.

– *Mejora de los estándares éticos en la Administración Pública* a través de formación específica y campañas informativas en materia de integridad, transparencia y prevención de la corrupción.

– *Revisión del régimen de regulación de las sociedades públicas y de las normas de conflicto de intereses* para evitar que sus órganos de dirección sean ocupados por quienes hayan ostentado con anterioridad cualquier otro cargo público y/o político o privado que pudiera constituir un conflicto de intereses para el correcto desarrollo de la actividad social de la empresa pública.

– *Promover una contratación rigurosa del personal laboral de las empresas públicas*, de acuerdo con estándares técnicos previamente establecidos.

– *Establecer medidas para proteger al personal de las empresas públicas* de posibles represalias por denuncias y frente al despido misma causa, a la vista de que es en dichas empresas donde surgen hechos irregulares o de corrupción con mayor facilidad.

– *Contemplar la posibilidad de designar como autoridad canalizadora de las denuncias recibidas al Defensor del Pueblo*, a través de la creación de un área específica para la transparencia y corrupción encargada de intensificar el control dentro de las AAPP y de posibilitar la recepción de denuncias, no solo por parte del personal laboral de las AAPP sino también de ciudadanos particulares y personal laboral de entidades privadas".

§ 23. Tras estos antecedentes, hoy en día se ha logrado un **consenso** generalizado entre los investigadores del fenómeno del fraude y la corrupción sobre la necesidad de articular mecanismos de comunicación y protección del denunciante (et. al. García-Moreno, 2020). La principal fundamentación de la necesidad de esta política pública se centra en que la información a la que pueden acceder las autoridades competentes para la detección del fraude es siempre inferior a la total existente. Por lo tanto, resulta imprescindible la colaboración de las personas que conozcan de estos hechos y que deseen ponerlos en conocimiento de las Administraciones Públicas para que se lleven a cabo las actuaciones que correspondan.

§ 24. A **nivel autonómico**, tras la creación de la Oficina Antifraude de Cataluña por la Ley 14/2008, de 5 de noviembre, entre los años 2016 y 2017 se produjo una notable expectación política, doctrinal y mediática entorno a la protección del denunciante, lo que provocó una serie de propuestas legislativas, algunas de las cuales alcanzaron a integrarse en el ordenamiento jurídico autonómico (Amoedo, 2017a):

a) *Propuestas legislativas autonómicas aprobadas en 2016 y 2017*: la Ley 2/2016, de 11 de noviembre, por la que se regulan las actuaciones para dar curso a las informaciones que reciba la Administración Autonómica [Castilla y León] sobre hechos relacionados con delitos contra la Administración Pública y se establecen las garantías de los informantes [derogada]; la Ley 11/2016, de 28 de noviembre, de la Agencia de Prevención y Lucha contra el Fraude y la Corrupción de la *Comunitat* Valenciana; la Ley 16/2016, de 9 de diciembre, de creación de la Oficina de Prevención y Lucha contra la Corrupción en las Illes Balears; y la Ley 5/2017, de 1 de junio, de Integridad y Ética Públicas de Aragón.

b) *Propuestas legislativas autonómicas aprobadas posteriormente*: la Ley 8/2018, de 14 de septiembre, de Transparencia, Buen Gobierno y Grupos de Interés [Principado de Asturias]; la Ley Foral 7/2018, de 17 de mayo, de creación de la Oficina de Buenas Prácticas y Anticorrupción de la Comunidad Foral de Navarra; y la Ley 2/2021, de 18 de junio, de lucha contra el fraude y la corrupción en Andalucía y protección de la persona denunciante.

c) *Propuestas legislativas autonómicas no aprobadas*: la Proposición de Ley para crear la figura del Defensor del Denunciante de Corrupción en la Comunidad de Madrid de 2017; la Proposición de Ley de protección de denunciantes y otras medidas de lucha contra la corrupción de Cataluña de 2018; la Proposición de Ley de protección sobre los informantes de posibles infracciones del Derecho en la Comunidad de Madrid de 2020; el Proyecto de ley por la que se crea y regula la oficina de prevención y lucha contra el fraude y la corrupción de la Comunidad de Castilla y León y se establece el estatuto de las personas denunciantes de 2021: y la Proposición de Ley de protección integral de los denunciantes de corrupción de la Comunidad de Madrid de 2021.

§ 25. En la **Unión Europea**, tras un largo periplo legislativo, se ha aprobado la Directiva (UE) 2019/1937 del Parlamento Europeo y del Consejo, de 23 de octubre, relativa a la protección de las personas que informen sobre infracciones del Derecho de la Unión; publicada en el Diario Oficial de la Unión Europea de 26 de noviembre de 2019.

§ 26. A **nivel estatal**, la Proposición de Ley Integral de Lucha contra la Corrupción y Protección de Denunciantes presentada por el Grupo Ciudadanos, el 23 de septiembre de 2016, parecía que iba a obtener el suficiente consenso parlamentario (Amedo, 2017), pero finalmente no logró alcanzar su promulgación. Con posterioridad, se registró la Proposición de Ley de protección integral de los alertadores, presentada por Joan Baldoví Roda (GMx) y catorce Diputados, y publicada en el Boletín Oficial de las Cortes Generales de 11 de junio de 2019, aunque, como ha advertido Garrido (2019), la redacción correspondió al colectivo ciudadano Xnet. Finalmente, poco más tarde se presentó la Proposición de Ley de protección integral de los denunciantes de corrupción, por parte del Grupo Parlamentario Vox Diputados y publicada en el Boletín Oficial de las Cortes Generales de 25 de junio de 2019.

§ 27. A **nivel gubernamental**, el IV Plan de Gobierno Abierto 2020-2024 establece, dentro del compromiso de integridad pública, la "protección de personas denunciantes", que establece la prioridad de esta iniciativa y la transposición de la Directiva 2019/1937 en un plazo que finalizaría en julio de 2021, y que finalmente se ha incumplido (Jiménez Franco, 2022).

§ 28. El **Proyecto de Ley reguladora de la protección de las personas que informen sobre infracciones normativas y de lucha contra la corrupción** fue aprobado por el Consejo de Ministros el 13 de septiembre de 2022 y publicado en el Boletín Oficial de las Cortes Generales el 22 de septiembre de 2022. La tramitación siguió el procedimiento de urgencia, las enmiendas se publicaron el 28 de noviembre de 2022 y la Ley, tras su paso por el Senado con alguna modificación, fue aprobada por el Congreso definitivamente el 20 de febrero de 2023 y publicada en el Boletín Oficial del Estado de 21 de febrero de 2023.

Fundamentos fenomenológicos y axiológicos

§ 29. La **valoración axiológica** de la Ley del Informante debe ser positiva al optar por un tratamiento integral dirigido a facilitar y promover la denuncia, que implica una actitud solidaria con el bien público, así como a la protección integral de los colaboradores públicos que responden a la solicitud gubernativa de participación ciudadana. Como ha destacado Pérez Monguió (2019), "no sería ético, como sostiene la OCDE [en la Resolución de 2016], por una parte, incentivar la denuncia y, por otra, no articular los medios que permitan proteger a la persona que procede a efectuar la denuncia".

§ 30. La **dualidad de objetivos** marcados por la Directiva 2019/1937 trata de obtener sinergias en su aplicación, pero conlleva ciertas contradicciones desde la perspectiva moral (Villoria, 2021). Como analiza el citado autor, si la justificación es utilitarista en favor del cumplimiento de la ley sería necesario aceptar la denuncia anónima, proceder a una rigurosa investigación y premiar al denunciante. Por el contrario, desde criterios deontológicos favorables al alertador de buena fe, lo prioritario serían los mecanismos de protección hacia quien ejerce derechos fundamentales como la libertad de expresión o la libertad de prensa. Finalmente, Villoria (2021, 20) ha recomendado evitar estas contradicciones, optando por el "utilitarismo de la regla", que considera que "hay reglas útiles que, si se observan en general, facultan a la gente a predecir la conducta de los demás, así como a una comunidad a crear las mejores consecuencias".

§ 31. La **figura del *"whistleblower"*,** como ha reflexionado Amoedo (2017a), ha resultado ajena a nuestra tradición jurídica, pero la difícil situación de personas que, como Ana Garrido en el caso Gürtel o Azahara Peralta en el caso Acuamed, se atrevieron a evidenciar las tramas corruptas de las altas esferas del poder sensibilizó a la opinión pública para entender el importante papel que desempeñaban en la lucha contra la corrupción. Como se ha analizado en el apartado anterior, en la década de los años 10 del presente siglo, esta visión protectora también había pasado a formar parte de la agenda de las instituciones sociales y los partidos políticos. El movimiento legislador logró plasmarse entre los años 2016 y 2017 a nivel autonómico e incluso local (municipios de Madrid y Barcelona), pero las iniciativas parlamentarias en las Cortes Generales no culminaron en su aprobación y publicación en el Boletín Oficial del Estado. Finalmente, el impulso de la Directiva comunitaria de 2019 ha impelido a las autoridades nacionales, aunque con un fuerte retraso en el cumplimiento del plazo de trasposición, a la promulgación de la Ley del Informante de 2023.

§ 32. Hasta el momento, el **gap de información antifraude**, como consecuencia de una actitud social no receptiva acerca de las comunicaciones sobre hechos ilícitos, ha sido cubierto de manera solidaria, pero no estructurada, mediante los recursos altruistas, y a veces heroicos, de la sociedad civil. Desde los valientes denunciantes y las abnegadas ONGs especializadas en la materia hasta los más efectivos escándalos publicados por los medios de comunicación.

El análisis de este fenómeno disfuncional en la lucha contra la corrupción ha permitido demostrar que, como señala buena parte de la doctrina (vid. Fernández Ajenjo, 2011), los controles internos se han demostrado ineficaces en estas tareas, al limitarse la Administración consultiva a ejercitar sus funciones de manera formalista y la Administración fiscalizadora e inspectora a centrar sus esfuerzos en verificaciones sobre la legalidad desprendida de los expedientes y la documentación, obviando las labores de investigación más inquisitivas. Por su parte, la posición del sistema de control del Poder Legislativo ha quedado en buena parte neutralizada en su capacidad de luchar contra la corrupción, como denunció García de Enterría (2000), por el "Estado de partidos" que somete a los poderes públicos a las necesidades de las formaciones políticas.

§ 33. La **configuración moderna** de la lucha contra el fraude ha roto con la visión orgánica del modelo prevención/represión, en el que las autoridades sin rango judicial actuaban exclusivamente antes de cometerse el hecho defraudatorio y las autoridades penales comandaban la persecución de las infracciones jurídicas más graves. En el nuevo modelo se configura el combate frente a la corrupción como un proceso sistémico que trata de evitar el gap o brecha de conocimiento entre las autoridades preventivas y represoras (Fernández Ajenjo, 2021), instando a las primeras a la apertura de vías para la recepción de denuncias y a su investigación antes de producir el traslado, de confirmarse los indicios, al ámbito judicial.

§ 34. El denominado **ciclo antifraude** ha estructurado esta nueva configuración institucional (UE, 2014), formando un conjunto estandarizado de medidas que pretenden "reducir considerablemente el riesgo de fraude y constituir además un importante método disuasorio" (Díaz, 2017). En el marco de las cuatro fases de este ciclo (prevención, detección, investigación y represión), los mecanismos de denuncia se insertan como herramienta fundamental de conocimiento, por parte de las autoridades, de las irregularidades que han logrado traspasar el tamiz de los controles preventivos.

§ 35. Los **estudios fenomenológicos** han demostrado reiteradamente la importancia de la información proporcionada fuera de los cauces oficiales, pues los sistemas de inspección y auditoría no resultan lo suficientemente eficaces a la hora de detectar casos de graves irregularidades que afectan al ámbito público y privado. La encuesta mundial sobre delitos económicos realizada periódicamente por la PricewaterhouseCoopers (PwC, 2005, 2011 y 2018) muestra que la importancia de las denuncias internas y externas como fuentes de información se mantiene en índices altos, pues si en 2005 alcanzaba el 31%, en 2011 se sitúa en el 23% y en 2018 el 23%. Los informes de la Asociación de Examinadores de Fraude Certificados (ACFE), sobre la base de los trabajos de los examinadores de fraude certificados en los sectores público y privado, determinan que la mayor fuente de información sigue siendo las de denuncias, que en la publicación de 2022 se alzaba hasta un 42%. Por su parte, el estudio de KPGM de 2016 también resaltaba a la denuncia como fuente principal de detección del fraude al situarse en el 31% de los casos conocidos.

§ 36. Para finalizar, hay que destacar que la **finalidad axiológica** de la legislación de protección del denunciante no se detiene en implementar un conjunto de medidas que refuerce su situación jurídica, sino que el fin último es dotarle de un estatus moral de plena aceptación social, a la par que se subraya el rechazo que deben sufrir quienes opten por la represalia. Además, se propone impulsar "una pedagogía y un cambio cultural que provoque en la sociedad una indignación mayor frente a los delitos de corrupción, pues de esta forma, aquellos denunciantes no solo serán vistos como los 'guardianes de la norma', sino muy probablemente hará efecto contagio en comportamientos cívicos de denuncia a las irregularidades que somos testigos con los bienes públicos" (Fernández González, 2019, 180-181). No obstante, hay que ser conscientes de la dificultad para obtener este cambio cultural, pues, como afirma Jiménez Franco (2022, 221):

> "Lo más difícil, por ende, es la consecución de un cambio de paradigma en la concepción ética de la figura del informante, que actúa teniendo presente la defensa del interés general y la búsqueda del bien común, y tratarlo más como un "valiente", un "héroe" o una persona con una actitud cívica encomiable, como ocurre en la tradición anglosajona, donde el *"whistleblower"* es alabado y respetado".

Marco jurídico de la Directiva de protección de las personas que informen sobre infracciones del Derecho de la Unión

§ 37. La **Unión Europea** ha reconocido los fuertes costes profesionales, económicos y personales que la defensa de la integridad supone para los denunciantes y para las instituciones afectadas. En la encuesta especial del Eurobarómetro de 2017 sobre la corrupción, el 81 % de los europeos afirmaron no haber dado cuenta de los casos de corrupción de los que tuvieron conocimiento; y el estudio de 2017 de la Comisión estimó entre 5.800 y 9.600 millones de euros anuales las pérdidas en materia de contratación pública por la deficiente protección de los denunciantes.

§ 38. El **Primer informe sobre los presuntos casos de fraude, mala gestión y nepotismo** en la Comisión Europea, emitido por la Comisión de Expertos Independientes el 15 de marzo de 1999, constató que los órganos de control tradicionales habían logrado obtener indicios parciales de defraudación de los intereses públicos, pero que la desconexión entre ellos y la ausencia de traslado de asuntos a la jurisdicción penal generaba una fuerte sensación impunidad. Por otra parte, tampoco se detectaron mecanismos adecuados para el establecer sistemas de detección (v. gr. las denuncias de particulares) o de investigación (v. gr. las investigaciones administrativas especializadas), lo que acrecentaba el riesgo de que los asuntos que habían logrado saltar las barreras preventivas no puedan ser conocidos en la esfera represiva.

§ 39. Como consecuencia de este análisis, la **Oficina Europea de Lucha Antifraude**, tras su creación en 1999, puso especial interés en establecer un ambicioso sistema de denuncias *on line* y telefónicas que facilitaran la aportación de información por parte de los ciudadanos (Vervaele, 1999) y posteriormente, en 2010, un renovado Sistema de Notificación de Fraudes (FNS), que permitía sin cortapisas las denuncias anónimas. No obstante, no se abordó la necesidad de complementar esta política *pro-participación* ciudadana con la introducción en el acervo comunitario de la figura del denunciante sujeto a protección.

§ 40. El primer movimiento a nivel comunitario se produjo en el Parlamento Europeo por parte del **Grupo Greens/EFA** en mayo de 2016, que proponía un borrador de Directiva sobre la base de un estudio sobre la viabilidad de aprobar una legislación sobre la materia. Esta iniciativa fue acogida por el Parlamento Europeo y se solicitó a la Comisión Europea la tramitación de una propuesta de legislación horizontal sobre la protección de los denunciantes.

§ 41. En octubre de 2016, el **Consejo Europeo** fue receptivo a esta cuestión y también instó a la Comisión a que evaluará el margen competencial comunitario para entrar en esta materia dentro del respeto al principio de subsidiariedad.

§ 42. Con anterioridad, el **presidente de la Comisión**, Jean-Claude Juncker, había asumido el compromiso público de impulsar esta legislación en la Declaración del Estado de la Unión del 14 de septiembre de 2016. Con esta finalidad, se constituyó un grupo de trabajo y se abrió un proceso de consulta pública, que publicó su evaluación en enero de 2017, con el fin de introducir esta propuesta en el programa legislativo de la Comisión. Por su parte, la Resolución del Parlamento Europeo de 14 de febrero de 2017 sobre "La función de los denunciantes en la protección de los intereses financieros de la Unión" y la Resolución del Parlamento Europeo, de 24 de octubre de 2017, sobre "Las medidas legítimas para la protección de los denunciantes de irregularidades que, en aras del interés público, revelan información confidencial sobre empresas y organismos públicos" instaron a la Comisión a adoptar una propuesta en esta materia. El 23 de abril de 2018 se produjo la Comunicación de la Comisión al Parlamento Europeo, el Consejo y el Comité Económica y Social Europeo en el que propone "Reforzar la protección de los denunciantes a nivel de la UE".

§ 43. Las **opciones de medidas legislativas y no legislativas** planteadas se sometieron por la Comisión a consultas entre la sociedad civil, empresarios y sindicatos y, analizada la voluntad del Parlamento, hubo un consenso amplio por la aprobación de una Directiva que estableciera un estándar mínimo de armonización en amplios sectores del Derecho de la Unión, no solo en el relativo a la protección de los intereses financieros, complementado por una Comunicación "que estableciera un marco político a escala de la UE e incluyera medidas complementarias para apoyar a las autoridades nacionales" (Ministerio de Justicia, 2022, 11). Por lo tanto, se descartaron las opciones tendentes a mantener la situación actual, la aprobación de una Recomendación de la Comisión Europea sobre los elementos clave de protección o la aprobación de una Directiva exclusivamente de protección de los informantes de infracciones en el ámbito de los intereses financieros de la Unión Europea.

§ 44. La **Propuesta de la Comisión**, de 23 de abril de 2018, de Directiva del Parlamento Europeo y del Consejo relativa a la protección de las personas que informen sobre infracciones del Derecho de la Unión, resumió este conjunto de iniciativas que, tanto desde la sociedad civil y los sindicatos como desde el propio Consejo y el Parlamento, habían recogido la necesidad de actuar en esta materia:

> "Para paliar esta fragmentación de la protección en toda la UE, las instituciones de la Unión y muchos interesados han pedido medidas a escala de la UE. El Parlamento Europeo, en su Resolución de 24 de octubre de 2017 sobre Medidas legítimas para la protección de los denunciantes de infracciones que actúan en aras del interés público, y en su Resolución de 20 de enero de 2017 sobre la función de los denunciantes en la protección de los intereses financieros de la Unión, pidió a la Comisión que presentara una propuesta legislativa horizontal para garantizar un elevado nivel de protección de los denunciantes en la UE, tanto en el sector público como en el privado, así como en las instituciones nacionales y de la UE. En sus conclusiones sobre la transparencia fiscal, de 11 de octubre de 2016, el Consejo invitó a la Comisión a estudiar la posibilidad de adoptar en el futuro acciones a escala de la UE. Las organizaciones de la sociedad civil y los sindicatos han pedido reiteradamente una legislación de la UE sobre la protección de los denunciantes que actúen en el interés público".

§ 45. El **debate parlamentario** duró un año y medio hasta que finalmente se produjo la aprobación de la Directiva (UE) 2019/1937 del Parlamento Europeo y del Consejo de 23 de octubre de 2019 relativa a la protección de las personas que informen sobre infracciones del Derecho de la Unión. La citada norma fue publicada en el Diario Oficial de la Unión Europea de 26 de noviembre de 2019.

§ 46. El **fundamento jurídico** de la Directiva enlaza directamente con el reconocimiento de un derecho fundamental, pues "las personas que comunican información sobre amenazas o perjuicios para el interés público obtenida en el marco de sus actividades laborales hacen uso de su derecho a la libertad de expresión" (considerando 31 DPIUE). Por lo tanto, esta norma supone una aplicación del artículo 11 de la Carta y el artículo 10 del Convenio Europeo para la Protección de los Derechos Humanos y de las Libertades Fundamentales. De la misma forma, es concordante con la jurisprudencia del Tribunal Europeo de Derechos Humanos (TEDH) y la Recomendación sobre protección de los denunciantes adoptada por el Comité de ministros del Consejo de Europa el 30 de abril de 2014.

§ 47. El **amparo jurídico** que fundamenta la competencia comunitaria en la materia se remite al Tratado de Funcionamiento de la Unión Europea y, en particular, a los artículos 16, 43.2, 50, 53. 1, 91, 100 y 114, 168.4, 169, 192.1, y 325. 4; así como el Tratado constitutivo de la Comunidad Europea de la Energía Atómica, y en particular al artículo 31.

§ 48. La **transposición** de la Directiva 2019/1937 deberá ajustarse a los siguientes principios, tal y como ha expuesto sistemáticamente Parajó (2023, 50):

a) "Principio del trato más favorable para los derechos de los denunciantes, salvo en lo que respecta a la protección de las personas afectadas y a la obligatoriedad de que los Estados prevean sanciones para los denunciantes que comuniquen o revelen información falsa a sabiendas".

b) Principio de no regresión, por el que "los Estados miembros no podrán reducir el nivel de protección ya garantizado antes de su incorporación".

c) Principio de respeto a la fecha de trasposición que, al ser vulnerado por España, "ha sido instada oficialmente por la Comisión, que ha terminado por abrir un procedimiento de infracción. La Comisión ha decidido incoar procedimiento de infracción amparado en los artículos 258 a 260 relativos al Tratado de Funcionamiento de la Unión Europea INFR (2022)0073 de fecha

27-01-2022 contra el reino de España, por la falta de transposición de la Directiva UE 1937/2019".

§ 49. Finalmente, en el **Derecho positivo español**, como afirma Fernández González (2019), y antes de la transposición efectiva por la Ley del Informante, la Directiva 2019/1937 se ha encontrado un dispar grado de desarrollo en esta materia. En el ámbito de las Administraciones Públicas se han incorporado paulatinamente un conjunto de normas relativas a la protección del denunciante con desigual avance en los tres niveles territoriales, como ya se ha expuesto anteriormente. En las entidades privadas, el grado de avance es mayor, por la influencia de la cultura corporativa estadounidense y las recomendaciones de las autoridades supervisoras de los diversos mercados.

§ 50. El régimen de la **entrada en vigor** de la Directiva en los Estados Miembros ha establecido los siguientes plazos de transposición y período transitorio (artículo 26 DPIUE):

> "1. Los Estados miembros pondrán en vigor las disposiciones legales, reglamentarias y administrativas necesarias para dar cumplimiento a lo establecido en la presente Directiva a más tardar el *16 de diciembre de 2021*.
>
> 2. No obstante lo dispuesto en el apartado 1, para las entidades jurídicas del sector privado que tengan de 50 a 249 trabajadores, los Estados miembros pondrán en vigor, a más tardar el *17 de diciembre de 2023*, las disposiciones legales, reglamentarias y administrativas necesarias para dar cumplimiento a la obligación de establecer canales de denuncia interna en virtud del artículo 8, apartado 3.
>
> 3. Cuando los Estados miembros adopten las disposiciones mencionadas en los apartados 1 y 2, estas harán referencia a la presente Directiva o irán acompañadas de dicha referencia en su *publicación oficial*. Los Estados miembros establecerán las modalidades de la mencionada referencia. Comunicarán inmediatamente a la Comisión el texto de dichas disposiciones".

Régimen jurídico de la Ley de Protección del Informante

Promulgación de la ley

§ 51. La **consulta pública** previa realizada por el Ministerio de Justicia entre el 7 de enero de 2021 y el 27 de enero de 2021, de conformidad con el artículo 26.2 LG, constituyó el comienzo de su *iter* legislativo. No obstante, con carácter preliminar se había circularizado consulta a los departamentos ministeriales, el 19 de junio de 2021, para que emitieran su opinión acerca del ámbito material de aplicación de la futura norma, a la vista del artículo 2.2 DPIUE que permitía a los Estados Miembros ampliar su extensión a otros sectores jurídicos.

§ 52. **El Anteproyecto de Ley y la Memoria del Análisis del Impacto Normativo**, elaborados el 4 de marzo de 2022 por el Ministerio de Justicia, recogió el resultado consolidado tras esta fase de consulta, para comenzar la tramitación de la entonces denominada "Ley reguladora de la protección de las personas que informen sobre infracciones normativas y de lucha contra la corrupción por la que se transpone la Directiva (UE) 2019/1937 del Parlamento Europeo y del Consejo, de 23 de octubre de 2019, relativa a la protección de las personas que informen sobre infracciones del Derecho de la Unión".

§ 53. El Informe del **Consejo Económico y Social**, de 30 de marzo de 2022, afirma positivamente que "comparte los fines de la Directiva 2019/1937 y los objetivos del Anteproyecto sometido a dictamen en la medida en que se orienta al cumplimiento de aquellos". No obstante, considera que la obligación de establecer un sistema interno de información a "todos los partidos políticos, sindicatos, organizaciones empresariales, así como a las fundaciones que de los mismos dependan", de cualquier dimensión, cuando reciban fondos públicos para su financiación, resulta excesiva y que debiera acompasarse a la previa evaluación de los riesgos, en línea con lo establecido por la Directiva comunitaria.

§ 54. El **Informe del Consejo General del Poder Judicial**, de 26 de mayo de 2022, consideró acertada la propuesta legislativa, conforme a principios de buena regulación, al abordar "una ordenación no fragmentada y coherente en la materia, así como una mayor eficiencia, debiendo valorarse positivamente desde el punto de vista de la seguridad jurídica". No obstante, realizó algunas acotaciones de naturaleza técnico-jurídica fundamentalmente vinculadas a la descripción de los títulos competenciales de la ley.

§ 55. El **Dictamen del Consejo de Estado**, de 8 de septiembre de 2022, valoró positivamente el conjunto del Anteproyecto, si bien destacó una serie de reparos y propuestas de mejora técnica a las que se hará referencia con detalle a lo largo de este trabajo.

§ 56. El **Informe del Consejo Fiscal**, de 27 de septiembre de 2022, también estimó positivamente la iniciativa e instó "al Ejecutivo a continuar impulsando medidas legales encaminadas a reforzar la protección de las personas que posibilitan el inicio de un proceso penal y cuyo testimonio es esencial para la consecución de una sentencia condenatoria".

§ 57. El **Preámbulo LPI** reconoce que el establecimiento de un régimen jurídico específico de los canales de denuncia y protección del denunciante debe cubrir tanto un vacío normativo como facilitar la colaboración de los ciudadanos en la defensa de los intereses generales. Como afirma Villoria (2000), la participación de los ciudadanos en la vida pública no se debe reducir al momento del voto electoral, sino que deben estar capacitados para alertar, en cualquier momento, de conductas impropias en el ejercicio de la actividad pública.

El principio de participación (Rodríguez-Arana, 2003), insertado actualmente dentro del paradigma de la gobernanza, es una manifestación expresa del deber constitucional impuesto a los poderes públicos de "facilitar la participación de todos los ciudadanos en la vida política" (artículo 9.2 CE). Estas exigencias se han plasmado, en el marco de la lucha anticorrupción, en el artículo 13.2 CNUCC que establece la necesidad de adoptar "medidas apropiadas para garantizar que el público tenga conocimiento de los órganos pertinentes de lucha contra la corrupción mencionados en la presente Convención y facilitará el acceso a dichos órganos, cuando proceda, para la denuncia, incluso anónima, de cualesquiera incidentes que puedan considerarse constitutivos de un delito tipificado con arreglo a la presente Convención".

Como recuerda la justificación legislativa, la colaboración ciudadana ya tiene cabida en nuestro ordenamiento jurídico, como el deber de denuncia impuesto a los testigos de delitos por la Ley de Enjuiciamiento Criminal, las acciones públicas en materia de urbanismo, medioambiente o de patrimonio histórico-artístico y la normativa sectorial de los ámbitos financiero y de defensa de la competencia.

§ 58. El **antecedente normativo** en nuestro ordenamiento, reconocido por el propio preámbulo LPI, fue la Ley Orgánica 3/2018, de 5 de diciembre, de Protección de Datos Personales y Garantía de los Derechos Digitales que autorizó la existencia de sistemas de información dirigidos a facilitar información a las entidades privadas, "incluso anónimamente, la comisión, en el seno de la misma o en la actuación de terceros que contratasen con ella, de actos o conductas que pudieran resultar contrarios a la normativa general o sectorial que le fuera aplicable".

§ 59. La **finalidad principal** de la Ley es "proteger a los ciudadanos que informan sobre vulneraciones del ordenamiento jurídico en el marco de una relación profesional" (preámbulo LPI), tras la constatación de que los ejemplos cívicos de denuncias han traído graves consecuencias para los informadores.

§ 60. Los **títulos competenciales** afirman las competencias exclusivas del Estado, por lo que tendrán la consideración de disposiciones básicas, con excepción del título VIII relativo a la AIPI, A.A.I., que únicamente será aplicable en el sector público estatal (disposición final octava LPI).

§ 61. La **transposición** de la Directiva 2019/1937 es la causa directa de la aprobación de la Ley del Informante, como expresamente declara la disposición adicional novena LPI.

§ 62. La **entrada en vigor** de la ley se ha producido a los veinte días de la publicación en el BOE (disposición final duodécima LPI). Por lo tanto, el cómputo de los veinte días naturales, por aplicación de los artículos 2.2 y 5 del Código Civil, nos remiten al 13 de marzo de 2023, pues la publicación se produjo el 21 de febrero de 2023.

§ 63. El establecimiento de los **sistemas internos de información** y la adaptación de los existentes se deberá producir en un plazo de tres meses desde la entrada en vigor de la ley; es decir, el 13 de junio de 2023 (disposición transitoria segunda.1 LPI). De manera específica, el plazo para las personas jurídicas del sector privado con menos de 250 trabajadores y los municipios de menos de 10.000 habitantes se extiende hasta el 1 de diciembre de 2023 (disposición transitoria segunda.2 LPI).

§ 64. La adaptación de los **canales externos de información** se deberá realizar en el plazo de seis meses, es decir, hasta el 13 de diciembre de 2023, para aquellos aspectos que contradigan la ley (disposición transitoria segunda.3 LPI). Los informantes que utilicen estos canales podrán acogerse a las medidas de protección previstas en esta ley, así como a las previstas en la normativa específica.

TERMINOLOGÍA SOBRE EL INFORMANTE

§ 65. La **Ley del Informante** se ha decantado por traducir el término *"persons reporting"* empleado por la Directiva 2019/1937, tras largo debate doctrinal y legislativo, como "informante", empleando en su articulado el vocablo "denunciante" como sinónimo en una única ocasión (artículo 4.2. LPI). De esta forma se sigue la recomendación de la Guía Técnica UNODC (2010, 112), siguiendo el modelo del artículo 33 CNUCC, que hacía referencia a las *"reporting persons"*, pues "se consideró que era suficiente para transmitir el sentido fundamental, a saber, dejar claro que hay una diferencia entre estas personas y los testigos. Se estimó que era preferible a la expresión inglesa *"whistle-blowers"*, que es un coloquialismo que no puede traducirse bien a muchos idiomas". Como ha señalado el documento de Transparencia Internacional España sobre protección a los denunciantes (2019, 1):

> "En este sentido, hay que señalar que el legislador comunitario ha reflexionado sobre el concepto y el nombre con el que se quiere referir a los denunciantes y ha optado por el término "informante de infracciones". De esta manera, se opta por un término que permite abarcar un concepto más amplio y no sometido a la formalidad de las denuncias penales".

§ 66. La **primera versión española** de la Directiva 2019/1937 empleaba habitualmente la palabra "denunciante", acogiendo únicamente el término "informante" en el considerando (30) DPIUE. Tras la reclamación de los sectores de la sociedad civil que trabajan en este campo, se revisó la traducción, adoptando con carácter general la expresión de "personas que informen", aunque sigue empleando el término "denuncia" para referirse a las comunicaciones relativas a la comisión de infracciones.

§ 67. En la **traducción francesa** la expresión utilizada ha sido *"lanceurs d'alerte"* (literalmente, "lanceros de alerta"), término de reciente creación doctrinal, que diferencia al "alertador" del *"dénonciateur"* y al *"délateur"* por su clara intención de actuar en favor del interés común.

§ 68. La **transcripción italiana** ha acogido la terminología de "*informatori*", en línea con la versión española, descartándose la palabra "*segnalante*" (García-Moreno, 2020). La discusión se planteó finalmente en relación con otras expresiones aceptadas en su tradición jurídica como "*sentinella cívica*" o "*vedetta civica*", pero la repuesta de la *Accademia della Crusca italiana*, que podría aplicarse *mutatis mutandis* al caso español, se expresó en los siguientes términos (Pérez Monguió, 2019, 352):

> "hasta el momento en el léxico italiano no existe una palabra semánticamente equivalente al término angloamericano. Falta la palabra, pero sobre todo falta el concepto para la opinión pública italiana. La ausencia de una traducción es el reflejo lingüístico de la falta en el contexto sociocultural de un reconocimiento estable de la «cosa» a la palabra a la que se hace referencia".

§ 69. De esta forma, se deja atrás el término "*whistleblower*", sin posible traducción directa en nuestra lengua (Pérez Monguió, 2019), que se ha vinculado a nociones claramente peyorativas (chivato, soplón, delator o topo) o al concepto de "denunciante" propio de la esfera procesal penal y administrativa.

§ 70. Finalmente, **otras propuestas** han quedado postergadas. Por ejemplo, entre los colectivos sociales que han impulsado a nivel nacional la protección del tradicionalmente denominado denunciante se ha optado mayoritariamente por el empleo del término "alertador". Por otra parte, Garrido (2019) planteó la necesidad de "debatir si «informante», «alertador» o «comunicante» no debería ser la terminología reservada para los casos en que se traslada una información de forma anónima; mientras que la palabra «denunciante» quedaría relegada a aquella persona que traslada información sobre una infracción o un delito revelando su nombre y apellidos".

§ 71. Finalmente, a **nivel nacional**, hay que destacar el novedoso término empleado por la Ley 10/2014, de 26 de junio, de ordenación, supervisión y solvencia de entidades de crédito al utilizar el término "comunicante" para quienes hagan uso del "canal de comunicaciones" previsto en previsto en el capítulo V del título IV de la citada ley.

Reflexión final y comentarios

GOBERNANZA DE LA LUCHA ANTIFRAUDE

§ 72. El **enfoque sistémico de gobernanza** que integra un sistema institucional multinivel con medidas incentivadoras en favor de los denunciantes ha encontrado acogida en la configuración del régimen jurídica establecido por la Directiva 2019/1937 (Fernández Ajenjo, 2020a). Desde el plano institucional, se prevén tres ámbitos de recepción de denuncias, como son las corporaciones que sufren los presuntos fraudes (1º nivel corporativo), las autoridades públicas que garantizan la protección del denunciante (2º nivel público) y los medios de comunicación y otras organizaciones de la sociedad civil (3º nivel social). En el aspecto funcional, se reconoce valor a la denuncia veraz y razonable realizada por el procedimiento debido, entendido de una forma amplia. Desde la perspectiva incentivadora, se establece un conjunto equilibrado de garantías jurídicas para denunciantes, denunciados y otras personas y autoridades intervinientes: prohibición de represalias, medidas de apoyo y medidas de protección del denunciante; medidas de protección de las personas afectadas; y prohibiciones y sanciones de protección del deber de denuncia.

§ 73. La denuncia suscita todavía una fuerte **controversia moral** entre quienes consideran al informante un denigrante delator y aquellos para quien constituye un ejemplo cívico. La Directiva 2019/1937 se decanta indudablemente en favor de los comunicantes de hechos ilícitos (Garrós y Romera, 2020). La Ley 2/2023, de 20 de febrero, reguladora de la protección de las personas que informen sobre infracciones normativas y de lucha contra la corrupción recoge este reto legislativo y aborda de manera integrada para el conjunto del ordenamiento jurídico la protección de los informantes sobre ilícitos de las esferas públicas y privadas.

§ 74. No obstante, este **reforzamiento legal** no logrará cumplir sus objetivos si no se descasta el tradicional recelo ciudadano hasta "fomentar un entorno positivo y de confianza en el que la denuncia de infracciones sea parte reconocida de la cultura empresarial", como ha destacado el Dictamen 4/2018, de 26 de septiembre de 2018, del Tribunal de Cuentas Europeo. La aplicación práctica de la nueva norma será la que nos indique si se logra alcanzar este cambio cultural.

§ 75. **En definitiva,** nos encontramos ante un conjunto de normas cuya tramitación no ha despertado un gran seguimiento mediático, "pero que están llamadas a sacudir el equilibrio de las órbitas de los demás planetas jurídico-administrativos" (Chaves, 2023). No obstante, como advierte Jiménez Asensio (2023a), se trata de "una medida puntual de lo que debería ser un Sistema de Integridad Institucional".

TERMINOLOGÍA SOBRE EL INFORMANTE

§ 76. El **término "denunciante",** al margen de la connotación social más o menos negativa que el apelativo puede suponer en muchos entornos culturales, en el ordenamiento jurídico español se identifica con una figura jurídica con un estatus muy preciso en el ámbito administrativo y penal. En el ámbito administrativo se considera denunciante exclusivamente a la persona (Parajó, 2022), debidamente identificada, que "pone en conocimiento de un órgano administrativo la existencia de un determinado hecho que pudiera justificar la iniciación de oficio de un procedimiento administrativo (artículo 62.1 LPAC). En el campo penal, el denunciante se concibe de forma también estricta (Villegas, 2022), como "aquella persona que, habiendo presenciado la perpetración de cualquier delito o habiendo tenido conocimiento de dicha perpetración por cualquier otro medio, lo comunica a la Policía, a la Fiscalía o a la autoridad judicial (art. 259 y ss. de la LECRIM)".

§ 77. La **figura del "informante"** reconocida en la nueva ley contiene una naturaleza distinta, como ha estudiado con acierto García-Moreno (2020) en su tesis doctoral, que le identifica más con el "confidente" policial que con el "denunciante" tradicional. Al igual que este último, no se le reconoce legitimación como parte actora en los procedimientos administrativos y penales, como señala el Informe del CGPJ (2022), quedando al margen de los mismos tras facilitar la información de la que tuvo conocimiento, salvo que sea necesaria su declaración como testigo.

En el mismo sentido se ha manifestado (Parajó, 2022), quien considera que el régimen jurídico del "informante" es sustancialmente distinto al aplicable a los denunciantes en el ámbito administrativo y penal. No obstante, el preámbulo LPI considera que también estamos ante una denuncia basándose en que la "Ley 39/2015, de 1 de octubre, del Procedimiento Administrativo Común de las Administraciones Públicas (LPAC), aplicable con carácter básico a todos los procedimientos administrativos, establece que toda comunicación de hechos que puedan constituir una infracción ha de ser considerada como una denuncia (artículo 62.1 LPAC)".

§ 78. El **vocablo "informante"** adoptado en la nueva normativa es un concepto amplio que hace referencia a todo aquel facilite información, como, por ejemplo, los que evacuan los informes preceptivos en los procedimientos administrativos. Por lo tanto, tan informante es el denunciante administrativo, el acusador particular que presenta pruebas o quien elabora un informe pericial que aporta una opinión de naturaleza técnica. No obstante, a partir de esta ley, se ha configurado una figura jurídica novedosa que, al menos en el ámbito de la presentación de comunicaciones por los canales legalmente previstos, ostentará una serie de derechos y obligaciones específicos.

§ 79. Por lo tanto, debe **valorarse positivamente** la terminología empleada que, además, permite dotar al cooperador con el bien común de "una connotación positiva " (Pérez Monguió, 2020, 352), sin que el empleo de términos como denunciante o alertador como sinónimos deban considerarse inadecuados, al margen de las consideraciones jurídicas que se analizarán a continuación.

LEGITIMACIÓN JURÍDICA

§ 80. La **posición jurídica** del denunciante en los procesos se ha prestado a confusión, pues se entremezclan en su figura la propia actividad de denunciar, que no supone nada más que un aviso, con la situación de otros actores que aportan información en los enjuiciamientos: acusaciones populares, testigos, autores-confesos, confidentes, etc. Como se deduce de la raíz etimológica latina *"denuntiare"* ("dar noticia"), denunciar significa "avisar o dar noticia de algo", conforme recoge la primera acepción del Diccionario de la Lengua de la Real Academia Española. Así pues, el denunciante, en sentido estricto, es un mero informante o alertador de las autoridades públicas que, en materia de corrupción, presta un servicio comunitario al avisar de la existencia de indicios de fraude.

§ 81. Como ha propuesto en su tesis doctoral **García-Moreno** (2018), el denunciante constituye una figura autónoma dentro del proceso, que adicionalmente puede ocupar otras posiciones como actor, testigo, perito e incluso acusado en los supuestos de arrepentimiento espontáneo. Por lo tanto, en el debate sobre la denominación apropiada de esta institución jurídica, el tradicional término de denunciante resulta el más congruente etimológica y funcionalmente, aunque, como se ha estudiado anteriormente, hay razones culturales que justifican el empleo del genérico "informante". En definitiva, se identifica con el arcaico "avisador" que se recoge en el castellano antiguo o con el moderno "persona informante" que emplea la Directiva 2019/1937, pues su función es aportar noticia o información al proceso. El término "alertador" empleado por parte de la doctrina actualmente también puede considerarse adecuado, en cuanto responde a la idea de alerta subyacente al término anglosajón de *"whistleblower"* anglosajón, pero, en puridad, el denunciante no solo hace saltar las alarmas sobre un hecho peligroso o irregular, sino que también aporta información precisa sobre lo que está ocurriendo.

§ 82. En principio, los **ordenamientos jurídicos** pueden configurar la denuncia como un mero acto material de información que no comporta ningún derecho, al igual que quien realiza un aviso a los servicios de emergencias no espera respuesta alguna. No obstante, las normas procesales le suelen otorgar un conjunto de derechos más o menos amplio, desde el mero acuse de recibo a otorgarle la posibilidad de ser parte en el proceso.

§ 83. La **doctrina administrativa** ha considerado habitualmente que quien aporta información a un procedimiento no ostenta, por este simple hecho, legitimación procesal como parte y por lo tanto no debe recibir información ni participar el mismo. Además, el acceso a los expedientes de quien no tiene un interés legítimo atentaría contra el derecho a la intimidad personal de los afectados. Por otra parte, el principio de transparencia y el fomento de la participación ciudadana parece hacer conveniente dotar a los informantes de ciertos derechos de comunicación, aunque debilitados, sobre el procedimiento que propician con su actuación.

§ 84. Esta última opción es la aceptada por el procedimiento de investigación establecido por la **Oficina Europea de Lucha Antifrau-**

de (OLAF) en las *Guidelines on Investigation Procedures for OLAF Staff* de 11 de octubre de 2021. Así, se reconoce el derecho del denunciante a ser informado en un plazo de sesenta días sobre las medidas adoptadas, así como la expectativa, a expensas de la decisión de la OLAF, de recibir comunicaciones sobre la desestimación, apertura y cierre de las investigaciones

§ 85. En el **Derecho anglosajón**, la colaboración privada se encuentra profundamente arraigada, basándose en la figura del *qui tam* o derecho de denuncia y recompensa incorporado desde la tradición británica de la Edad Media (García-Moreno, 2018). La institución se ha desarrollado extensamente en Estados Unidos y en la actualidad se regula en la *False Claims Act* de 1863 que admite la figura de los *"relators"* que pueden ejercitar las acciones de denuncias en nombre del Gobierno y obtener un porcentaje de las cantidades recuperadas (Fernández González, 2019). A partir de esta experiencia, junto con las recogidas en la legislación de México y Perú, el artículo 15 Ley Modelo OEA (2013) ha establecido que "Las autoridades competentes podrán otorgar beneficios económicos a los denunciantes de actos de corrupción cuando la información proporcionada por los mismos haya permitido la imposición de sanciones pecuniarias de reparación del daño a favor del Estado, o bien haya coadyuvado a la identificación y localización de recursos, derechos o bienes relacionados o susceptibles de ser vinculados con actos de corrupción".

§ 86. Por el contrario, el **Derecho público continental** tiende a no otorgar, como se ha señalado, ninguna participación al denunciante en los procedimientos administrativos. En este sentido, el artículo 62 LPAC es terminante al indicar que el denunciante no tendrá la consideración de interesado por la simple presentación de la denuncia, si bien tendrá derecho a ser informado motivadamente del archivo de la misma.

§ 87. En **nuestra opinión**, la legitimación del denunciante en los procedimientos de investigación de las irregularidades y fraudes debe partir del principio de participación ciudadana que convierte en un derecho la colaboración en la lucha contra la corrupción. En el ejercicio de este derecho deben reconocerse al ciudadano una serie de prerrogativas relacionadas con el desarrollo de los procedimientos (Garrido, 2019). Por lo tanto, como enfatiza Jiménez Franco (2022,

226), "deberíamos abogar por dotarle de legitimación [al denuncian-
te], dado que quiere defender un interés público, quiere participar
cívicamente como ciudadano en la preservación del principio de legalidad. ¿No es eso un interés legítimo en un Estado de derecho?".

Título I
FINALIDAD DE LA LEY Y ÁMBITO DE APLICACIÓN

Antecedentes de política legislativa y de Derecho comparado

§ 88. Con carácter general, los países sujetos a la tradición del **Derecho continental** han concedido un escaso papel al denunciante, al contrario de los ordenamientos en el que la colaboración público-privada en el ejercicio del *ius puniendi* presenta manifestaciones tan enraizadas como el *qui tam* o derecho de denuncia y recompensa instituido en la Edad Media en Inglaterra (García Moreno, 2020).

§ 89. La **lucha internacional contra la corrupción** está consiguiendo revertir estas posturas, logrando universalizar paulatinamente la protección del denunciante en todos los ordenamientos jurídicos. Tras la larga reivindicación de sectores de la sociedad civil, unida a la angustiosa reclamación de ayuda de los pequeños héroes que han dado el paso de denunciar, las autoridades oficiales y la opinión pública han ido dejando atrás las reticencias históricas frente a los que informan de presuntas malas prácticas de los poderes establecidos.

§ 90. Actualmente, pueden establecerse un **conjunto de buenas prácticas** del examen de las normativas y experiencias de Derecho internacional y comparado que deben ser tenidas en cuenta a la hora de desarrollar una política legislativa y gubernamental en la materia: la concepción del denunciante como un informante o alertador que actúa en favor del interés público, la regulación de las características de los canales de denuncia y su desarrollo técnico con garantías de confidencialidad o el reconocimiento de un estatuto de protección del denunciante que le ampare frente a posibles represalias.

§ 91. Las **Instituciones Financieras Internacionales** (IFI's) han servido de modelo, a partir de la década de los 90, tras la constatación de que el reiterado fracaso de los programas de ayuda al desarrollo no se solventaba con la tradicional receta de elaborados proyectos y detallados contratos-programa. La raíz de la enfermedad se encontraba inserta en el propio entorno institucional de los países receptores que, en muchos casos, carecían de estructuras gubernativas suficientes, cuando no directamente se encontraban infectados por una corrupción sistémica que absorbía, como un agujero negro, todos los recursos recibidos. Como reacción impulsaron la idea-fuerza de la gobernanza, que fue incorporando paulatinamente tópicos como la gobernabilidad, la buena administración, la participación social, la *accountability* y, casi desde el inicio, la denominada lucha contra el fraude y la corrupción.

El Banco Mundial ha sido pionero en instaurar programas de lucha contra la corrupción en la década de los años 90, constituyendo un Comité de Supervisión de Fraude en 1998 y, poco más tarde, el Departamento de Integridad Institucional (INT) en 2001. Bajo la responsabilidad de la INT (Banco Mundial, 2021) se estableció la *línea directa de denuncias internacional* que, con diversas configuraciones técnicas, ha recibido denuncias que han permitido la apertura de numerosas investigaciones internas y externas.

§ 92. A este movimiento reformista de la gobernanza se unirán, casi sin solución de continuidad, las **democracias constitucionales consolidadas**, que sufren a finales del pasado siglo una fuerte crisis institucional provocada por graves casos de corrupción que generaron la desafección de la opinión pública. Así, el funcionamiento de instituciones como la Unión Europea soportó serios problemas de legitimidad, que incluso desembocaron en la dimisión de la Comisión Santer en 1999. Como respuesta, se incorporaron en los países desarrollados iniciativas de gobernanza ya impulsadas por las organizaciones públicas y privadas. Y, en particular, instrumentos como los códigos éticos o los canales de denuncia que formaban parte de los programas de lucha antifraude.

§ 93. Este desarrollo técnico-institucional finalmente fue recogido por la **Convención de Naciones Unidas contra la Corrupción** de 2003, que se ha decantado por promover los sistemas de denuncia bajo un doble ámbito subjetivo:

a) *Medidas y sistemas de denuncia pública*, "para facilitar que los funcionarios públicos denuncien todo acto de corrupción a las autoridades competentes cuando tengan conocimiento de ellos" (artículo 8.4 CNUCC).

b) *Medidas y sistemas de denuncia social*, para facilitar el acceso de la sociedad civil a los órganos de lucha contra la corrupción "para la denuncia, incluso anónima, de cualesquiera incidentes que puedan considerarse constitutivos de un delito tipificado con arreglo a la presente Convención" (artículo 13.2 CNUCC)

§ 94. La **Guía Denunciantes UNODC** (2016) ha justificado, dando un paso más, la adopción de una concepción más amplia de los usuarios de los canales de denuncia y la necesidad de su protección, porque "puede haber otras personas cercanas a los responsables de un acto de corrupción en el que, no obstante, no tienen participación. Es posible que unas cuantas sean testigos del acto en sí. Otras tal vez descubran los métodos utilizados para eludir los sistemas y procedimientos o para desviar los fondos o beneficios de la finalidad o de los destinatarios previstos o podrán ver el daño causado. Aunque estas personas quizá estén en condiciones de comunicar a las autoridades lo que saben, a menudo se abstienen de hacerlo".

§ 95. Como advierte el **Consejo de Europa** (2014, 12), hay que sopesar si la plena apertura a la participación ciudadana ha de establecerse como un debe general imperativo, pues "cuando esto sucede, la atención se centra principalmente o únicamente en el denunciante, amonestando o sancionando al individuo por 'romper filas' en lugar de examinar y abordar la información reportada o divulgada".

§ 96. En sentido contrario, anteriormente la **Ley Modelo OEA** (2013) se había decantado por imponer la obligación genérica de denunciar todo acto de corrupción, si bien asegurando "que ello ponga en peligro o riesgo su integridad física, de su grupo familiar, sus bienes y situación laboral" (artículo 8.1). De la misma forma, se reconoce implícitamente un derecho de denuncia al reconocer que "la interposición de una denuncia de actos de corrupción concede al denunciante las medidas de protección básicas previstas en el artículo 17 de esta ley" (artículo 7). Por ello, resulta conveniente acompañar, como indica el documento explicativo de la propuesta de Ley Modelo (OEA, 2011, 7), "la obligación de denunciar actos de corrupción que tiene todo ciudadano teniendo como contraparte la protección debida del Estado que debe garantizar el ejercicio pleno de los derechos de los denunciantes".

§ 97. En este debate, la **Directiva 2019/1937** no se ha pronunciado sobre la necesidad de imponer un deber jurídico de denuncia a quienes conozcan hechos presuntamente ilegales, sin duda basándose en las prevenciones que acabamos de analizar. Por lo tanto, será potestativo para los ordenamientos nacionales configurar la denuncia como un derecho, un deber o guardar silencio al respecto, recordando que "aunque sea muy amplio, no todo lo éticamente debido en las relaciones interpersonales debe ser conformado como Derecho, con la consiguiente exigibilidad coercible" (Martínez López-Muñiz, 2011, 332). Hay que asumir que la norma jurídica, aun en forma de *soft law*, "si bien puede orientar y condicionar la conducta, no es un mecanismo idóneo para transformar la virtud pública" (Darnaculleta, 2020, 67-68).

§ 98. Si acudimos al ejemplo del **ordenamiento jurídico español**, desde la legislación decimonónica se establece el deber de denuncia general de todo ciudadano y especialmente de ciertos profesionales sobre los hechos delictivos, como recogen actualmente los artículos 259, 262 y 264 del Real Decreto de 14 de septiembre de 1882 por el que se aprueba la Ley de Enjuiciamiento Criminal (LECr). De forma complementaria, se establece el derecho y el deber de denuncia en relación con ciertos ilícitos penales, como, por ejemplo, el artículo 48.4 de la Ley 10/2010, de 28 de abril, de prevención del blanqueo de capitales y de la financiación del terrorismo, que se decanta en favor de la denuncia como derecho de los ciudadanos y deber de los empleados públicos (Garrido, 2019). No obstante, la propia norma procesal penal (artículos 260, 261 y 263 LECr) admite el conflicto moral de valores y exime del deber de denuncia o de declaración a impúberes, familiares hasta el segundo grado y abogados acogidos al secreto profesional; además de, por otros motivos, a los carentes del pleno uso de la razón. Por todo ello, unido a la escasa cuantía de la pena impuesta en caso de vulneración en el artículo 259 LECr ("multa de 25 a 250 pesetas"), no ha actuado en la práctica con una fuerza realmente vinculante (García-Moreno, 2022).

§ 99. Por el contrario, desde el punto de vista de los **ilícitos administrativos** no se ha establecido un deber genérico de denuncia ciudadana ni siquiera en relación con las personas vinculadas con la entidad afectada (Fernández Ajenjo, 2007). No obstante, en la legislación sectorial administrativa sí se encuentran obligaciones específicas para ciertos profesionales, como, por ejemplo, el deber de denuncia expreso de cualquier actuación irregular impuesto en el artículo 26.2.B.3º a las personas sujetas a la Ley 19/2013, de 9 de diciembre, de transparencia, acceso a la información pública y buen gobierno (Ballesteros, 2020). En el marco concreto del empleo público (Parajó, 2022), debe citarse el artículo 54.3 TRLEBEP que impone, dentro de los principios de conducta y frente al deber de obediencia, la obligación de comunicar las instrucciones y órdenes profesionales de los superiores "que constituyan una infracción manifiesta del ordenamiento jurídico, en cuyo caso las pondrán inmediatamente en conocimiento de los órganos de inspección procedentes".

§ 100. Por el contrario, la legislación administrativa reconoce a priori el **derecho de todo ciudadano** a instar mediante denuncia la apertura de un procedimiento administrativo de oficio (artículo 58 LPAC), si bien con exigentes requisitos y sin concederle la condición de interesado (artículo 62 LPAC).

Fundamentos fenomenológicos y axiológicos

§ 101. La **lectura axiológica** de la denuncia de buena fe resulta a priori relativamente sencilla (Fernández Ajenjo, 2020b): quien comunica a las autoridades públicas hechos fraudulentos o irregulares es un buen ciudadano que está cumplimento con un deber moral democrático (apoyar el imperio de la ley) y de justicia (permitir la sanción retributiva del infractor).

§ 102. Si realizamos un análisis más profundo, puede detectarse el **drama axiológico** que, como ha advertido Méndez (2007), se encuentra inserto en toda decisión ética. Frente a la contribución al bien común propia de quien facilita información de los hechos ilícitos, debe tenerse en cuenta el conflicto subyacente con otros valores también dignos de respeto, desde la amistad o el compañerismo, la lealtad y confidencialidad hasta la defensa de la propia integridad física. De forma específica, "podría dar lugar a un conflicto entre el derecho a la libertad de expresión del denunciante y el derecho de sigilo o reserva propio, de su puesto laboral, especialmente si es un funcionario público" (Ballesteros, 2020, 45). Dando un paso más, se puede incluso cuestionar el concepto de buena fe como falta de interés personal, pues "en muchas ocasiones la motivación será doble e interés propio e interés general estarán conectados" (Bachmaier, 2019, 5).

§ 103. El **deber de solidaridad social** obliga moralmente a todo ciudadano a dar cuenta de los hechos contrarios al interés público de los que obtenga noticia. Como nos recuerda Cortina (2014, 101), "las libertades se conquistan y suponen asumir responsabilidades" y, por ello, el buen ciudadano se encuentra compelido por un doble deber de solidaridad tanto hacia la sociedad, para no dejar sin respuesta las graves infracciones del bien común, como de naturaleza profesional, por la lealtad debida al oficio y a la institución en la que se presta servicios. No obstante, la decisión moral del denunciante no resulta fácil de establecer cuando los daños a los que se expone son lo suficientemente fuertes para generar un justificado temor a las represalias.

§ 104. El **conflicto de valores para los empleados**, como ha reseñado la **Guía Denunciante UNODC** (2016), le sitúa entre el deber de denuncia y los deberes de lealtad y confidencialidad, recomendando que se proporcione la suficiente seguridad jurídica para solventar los problemas legales, en forma de reclamaciones judiciales penales o económicas, que pueden recaer sobre los mismos.

§ 105. La **postura ética del denunciante exógeno**, es decir, sin relación alguna con la persona o entidad denunciada, no provoca, a priori, ningún desvalor axiológico, pues lo importante, desde este punto de vista, es la veracidad y relevancia de la información facilitada. A pesar de ello, los ordenamientos jurídicos se muestran sumamente reticentes a aceptar esta figura (García Moreno, 2020), aunque pueden encontrarse excepciones como las siguientes:

- La U.S. *False Claims Act (FCA)*, dirigida contra los defraudadores del Gobierno Federal, aprobada originalmente en 1863, que permite incluso a los ciudadanos particulares presentar demandas "*qui tam*" en nombre del gobierno y obtener una parte de los fondos recuperados.

- La U.S. *Dodd-Frank Act*, aprobada el 21 de julio de 2010, dirigida a la reforma de Wall Street y a la protección del consumidor, que otorga protección a todos los denunciantes que voluntariamente faciliten información sobre conductas inapropiadas, pudiendo obtener una recompensa en forma de parte proporcional de las sanciones monetarias aplicadas.

- La *Unión Europea* también se ha decantado por esta opción en algunos ámbitos sectoriales, como el artículo 32.4 del Reglamento (UE) 2014/596 del Parlamento Europeo y del Consejo, de 16 de abril de 2014, sobre el abuso de mercado (Reglamento sobre abuso de mercado) que autoriza a los Estados Miembros a establecer "la concesión de incentivos económicos a las personas que ofrezcan información relevante sobre posibles infracciones del presente Reglamento, siempre que esas personas no estén sometidas a otras obligaciones legales o contractuales previas de facilitar tal información, que esta sea nueva y que dé lugar a la imposición de una sanción administrativa o penal, o a la adopción de otra medida administrativa por infracción del presente Reglamento".

- La *legislación autonómica*, sobre todo la más reciente, que considera como denunciante a toda persona que formule una denuncia sobre los hechos sujetos a investigación de la correspondiente oficina anticorrupción, como, por ejemplo, el artículo 14 LACA Valencia, el artículo 24 de la LACA Navarra o el artículo 35 LACA Andalucía.

§ 106. No obstante, la **concepción clásica del denunciante** postula que, en puridad, la figura del *"whistleblower"* se identifica con el empleado o la persona interna que desvela un caso de fraude o corrupción (Ragués, 2013, 20). Así se puede observar en las siguientes legislaciones (García-Moreno, 2020):

- La *Public Interest Disclosure Act* británica de 1998, que expresamente identifica las divulgaciones protegidas con aquellas desveladas por un trabajador (*worker*).

- Las *leyes autonómicas* que solo reconocen como denunciante protegido a los empleados públicos, como, por ejemplo, el artículo 45 LACA Aragón.

Marco jurídico de la Directiva de protección de las personas que informen sobre infracciones del Derecho de la Unión

§ 107. La principal finalidad de **política legislativa** de la Directiva 2019/1937 es establecer normas mínimas de protección de los denunciantes que conozcan la comisión de infracciones contra el Derecho de la Unión, ante la disparidad de regímenes existente en los Estados miembros (Campanón, 2020). En la parte expositiva de la norma se reitera esta finalidad en los siguientes considerandos DPIUE:

- (5) "Deben aplicarse normas mínimas comunes que garanticen una protección efectiva de los denunciantes en lo que respecta a aquellos *actos y ámbitos en los que sea necesario reforzar la aplicación del Derecho*, en los que la escasez de denuncias procedentes de denunciantes sea un factor clave que repercuta en esa aplicación, y en los que las infracciones del Derecho de la Unión puedan provocar graves perjuicios al interés público. Los Estados miembros podrían decidir hacer extensiva la aplicación de las disposiciones nacionales a otros ámbitos con el fin de garantizar que exista un marco global y coherente de protección de los denunciantes a escala nacional".

- (16) "También se deben establecer normas mínimas comunes para la protección de los denunciantes de *infracciones relativas al mercado interior* a que se refiere el artículo 26, apartado 2, del TFUE. Además, de conformidad con la jurisprudencia del Tribunal de Justicia de la Unión Europea [...], las medidas de la Unión destinadas establecer el mercado interior o a garantizar su funcionamiento tienen el objetivo de contribuir a la eliminación de los obstáculos existentes o emergentes a la libre circulación de mercancías o a la libre prestación de servicios, así como a contribuir a la supresión de los falseamientos de la competencia".

- (69) "La Comisión, así como *algunos órganos y organismos de la Unión*, como la Oficina Europea de Lucha contra el Fraude (OLAF), la Agencia Europea de Seguridad Marítima (AESM), la Agencia Europea de Seguridad Aérea (AESA), la Autoridad Europea de Valores y Mercados (AEVM) y la Agencia Europea de Medicamentos (EMA), disponen de canales y procedimientos de denuncia externa para la recepción de denuncias de infracciones que entran en el ámbito de aplicación de la presente Directiva y que básicamente prevén la confidencialidad de la identidad de los denunciantes. La presente Directiva no debe afectar a dichos canales y procedimientos de denuncia externa, cuando existan, pero debe velar por que las personas que denuncien ante instituciones, órganos y organismos de la Unión se vean amparadas por unas normas mínimas comunes en materia de protección en toda la Unión".

- (108) "Dado que el objetivo de la presente Directiva, a saber, reforzar el cumplimiento en determinados ámbitos y por lo que respecta a actos cuando las infracciones del Derecho de la Unión puedan provocar graves perjuicios al interés público, a través de una protección eficaz de los denunciantes, no puede ser alcanzado de manera suficiente por los Estados miembros actuando en solitario o de forma no coordinada, sino que, puede lograrse mejor a escala de la Unión estableciendo normas mínimas comunes para la protección de los denunciantes, y dado que solo la acción de la Unión puede aportar coherencia y armonizar las normas de la Unión vigentes sobre protección de los denunciantes, *la Unión puede adoptar medidas, de acuerdo con el principio de subsidiariedad* establecido en el artículo 5 del Tratado de la Unión Europea. De conformidad con el principio de proporcionalidad establecido en el mismo artículo, la presente Directiva no excede de lo necesario para alcanzar dicho objetivo".

§ 108. Desde el punto de vista **objetivo**, el artículo 1 DPIUE reconoce el carácter de norma de mínimo común en materia de protección de los denunciantes, puesto que tanto en el ámbito de la propia Unión Europea como en los diferentes Estados miembros ya existe una legislación, al menos sectorial, en las diferentes materias incluidas en su ámbito de aplicación. En concreto, cabe relacionar, entre otros, la regulación especializada, con un mayor o menor grado de amplitud, de la normativa comunitaria en los siguientes ámbitos:

- En el *ámbito de los servicios financieros*, la Directiva 2013/36/UE del Parlamento Europeo y del Consejo dispone para los denunciantes la protección aplicable en el contexto del Reglamento (UE) 575/2013 del Parlamento Europeo y del Consejo.

- En *materia de transporte*, la normativa de seguridad área del Reglamento (UE) 376/2014 del Parlamento Europeo y del Consejo, y sobre seguridad del transporte marítimo en las Directivas 2013/54/UE y 2009/16/CE del Parlamento Europeo y del Consejo.

54 José Antonio Fernández Ajenjo

- En el *ámbito de medio ambiente*, la Directiva 2013/30/UE del Parlamento Europeo y del Consejo, de 12 de junio de 2013, sobre la seguridad de las operaciones relativas al petróleo y al gas mar adentro.
- En *materia de seguridad nuclear*, la Directiva 2009/71/Euratom del Consejo, de 25 de junio de 2009, por la que se establece un marco comunitario para la seguridad nuclear de las instalaciones nucleares.
- En *materia de seguridad alimentaria*, el Reglamento (CE) 178/2002 del Parlamento Europeo y del Consejo, de 28 de enero de 2002, por el que se establecen los principios y los requisitos generales de la legislación alimentaria, se crea la Autoridad Europea de Seguridad Alimentaria y se fijan procedimientos relativos a la seguridad alimentaria; el Reglamento (UE) 2016/429 del Parlamento Europeo y del Consejo, de 9 de marzo de 2016, relativo a las enfermedades transmisibles de los animales y por el que se modifican o derogan algunos actos en materia de sanidad animal; la Directiva 98/58/CE del Consejo, de 20 de julio de 1998, relativa a la protección de los animales en las explotaciones ganaderas; la Directiva 2010/63/UE del Parlamento Europeo y del Consejo, de 22 de septiembre de 2010, relativa a la protección de los animales utilizados para fines científicos; el Reglamento (CE) 1/2005 del Consejo, de 22 de diciembre de 2004, relativo a la protección de los animales durante el transporte y las operaciones conexas; y el Reglamento (CE) 1099/2009 del Consejo, de 24 de septiembre de 2009, relativo a la protección de los animales en el momento de la matanza.
- En *materia de abuso de mercado*, el Reglamento (UE) 596/2014 del Parlamento Europeo y del Consejo, de 16 de abril de 2014, sobre el abuso de mercado; y la Directiva de Ejecución (UE) 2015/2392 de la Comisión, de 17 de diciembre de 2015, relativa al Reglamento (UE) 596/2014 en lo que respecta a la comunicación de posibles infracciones o infracciones reales de dicho Reglamento a las autoridades competentes.
- En el *ámbito de los productos de inversión financiera*, el Reglamento (UE) 1286/2014 del Parlamento Europeo y del Consejo,

de 26 de noviembre de 2014, sobre los documentos de datos fundamentales relativos a los productos de inversión minorista empaquetados y los productos de inversión basados en seguros.

- En *materia laboral*, la Directiva 89/391/CEE del Consejo, de 12 de junio de 1989, relativa a la aplicación de medidas para promover la mejora de la seguridad y de la salud de los trabajadores en el trabajo.

- En la *normativa de funcionarios de la Unión*, el Reglamento (CEE, Euratom, CECA) 259/68 del Consejo, de 29 de febrero de 1968, por el que se establece el Estatuto de los funcionarios de las Comunidades Europeas y el régimen aplicable a los otros agentes de estas Comunidades y por el que se establecen medidas específicas aplicables temporalmente a los funcionarios de la Comisión.

§ 109. Con la definición del **ámbito material** de aplicación, la Directiva 2019/1937 trata de consolidar la aplicación del Derecho de la Unión en ciertos sectores, reforzando la protección de las personas que informen sobre infracciones a la normativa afectada. Para ello, se dictan una serie de normas mínimas relativas a los siguientes ámbitos (artículo 2 Directiva 2019/1937):

- Las *infracciones de los actos de la Unión enumerados en el Anexo* relativas a: contratación pública; servicios, productos y mercados financieros, y prevención del blanqueo de capitales y la financiación del terrorismo; seguridad de los productos; seguridad del transporte; protección del medio ambiente; protección frente a las radiaciones y seguridad nuclear; seguridad de los alimentos y los piensos, sanidad animal y bienestar de los animales; salud pública; protección de los consumidores; protección de la privacidad y de los datos personales; y seguridad de las redes y los sistemas de información.

- Las *infracciones que afecten a los intereses financieros de la Unión* tal como se contemplan en el artículo 325 del TFUE.

- Las *infracciones relativas al mercado interior*, tal como se contemplan en el artículo 26, apartado 2, del TFUE, incluidas las infracciones de las normas de la Unión en materia de competencia y ayudas otorgadas por los Estados, así como las infracciones relativas al mercado interior en relación con los actos que infrinjan las normas del impuesto sobre sociedades o a prácticas cuya finalidad sea obtener una ventaja fiscal que desvirtúe el objeto o la finalidad de la legislación aplicable del impuesto sobre sociedades.

§ 110. Con la **extensión normativa del ámbito material**, la aplicación de la norma no se limita estrictamente a los actos de la Unión enumerados en el anexo que se encuadran dentro de su ámbito material. Por el contrario, debe entenderse que incluye "todas las medidas delegadas y de ejecución nacionales y de la Unión que se hayan adoptado con arreglo a dichos actos" (considerando 19 DPIUE).

§ 111. La **extensión nacional del ámbito material** podrá dictarse por los Estados miembros para ser aplicadas en los ámbitos sectoriales nacionales que considere conveniente (artículo 1.1 DPIUE).

§ 112. La **definición de la información sobre infracciones** debe incluir las sospechas razonables, sobre infracciones reales o potenciales, que se hayan producido o que muy probablemente puedan producirse en la organización en la que trabaje o haya trabajado el denunciante o en otra organización con la que el denunciante esté o haya estado en contacto con motivo de su trabajo, y sobre intentos de ocultar tales infracciones (artículo 5.2 LPI).

§ 113. La **exención del ámbito material comunitario y nacional** se extiende a los siguientes actos y sectores (artículo 3 DPIUE):

– Los *actos sectoriales* de la Unión para los cuáles se hayan establecidos normas específicas de denuncias, incluidos en la parte II del anexo.

– Las *denuncias* que afecten a la seguridad nacional, a los intereses esenciales de seguridad o las normas de contratación pública de defensa o seguridad excluidas de la normativa comunitaria.

– La *normativa de la Unión o nacional* relativa a la protección de información clasificada; la protección del secreto profesional de los médicos y abogados; el secreto de las deliberaciones judiciales; y las normas de enjuiciamiento criminal.

– La *normativa nacional* relativa al derecho de los trabajadores a consultar a sus representantes o sindicatos, así como la autonomía de intermediación de los interlocutores sociales, siempre que el nivel de protección nacional no resulte inferior al de la Directiva.

§ 114. También se podrá **restringir el ámbito material** para excluir los problemas de carácter meramente personal, pues "los Estados miembros podrían decidir que las denuncias relativas a reclamaciones interpersonales que afecten exclusivamente al denunciante, a saber, reclamaciones sobre conflictos interpersonales entre el denunciante y otro trabajador, puedan ser canalizadas hacia otros procedimientos (considerando 22 DPIUE).

§ 115. El **ámbito personal** se restringe a aquellos sujetos vinculados, incluso *ex ante* o *ex post*, en un contexto laboral o profesional con entidades del sector público o privado. En concreto se incluirán, al menos (artículo 4 DPIUE):

- "las personas que tengan la condición de trabajadores en el sentido del artículo 45, apartado 1, del TFUE, incluidos los funcionarios;

- las personas que tengan la condición de trabajadores no asalariados, en el sentido del artículo 49 del TFUE;

- los accionistas y personas pertenecientes al órgano de administración, dirección o supervisión de una empresa, incluidos los miembros no ejecutivos, así como los voluntarios y los trabajadores en prácticas que perciben o no una remuneración;

- cualquier persona que trabaje bajo la supervisión y la dirección de contratistas, subcontratistas y proveedores".

§ 116. Con **carácter extensivo**, las medidas de protección serán también aplicables a ciertas personas vinculadas con el denunciante, como los facilitadores o personas físicas que le asistan confidencialmente dentro del contexto laboral, los terceros tales como compañeros de trabajo o familiares y las entidades jurídicas de su propiedad o relacionadas en un contexto laboral.

Régimen jurídico de la Ley de Protección del Informante

§ 117. El **método tradicional** para detectar las irregularidades que han pasado inadvertidas a los controles ordinarios ha sido la recepción de denuncias por procedimientos no pautados formalmente como los envíos por correo postal ordinario o digital. La Ley del Informante establece un régimen jurídico sistemático que trata de dotar de seguridad jurídica al proceso de gestión de las denuncias y de facilitar su integración dentro del ciclo sistémico de lucha antifraude, fundamentalmente dentro la fase de detección de las malas prácticas.

§ 118. La finalidad de la Ley, de conformidad con lo exigido por la normativa internacional y la doctrina científica, es doble (artículo 1 LPI):

a) La *finalidad de protección del denunciante*: "otorgar una protección adecuada frente a las represalias que puedan sufrir las personas físicas que informen sobre alguna de las acciones u omisiones a que se refiere el artículo 2, a través de los procedimientos previstos en la misma".

b) La *finalidad de fomento de la denuncia y la integridad*: "el fortalecimiento de la cultura de la información, de las infraestructuras de integridad de las organizaciones y el fomento de la cultura de la información o comunicación como mecanismo para prevenir y detectar amenazas al interés público".

§ 119. El **ámbito material** de aplicación ha sido ampliado, con respecto a las previsiones de la Directiva 2019/1937, desde la protección de la normativa de la Unión Europea para alcanzar también al ordenamiento jurídico nacional. En concreto, la norma resultará aplicable en los siguientes supuestos (artículo 2.1 LPI):

a) Las acciones u omisiones que constituyan *infracciones del Derecho de la Unión Europea* que afecten a las materias enumeradas en el Anexo de la Directiva 2019/1937, a las relativas a la protección de los intereses financieros de la Unión Europea y las que conciernan al mercado interior. En este último supuesto se entenderán incluidas "las infracciones de las normas de la Unión Europea en materia de competencia y ayudas otorgadas por los Estados, así como las infracciones relativas al mercado interior en relación con los actos que infrinjan las normas del impuesto sobre sociedades o con prácticas cuya finalidad sea obtener una ventaja fiscal que desvirtúe el objeto o la finalidad de la legislación aplicable al impuesto sobre sociedades".

b) Las acciones u omisiones que constituyan *infracción penal o administrativa grave o muy grave del Derecho nacional*, incluyendo las que impliquen quebranto económico para la Hacienda Pública y para la Seguridad Social.

§ **120.** La protección de la presente Ley se declara **compatible** con la ofrecida en el proceso penal o en el ámbito laboral en materia de seguridad y salud en el trabajo (artículos 2.2 y 2.3 LPI).

§ **121.** Las **excepciones materiales** de aplicación de la ley, en línea con lo previsto en la Directiva 2019/1937, abarca a las siguientes materias (apartados 4, 5 y 6 del artículo 2 LPI):

– En relación con la *información clasificada*: las informaciones que afecten a la información clasificada, de acuerdo con la Ley 9/1968, de 5 de abril, sobre Secretos Oficiales.

– En relación con el *secreto profesional*: las obligaciones que resultan de la protección del secreto profesional de los profesionales de la medicina y de la abogacía, del deber de confidencialidad de las Fuerzas y Cuerpos de Seguridad en el ámbito de sus actuaciones, así como del secreto de las deliberaciones judiciales.

– En relación con la *contratación pública*: las informaciones relativas a infracciones en la tramitación de procedimientos de contratación que contengan información clasificada o que hayan sido declarados secretos o reservados, o aquellos cuya ejecución deba ir acompañada de medidas de seguridad especiales conforme a la legislación vigente, o en los que lo exija la protección de intereses esenciales para la seguridad del Estado.

– En relación con el *Derecho de la Unión*: la información o revelación pública de alguna de las infracciones a las que se refiere la parte II del anexo de la Directiva (UE) 2019/1937 del Parlamento Europeo y del Consejo, de 23 de octubre de 2019, en los que será de aplicación la normativa específica sobre comunicación de infracciones en dichas materias.

§ **122.** El **ámbito personal** de aplicación parte del reconocimiento del derecho de los empleados de la organización (*insiders*) (Parajó, 2022), para extenderse a las personas físicas vinculadas (*stakeholders*) por relación laboral o profesional y a las personas físicas o jurídicas que colaboren con las mismas. Por lo tanto, se ha optado por una perspectiva restringida que no somete a protección a los denunciantes que puedan tener conocimiento de los actos de defraudación por razones exógenas a una relación de carácter laboral o profesional.

§ 123. **El ámbito personal principal** de aplicación (Parajó, 2022) resulta aplicable únicamente a las personas físicas que ejerciten el derecho a la comunicación, siempre que hayan obtenido la información en un contexto laboral o profesional, que se entenderá que concurre, al menos, en los siguientes casos (artículo 3 LPI):

a) las personas que tengan la condición de *empleados públicos o trabajadores por cuenta ajena*;

b) los *autónomos*;

c) los *accionistas, partícipes y personas pertenecientes al órgano de administración, dirección o supervisión de una empresa*, incluidos los miembros no ejecutivos;

d) cualquier *persona que trabaje para o bajo la supervisión y la dirección de contratistas, subcontratistas y proveedores.*

e) Las personas que comuniquen o revelen públicamente información sobre infracciones obtenidas en el marco de una *relación laboral o estatutaria ya finalizada*,

f) Los *voluntarios, becarios, trabajadores en periodos de formación* con independencia de que perciban o no una remuneración.

g) *Aquellos cuya relación laboral todavía no haya comenzado*, en los casos en que la información sobre infracciones haya sido obtenida durante el proceso de selección o de negociación precontractual.

§ 124. **El ámbito personal complementario** de aplicación (Parajó, 2022) se aplicará a las personas físicas y, en algunos casos jurídicas, asistentes o allegadas al informante que reúnan las siguientes condiciones (artículo 3. 3 y 4 LPI):

a) a los *representantes legales* de las personas trabajadoras en el ejercicio de sus funciones de asesoramiento y apoyo al informante.

b) a *personas físicas que les asistan en el proceso*, en el marco de la organización en la que preste servicios el informante.

c) a *personas físicas que estén relacionadas con el informante* y que puedan sufrir represalias, como compañeros de trabajo o familiares del informante.

d) a *personas jurídicas para las que trabaje o con las que mantenga cualquier otro tipo de relación* en un contexto laboral o en las que ostente una participación significativa. A estos efectos, se entiende que la participación en el capital o en los derechos de voto correspondientes a acciones o participaciones es significativa cuando, por su proporción, permite a la persona que la posea tener capacidad de influencia en la persona jurídica participada.

Reflexión final y comentarios

§ 125. El **deber moral** de advertir de las malas prácticas se encuentra dentro del bagajes de obligaciones sociales propias de todo buen ciudadano. No es aceptable ampararse en el cómodo argumento de la ausencia de obligación legal para omitir este deber de colaboración cívica. Como afirmaba el Papa Francisco (2013) en su ensayo *Corrupción y Pecado*, hay que recordar que la omisión del deber de denuncia, salvo en supuestos extremadamente justificados, es un caso de corrupción venial que actúa bajo el principio de que "el corazón no quiere líos".

§ 126. El **deber jurídico** resulta más cuestionable su imposición con carácter genérico o universal, pues ha de ejercitarse habitualmente en situaciones difíciles que generan un justificado temor a recibir graves perjuicios personales o familiares que solo parece conveniente exigir a quienes tienen conocimiento de los ilícitos en el ejercicio de su cargo o profesión. Como bien afirma Pérez Monguió (2019, 353), no hay que olvidar que muchas ocasiones "es necesario transformar un acto de deber en un acto de coraje y, por tanto, el denunciante que cumple con su deber se convierte en un «valeroso guerrero» contra la corrupción en un contexto complejo donde impera el silencio".

§ 127. La **extensión del ámbito material** a las infracciones potenciales, es decir, que aún no se han producido, permite, en la redacción del artículo 5.2) DPIUE, las denuncias sobre infracciones pasadas, actuales o previsibles (Fernández Ramos, 2023). No obstante, hay que advertir que esta previsión *ad futurum* no ha sido recogida expresamente por la Ley del Informante.

§ 128. La **extensión del derecho subjetivo** de denuncia se encuentra subsumida en la controversia doctrinal que oscila entre la citada obligación, la opción legítima o incluso si debiera diferenciarse entre la facultad del ciudadano y el deber del funcionario (Garrido, 2019). La Ley del Informante se ha decidido por amparar únicamente a los informantes del contexto laboral o profesional, con carácter amplio.

No obstante, hay que recordar que la legislación administrativa reconoce el derecho de todo ciudadano a instar mediante denuncia la apertura de un procedimiento administrativo de oficio (artículo 58 LPAC). En esta misma línea se manifiestan algunas leyes reguladoras de las agencias anticorrupción, como el artículo 11.2 LACA Valencia, que se analizará posteriormente.

Por lo tanto, la armonización de nuestro ordenamiento jurídico aconsejaba hacer extensivo el ámbito de aplicación de la ley a toda persona informante, con independencia del contexto en el que se ha obtenido la información. De la misma forma, el principio de igualdad de trato precisa que reciban la misma protección toda persona que informe en favor del interés público, con independencia de su vinculación o no con la persona afectada.

§ 129. El **ámbito personal** de aplicación no se encuentra cerrado por la relación de personas citadas en el artículo 13.1 LPI, pues la ley indica que se trata de una lista meramente enunciativa ("comprendiendo en todo caso"). Por lo tanto, el alcance de las personas protegidas exige una labor interpretativa a partir del mandato de su aplicación "a los informantes que trabajen en el sector privado o público y que hayan obtenido información sobre infracciones en un contexto laboral o profesional", si bien es notoria la falta de seguridad jurídica que la decisión final sobre las mismas proporciona a los posibles interesados.

§ 130. De entre los **supuestos controvertidos** de ser acogidos en el ámbito personal de aplicación cabe destacar si las personas vinculadas laboral o profesionalmente que tengan conocimiento de que su organización está cometiendo actos ilícitos en perjuicio de una entidad tercera podrían dirigir su denuncia directamente al canal interno de la organización perjudicada. Tal sería el caso de los trabajadores de empresas contratistas o subvencionadas por las Administraciones Públicas o proveedoras de las entidades del sector privado.

En nuestra opinión, estas personas se encontrarían incluidas dentro del ámbito de aplicación previsto en la Directiva 2019/1937, pues el considerando (55) DPIUE declara expresamente, en referencia la denuncia interna en el sector privado, que entendemos también aplicable al sector público, que:

> "Los procedimientos de denuncia interna deben permitir a entidades jurídicas del sector privado recibir e investigar con total confidencialidad denuncias de los trabajadores de la entidad y de sus filiales (en lo sucesivo, «grupo»), *pero también, en la medida de lo posible, de cualquiera de los agentes y proveedores del grupo y de cualquier persona que acceda a la información a través de sus actividades laborales relacionadas con la entidad y el grupo*".

En el mismo sentido, el artículo 5.2) DPIUE define como «información sobre infracciones», sin diferenciar entre el ámbito público y privado, a efectos de la ley a:

> "la información, incluidas las sospechas razonables, sobre infracciones reales o potenciales, que se hayan producido o que muy probablemente puedan producirse en la organización en la que trabaje o haya trabajado el denunciante *o en otra organización con la que el denunciante esté o haya estado en contacto con motivo de su trabajo*, y sobre intentos de ocultar tales infracciones".

La referencia expresa del artículo 4.1.d) DPIUE, reiterada en el artículo 3.1.d) LPI, a otorgar a la condición de denunciante protegido a "cualquier persona que trabaje bajo la supervisión y la dirección de contratistas, subcontratistas y proveedores" parece indicar que trata de permitir la recepción por los canales internos de las entidades públicas y privadas de informaciones directamente facilitadas por las personas que trabajen para sus suministradores. En el mismo sentido se ha definido la AVAF (2023b): "Personas que trabajan para empresas vinculadas con la administración ya sean contratistas, subcontratistas, proveedores, etc.".

Como antecedente puede citarse la Recomendación 42 del Código de buen gobierno de las sociedades cotizadas (CNMV, 2020) que conmina a las comisiones de auditoría a:

> "c) *Establecer y supervisar un mecanismo que permita a los emplea-dos y a otras personas relacionadas con la sociedad, tales como conse-jeros, accionistas, proveedores, contratistas o subcontratistas, comunicar las irregularidades de potencial trascendencia, incluyendo las financieras y contables, o de cualquier otra índole, relacionadas con la compañía que adviertan en el seno de la empresa o su grupo.* Dicho mecanismo deberá garantizar la confidencialidad y, en todo caso, prever supuestos en los que las comunicaciones puedan realizarse de forma anónima, respetando los derechos del denunciante y denunciado".

No obstante, estas interpretaciones parecen contradecirse con el artículo 5.4) DPIUE que restringe el concepto de «denuncia interna» a "la comunicación verbal o por escrito de información sobre infrac-ciones *dentro de una entidad jurídica de los sectores privado o públi-co".* De la misma forma, la extensión del ámbito a personas ajenas a la organización parece ser contraria a la razón de ser de los sistemas internos de información, que es poder realizar las acciones correcto-ras oportunas y evitar los daños causados a la propia organización, tal y como se recoge en el artículo 5.2.e) LPI y en el preámbulo LPI:

> "El Sistema interno de información debería utilizarse de manera prefe-rente para canalizar la información, pues una actuación diligente y eficaz *en el seno de la propia organización* podría paralizar las consecuencias perjudiciales de las actuaciones investigadas".

§ 131. Las **autoridades públicas** con rango de alto cargo o que ocupen otros puestos de naturaleza política (diputados, senadores, alcaldes, concejales) tampoco se encuentran expresamente amparadas en el catálogo enunciativo del ámbito personal del artículo 3.1 LPI, pues en el apartado a) únicamente hace referencia a los empleados públicos. Esta omisión ha sido señalada por Jiménez Asensio (2022), que advierte que la extensión a este colectivo puede suponer una ex-tensión impropia de la definición establecida en la ley.

En el mismo sentido, el citado autor ha advertido de la omisión legal de la referencia al personal directivo, pero quizás estos sujetos puedan encontrar acomodo dentro de la noción de "órganos de di-rección de una empresa, incluyendo los miembros no ejecutivos" pre-vista en el apartado c) del artículo 3.1 LPI, acogiendo literalmente la redacción del apartado c) del artículo 4.1 DPIUE. Como apoyo inter-pretativo en este sentido, el considerando (39) DPIUE hace expresa referencia a "quienes ocupan puestos directivos" entre las personas que pueden sufrir represalias. No obstante, sería conveniente que en la futura revisión de la norma se delimitaran con claridad estos supuestos.

§ 132. Las **personas jurídicas** no se encuentran expresamente amparadas por la Ley del Informante, pues en su articulado se hace referencia generalmente solo a las personas físicas. Como excepción, se reconoce el acceso indirecto a las medidas de protección para las personas jurídicas vinculadas al informante (artículo 3.4 LPI). De esta forma, la ley nacional se ha ajustado al contenido mínimo exigido por el artículo 3 DPIUE relativo al ámbito personal de aplicación, pues, con carácter general, se remite a relaciones jurídicas labores o profesionales que vinculan a una organización con una persona física. No obstante, en numerosos contextos jurídicos sectoriales la información pueda estar en poder de personas jurídicas, que tendrán interés de ejercitar la colaboración de forma institucional. Por ejemplo, una empresa licitadora en un contrato administrativo que haya recibido noticias de malas prácticas del resto de participantes en el proceso de adjudicación.

De la misma forma, la Guía Denunciantes UNODC (2016) analiza que los estudios, como los de la ACFE, sobre las denuncias en el sector público y privado detectaron que más de la mitad de las alertas recibidas provinieron de comunicantes externos, de cualquier naturaleza, y no de los empleados corporativos. De esto se deriva "la importancia de admitir alertas de diversas fuentes y sensibilizar a los vendedores, clientes y propietarios/accionistas sobre la manera de comunicar sospechas de fraude" (UNODC, 2016, 5).

Por ello, hubiese sido conveniente que la Ley del Informante hubiese sido más ambiciosa y también acogiera medidas de protección de las personas jurídicas. Esta postura ha sido adoptada por algunas leyes autonómicas, como el artículo 14.1.a) LACA Valencia: "La actuación de la agencia prestará especial atención a la protección de las personas denunciantes. Se considera persona denunciante, a los efectos de esta ley, cualquier *persona física o jurídica* que comunique hechos que pueden dar lugar a la exigencia de responsabilidades legales". En el mismo sentido se ha manifestado el Consejo de Participación de la Agencia Valenciana Antifraude, que ha aprobado un decálogo de principios para proteger a las personas denunciantes de corrupción, que expresamente recomienda que "el estatuto de denunciante o alertador será concedido *a cualquier persona física o jurídica*" (AVAF, 2020).

§ 133. La protección de los **facilitadores** se ha restringido a personas físicas que presten servicios en la organización del informante y le asistan en el proceso de comunicación en el artículo 3.4.a) LPI. Esta figura está pensada para proteger, no solo a las personas que asistan al informante desde el ámbito interno de la entidad, sino, también, a personas externas, habitualmente activistas especializados en materia de lucha contra la corrupción. No obstante, la definición de facilitador del artículo 5.8) DPIUE no ha limitado su condición a personas externas o externas de la organización: "una persona física que asiste a un denunciante en el proceso de denuncia en un contexto laboral, y cuya asistencia debe ser confidencial". Por otra parte, en la práctica la prestación de ayuda y asesoramiento a los posibles informantes puede ser prestada por personas jurídicas de la sociedad civil.

Por lo tanto, hubiese sido conveniente que la Ley del Informante hubiese ampliado su ámbito de protección a las personas facilitadoras externas de apoyo a los denunciantes, con independencia de su naturaleza física o jurídica. Así, por ejemplo, en la "Proposición de Ley de Protección Integral de las y los Alertadores" de Xnet (2019) se reconocía esta posibilidad en el artículo 3.b) conforme al siguiente texto:

> "*Facilitador o facilitadora*: cualquier persona física o jurídica que contribuye, facilita o ayuda a la o el alertador a revelar o hacer pública la información constitutiva de una alerta, incluyendo, pero sin limitarse a los siguientes: organizaciones de la sociedad civil, asociaciones y órganos profesionales, sindicatos, periodistas, organizaciones de periodistas y abogados".

§ 134. Los **informantes** *extraneus*, es decir, aquellos que no se encuentren vinculados con la organización afectada, no se encontrarán bajo el amparo de esta norma. Tal puede ser el caso de quienes obtienen la información bien por la indiscreción de alguna persona del entorno de la organización (por ejemplo, familiares o amistades de los administradores o los trabajadores) o bien la obtenga de manera exclusivamente casual (por ejemplo, quien reciba un correo electrónico por error con documentación acreditativa de la comisión de un fraude). En otras ocasiones, se tratará de un simple investigador especializado o un activista experto en determinadas materias (Jiménez Franco, 2022). De todas formas, la configuración de los canales internos, que deben ser accesibles a antiguos trabajadores y a otros informantes externos, hace difícil, como ha analizado Sierra (2023), el cierre total a las alertas ciudadanas, pues, además de ser altamente recomendable, por ejemplo, en el caso de los usuarios de servicios públicos, puede no ser verificable el origen personal en el caso de las informaciones anónimas.

A nivel autonómico, y desde el punto de vista de los canales externos, la legislación de la Agencia de Integridad y Ética Públicas ha restringido el concepto de denunciante a los empleados públicos del sector público de Aragón (artículo 45.1 LACA Aragón). Por el contrario, las agencias antifraude de Valencia (artículo 45.2 LACA Valencia), Navarra (artículo 14.1 LACA Navarra) y Andalucía (artículo 35.1 LACA Andalucía) han optado por conceder el estatus de denunciante a todas las personas que faciliten información, con independencia de su naturaleza jurídica o su vinculación con la entidad afectada, como, por ejemplo, el artículo 14.1.c) LACA Valencia reconoce como "persona denunciante" a:

> "Se considera persona denunciante, a los efectos de esta ley, cualquier persona física o jurídica que comunique hechos que pueden dar lugar a la exigencia de responsabilidades legales".

Esta postura abierta nos parece la más acertada con la posición *pro-denunciante* de la ley, por lo que debiera haber abierto a cualquier persona la posibilidad de acogerse a su campo de protección.

§ 135. El **doble ámbito material** contiene dos esferas distintas: el Derecho de la Unión, conforme al mandato de la Directiva 2019/1937, y el Derecho nacional, por voluntad expresa del legislador. No obstante, las obligaciones de la Ley del Informante, que deben estar en consonancia con la citada Directiva, se aplican en su integridad a ambos ámbitos materiales (Fernández Ramos, 2023).

§ 136. El **ámbito material comunitario** es bastante extenso, pero sin abarcar la totalidad los actos de la Unión Europea, pues el principio de subsidiariedad obliga a centrarse en aquellos especialmente dañinos para el interés público y los que "la escasez de denuncias procedentes de denunciantes sea un factor clave que repercute en esa aplicación" (Fernández Ramos, 2023). Como ha estudiado con detalle el citado autor, la relación de ámbitos materiales y actos de la Unión son muy complejas, pues, en ocasiones, dentro de un mismo sector se incluyen unas normas y se excluyen otras de forma convencional.

§ 137. El concepto de **infracción en el ámbito comunitario**, a efectos de esta norma, alcanza, en sentido amplio, todo incumplimiento normativo o antijurídico, aunque no se encuentre sancionado administrativa o penalmente, y cuya existencia sea anterior, actual o futura (Fernández Ramos, 2023). De esta forma, el artículo 5.1 DPIUE define las infracciones como las acciones u omisiones que:

> i) "sean ilícitas y estén relacionadas con los actos y ámbitos de actuación de la Unión que entren dentro del ámbito de aplicación material del artículo 2, o
>
> ii) desvirtúen el objeto o la finalidad de las normas establecidas en los actos y ámbitos de actuación de la Unión que entren dentro del ámbito de aplicación material del artículo 2".

§ 138. El **ámbito material nacional** finalmente se ha decantado por restringir su aplicación a las infracciones graves o muy graves, aunque abarcando, salvo materias como la seguridad o la defensa, todos los sectores del ordenamiento jurídico. La redacción inicial del Anteproyecto de Ley se extendía a "cualquier vulneración del resto del ordenamiento jurídico siempre que, en cualquiera de los casos, afecten o menoscaben directamente el interés general, y no cuenten con una regulación específica". Finalmente, el legislador se ha decantado por una delimitación formal, con independencia de su vinculación con el fraude o la corrupción, pues "cuando el legislador, único legitimado para hacerlo en virtud del principio de legalidad en materia sancionadora, tipifica una infracción administrativa está innegablemente delimitando un interés público, un bien jurídico que se considera digno de protección" (Fernández Ramos, 2023).

Como razona el citado autor, han quedado fuera del ámbito de aplicación numerosas leyes generales que no contienen total o parcialmente un catálogo sancionador, pero que tiene gran importancia para el interés público, como, por ejemplo, la legislación patrimonial pública o la selección de los empleados públicos. En este sentido, la STEDH de 14 de febrero de 2023 (caso Halet c. Luxemburgo) ha aceptado la revelación de informaciones en contra del deber de confidencialidad a los "actos, prácticas o conductas que, aun siendo legales, son censurables".

§ 139. La **limitada ampliación** del ámbito material de aplicación hasta las infracciones de la normativa nacional se ha restringido a aquellas de calificadas como graves y muy graves, si bien se exceptúan algunas materias que se remiten a su regulación específica. De esta forma, "se han excluido las infracciones administrativas leves y también las infracciones a códigos éticos y de conducta, que no dispondrán de protección alguna para el denunciante (Jiménez Asensio, 2022, 54). Esta restricción trata de "permitir que tanto los canales internos de información como los externos puedan concentrar su actividad investigadora en las vulneraciones que se considera que afectan con mayor impacto al conjunto de la sociedad" (AVAF, 2023a, 2).

§ 140. Los **secretos oficiales o información clasificada** plantean el serio problema de la responsabilidad de los reveladores públicos que facilitan información incluida dentro de las citadas categorías y que resulta conveniente para los intereses públicos. El Consejo de Europa (2014) ha advertido que, en estos casos, las restricciones deben basarse en la naturaleza de la información y nunca en el rango o cualidad de la persona (policía, militar, etc.) que la suministra.

Por su parte, la Guía Denunciantes UNODC (2016) realiza un análisis sobre la evolución de las prácticas internacionales sobre la aplicación de medidas sancionadoras a quien revele información clasificada sin autorización, que exige su aplicación de forma restrictiva y limitada a informaciones concretas y no a departamentos completos. En todo caso, sería conveniente la habilitación, para los servidores públicos que tengan conocimiento de actos irregulares o de interés público importante, de canales internos ante órganos independientes para gestionar las denuncias y proteger a los testigos.

Los "Principios de Tshwane", de 12 de junio de 2013, relativos a los Principios globales sobre seguridad nacional y el derecho a la información reconocen la importancia de que existan órganos independientes supervisores de la información clasificada, así como las condiciones en la que los servidores públicos puedan divulgarla públicamente por interés público y las limitaciones de las medidas sancionadoras en este ámbito. En este sentido, en Dinamarca se pondera el derecho de defensa del interés público con la reserva del secreto para valorar cuál es el interés superior, En Canadá, la aplicación del delito contra los funcionarios que revelen información protegida puede no ser aplicada si se acredita la defensa del interés público.

No obstante, la denuncia en el ámbito del secreto oficial en España se ha encontrado con el serio obstáculo establecido por aplicación de la Ley de Secretos Oficiales de 1968, como ha estudiado Fernández Ramos (2023), pues el artículo 9 establece la obligación de secreto tanto de las autoridades y funcionarios como de las personas que accedan a la información de cualquier modo, incluso de forma meramente casual. En estos casos, el mandato legal hace prevalecer el deber de secreto al excluir la Ley del Informante expresamente el amparo de estas comunicaciones.

La aplicación de las recomendaciones anteriormente señaladas, y en especial los "Principios de Tshwane", debería haber obligado a una regulación más ponderada en la Ley del Informante que permitiera, al menos en los casos gravemente perjudiciales para el interés público, el suministro de la información, aunque fuera dirigido a una autoridad específicamente creada para este fin. Como ha destacado Fernández Ramos (2023), alguna de las propuestas legislativas que abogaban por la aceptación de la denuncia y su reserva en el tratamiento conjugaban mejor los intereses públicos de lucha contra el fraude y la corrupción y la defensa de la confidencialidad de información referida a sectores sensibles a los intereses de Estado.

§ 141. **El secreto de las comunicaciones entre abogado y cliente** ha recibido el reconocimiento del Tribunal de Justicia de la Unión Europea y, a nivel nacional, se recoge en nuestra normativa constitucional y judicial (Campanón, 2020). La base jurídica parte del derecho de defensa letrada recogido en los artículos 24.2 CE y 6 CEDH (Cantos y Santos, 2009). En esta clase de comunicaciones, se establece una protección reforzada que, como señala Guillén (2010), se resume en dos aspectos: en primer lugar, que la comunicación surja en el marco del derecho de defensa; y, en segunda instancia, que se trate de un abogado independiente no vinculado salarialmente a la empresa.

La legislación nacional ampara el secreto profesional de los abogados en las relaciones con los clientes en el artículo 542.3 LOPJ y el artículo 32 del Real Decreto 658/2001, de 22 de junio, por el que se aprueba el Estatuto General de la Abogacía Española. De esta forma, los abogados pueden exigir la confidencialidad de los documentos y hechos que tengan conocimiento en las relaciones de asesoramiento y asistencia legal. La STJCE de 18 de mayo de 1982 (caso AM & S) delimita los requisitos del secreto de las comunicaciones entre abogado y cliente.

"1) Que el asesoramiento se produzca por abogados externos, es decir, no ligados con el cliente por una relación laboral.

2) Que se trate de correspondencia intercambiada en el marco y con los fines del derecho de defensa del cliente, es decir, se extiende a todo documento intercambiado entre el abogado independiente y su cliente en el marco y con los fines del derecho de defensa del último, sea éste tanto de fecha posterior al inicio del procedimiento por la Comisión, como de fecha anterior al mismo, siempre que, en este último caso, tenga un vínculo de conexión con el procedimiento en cuestión.

3) Y finalmente, que la empresa en cuestión presente pruebas a la Comisión que demuestren que la documentación está protegida por el beneficio de la confidencialidad".

§ 142. **El secreto profesional de las Fuerzas y Cuerpos de Seguridad**, incluidas las policías autonómicas y locales, surge *ex novo* en el artículo 2.4 LPI, pues la Directiva 2019/1937 no lo recoge. Es más, expresamente declara el derecho a protección de los denunciantes que sean miembros de profesiones no excluidas expresamente por la norma y que también están sujetos a deberes de reserva (considerando 27 DPIUE). El Consejo de Estado (2022) ha advertido que esta previsión se trata de una extralimitación del amparo del secreto profesional reconocido en la Directiva 209/1937, por lo que, "como mínimo, al tratarse de una exclusión no prevista en la Directiva, debe entenderse que no es aplicable a las infracciones del Derecho de la Unión cubiertas por la Directiva" (Fernández Ramos, 2023). Además, como explica el citado autor, la citada norma se dirige en sentido contrario tanto de la Recomendación del Consejo de Europa (2014), que expresamente considera inadecuadas las restricciones de información aplicadas a categorías profesionales, como de las propuestas del GRECO en los informes a España, que ha solicitado la revisión de los procedimientos de denuncia interna de estos cuerpos de naturaleza policial.

§ 143. **El secreto judicial** exceptúa del ámbito material de aplicación de las normas relativas al proceso penal y a las deliberaciones judiciales, conforme los apartados c) y d) del artículo 3.2 DPIUE y los apartados 2 y 4 del artículo 2 LPI. Estas exclusiones se encuentran armonizadas (Fernández Ramos, 2023) con la habilitación constitucional de exceptuar la publicidad de las actuaciones judiciales por provisión de las leyes procesales (artículo 120.1 CE) y la declaración de secreto de las deliberaciones judiciales del artículo 233 LOPJ.

§ 144. La **protección de los intereses financieros públicos** se menciona expresamente en el artículo 2.1 LPI tanto para los que afecten a la Unión Europea (apartado a.2°) como las infracciones graves o muy graves que "impliquen quebranto económico para la Hacienda Pública y para la Seguridad Social (apartado b). Esta especial consideración se justifica porque de la mayor parte de las comunicaciones sobre fraude y corrupción suele inferirse perjuicios para las arcas públicas. Así, por ejemplo, las denuncias de casos de corrupción por contrataciones bajo sobornos, ilegítima obtención de subvenciones públicas, financiación irregular de partidos políticos, malas praxis del sistema financiero, etc.

Por otra parte, la doble protección de los intereses financieros tanto comunitario como del sector público estatal, autonómico y local permitirá evitar problemas de vacío legal en la aplicación de la norma. En razón del sistema de financiación de los fondos europeos, de considerarse sujeto a protección únicamente los denunciantes de casos relacionados con los intereses financieros comunitarios y no los intereses nacionales se generaría una gran inseguridad jurídica: el informante que ha comunicado los hechos bajo las garantías que le otorgan la protección del denunciante "comunitario" quedaría desamparado si la operación financiera quedara finalmente fuera de la financiación comunitaria y únicamente se sufragara con fondos nacionales.

Título II
SISTEMA INTERNO DE
INFORMACIÓN

Antecedentes de política legislativa y de Derecho comparado

§ 145. La importancia del *whistleblower* se puso de manifiesto tempranamente en la esfera pública tras el caso Watergate de los años 70, con la enigmática figura de un denunciante interno como el conocido *"Deep Throat"*, a la postre William Mark Felt (Director Asociado del FBI), que puso a disposición de los periodistas del Washington Post información crítica para avanzar en las investigaciones que terminarían con la dimisión del Presidente Nixon (García Mexía, 2001; Espín, 2019; y Jiménez Vacas, 2022).

§ 146. Más recientemente, la **"era de la** *compliance"*, en denominación postulada por García-Moreno (2020), se ha instaurado definitivamente en las corporaciones privadas tras el impulso recibido por la *Sarbanes-Oxley Act* norteamericana de 2002, que actuó en respuesta de escándalos como los casos Enron y Worldcom. No obstante, la adopción de medidas de *good governance* que impidieran la degradación de la reputación social e incrementarán el valor añadido de sus políticas se había comenzado a articular con anterioridad, con la incorporación al *management* empresarial de soluciones novedosas como los códigos de buen gobierno, los códigos éticos, la responsabilidad social corporativa, para llegar a los programas de *compliance* impulsados por la responsabilidad penal de las personas jurídicas exigidas en el contexto judicial estadounidense (García Mexía, 2001).

Finalmente, como se ha señalado, la Ley de Sarbanes-Oxley impuso a las sociedades cotizadas en las bolsas norteamericanas la obligación de garantizar la protección frente a represalias de los empleados que ofrezcan pruebas de fraude, así como que los comités de auditoría establezcan *"procedimientos para la recepción, retención y tratamiento de quejas* recibidas por el causante en relación con la contabilidad, controles contables internos o cuestiones de auditoría; y la presentación confidencial y anónima por parte de los empleados de la persona causante de preocupación en relación con cuestiones contables o de auditoría cuestionables".

§ 147. Dentro de este esquema, el **sistema interno de denuncias** constituye el último bastión del sistema de inteligencia e información para que los fraudes no queden impunes. Es más, la práctica ha demostrado que, en muchos casos, constituye el principal elemento de conocimiento de las actuaciones defraudatorias, como se deduce los estudios referenciados anteriormente, lo que, sin duda, implica un signo del posible fracaso de la política preventiva antifraude.

§ 148. En el **ámbito público**, quizás la primera referencia a la constitución de auténticos "sistemas de información antifraude", que incluiría la propuesta de un canal y medidas de protección, se encuentre en la Convención para Combatir el Cohecho de Servidores Públicos Extranjeros en Transacciones Comerciales Internacionales de la OCDE, de 21 de noviembre de 1997, que estableció las bases de los programas de denuncia en su recomendación X:

> "RECOMIENDA que los países miembros deben garantizar:
>
> i. que existan *sistemas fácilmente accesibles para denunciar* a las autoridades competentes presuntos actos de cohecho de servidores públicos extranjeros en las transacciones comerciales internacionales, de acuerdo con sus principios jurídicos;
>
> ii. que existan *medidas adecuadas para facilitar la denuncia* por parte de servidores públicos, en especial de los comisionados en el exterior —directa o indirectamente mediante un mecanismo interno— a las autoridades competentes de presuntos actos de cohecho de servidores públicos extranjeros en transacciones comerciales internacionales que hayan descubierto en el transcurso de su trabajo, conforme a sus principios jurídicos;
>
> iii. que existen *medidas adecuadas para proteger contra actividades discriminatorias o disciplinarias a empleados de los sectores público y privado* que denuncien de buena fe y con motivos razonables ante las autoridades competentes presuntos actos de cohecho de servidores públicos extranjeros en transacciones comerciales internacionales".

§ 149. La codificación de las medidas anticorrupción de la **CNUCC** de 2003 también se ha decantado por promover la denuncia en el ámbito interno de las entidades públicas "para facilitar que los funcionarios públicos denuncien todo acto de corrupción a las autoridades competentes cuando tengan conocimiento de ellos" (artículo 8.4 CNUCC).

§ 150. EL **Grupo de Trabajo del artículo 29 sobre Protección de Datos de la Unión Europea**, en el "Dictamen 1/2006 sobre la aplicación de las normas de la UE relativas a la protección de datos a programas internos de denuncia de irregularidades en los campos de la contabilidad, controles contables internos, asuntos de auditoría, lucha contra el soborno, delitos bancarios y financieros", de 1 de febrero de 2006, reconoció la compatibilidad de la protección de datos con el establecimiento de programas de denuncia interna de irregularidades en defensa del buen gobierno corporativo, siempre que se garanticen las cautelas para el tratamiento de los datos previstas en la normativa especial comunitaria y nacional.

§ 151. De forma más específica, la **Recomendación del Consejo para Fortalecer la Lucha contra el Cohecho de Servidores Públicos Extranjeros en Transacciones Comerciales Internacionales** de la OCDE, de 26 de noviembre de 2009, exhortó "a las empresas para que ofrezcan *vías de comunicación y protección a las personas que no estén dispuestas a violar las normas profesionales ni la ética por instrucciones o presión de superiores jerárquicos, así como a las personas dispuestas a denunciar de buena fe y con motivos razonables* violaciones a la ley, las normas profesionales o a la ética ocurridas dentro de la compañía; y deben exhortar a las empresas para que tomen las medidas adecuadas con base en esa denuncia" (recomendación X.C.v).

§ 152. Más recientemente, la **Recomendación del Consejo sobre la Integridad Pública** (OCDE, 2017b) ha recalcado la importancia de que *todas las entidades establezcan canales internos de denuncias* (Kozlovs, 2019), propugnado la adopción de las siguientes medidas:

a) *Favorecer la cultura de la transparencia*, "proporcionando normas y procedimientos claros para la denuncia de sospechas relativas a infracciones de normas de integridad, y garantizando, de acuerdo con los principios fundamentales del derecho interno, la protección legal y en la práctica contra todo tipo de trato injustificado derivado de denuncias realizadas de buena fe y razonablemente motivadas" y "ofreciendo canales alternativos para la denuncia de sospechas de infracciones de normas de integridad, incluyéndose aquí, cuando proceda, la posibilidad de presentar denuncias a título confidencial ante un organismo facultado para llevar a cabo una investigación independiente".

b) *Implementar un marco de control y gestión de riesgos*, "garantizando que los mecanismos de control sean congruentes y que comprendan procedimientos claros que respondan a sospechas creíbles de infracciones de leyes y reglamentos, y que faciliten las denuncias ante las autoridades competentes sin temor a represalias".

c) *Reforzar el papel de la supervisión y control externos*, "garantizando que los órganos de control, los organismos de reglamentación y aplicación y los tribunales administrativos, que sirven para reforzar la integridad pública, respondan a la información facilitada por terceros sobre sospechas de actuaciones ilícitas o conductas indebidas (como puede ser el caso de denuncias o alegaciones presentadas por empresas, trabajadores u otras personas físicas)"

§ 153. A **nivel nacional**, la exigencia del establecimiento de programas de *compliance* para la exoneración de la responsabilidad penal de las personas jurídicas establecida por la Circular 1/2011, de 1 de junio, de la Fiscalía General del Estado ha incentivado decididamente a su implantación en el campo privado. Tras la reforma del artículo 31.bis por la Ley Orgánica por la que se modifica la Ley Orgánica 10/1995, de 23 de noviembre, del Código Penal, que detalló las condiciones organizativas para la eximente de la responsabilidad penal corporativa, la nueva Circular 1/2016, de 22 de enero, de la Fiscalía General del Estado, sobre la responsabilidad penal de las personas jurídicas ha resaltado la importancia de los canales de denuncia y la protección del denunciante en los programas de *compliance* válidos para ser considerados eficaces a efectos de la exoneración penal:

"Si bien esta primera condición del apartado 2 no lo menciona expresamente, un modelo de organización y gestión, además de tener eficacia preventiva debe *posibilitar la detección de conductas criminales*. Lo sugiere el cuarto requisito del apartado 5, cuando impone "la obligación de informar de posibles riesgos e incumplimientos al organismo encargado de vigilar el funcionamiento y la observancia del modelo de prevención." La existencia de unos canales de denuncia de incumplimientos internos o de actividades ilícitas de la empresa es uno de los elementos clave de los modelos de prevención. Ahora bien, para que la obligación impuesta pueda ser exigida a los empleados resulta imprescindible que la entidad cuente con una regulación protectora específica del denunciante (whistleblower), que permita informar sobre incumplimientos varios, facilitando la confidencialidad mediante sistemas que la garanticen en las comunicaciones (llamadas telefónicas, correos electrónicos...) sin riesgo a sufrir represalias".

§ 154. La Ley Orgánica 3/2018, de 5 de diciembre, de Protección de Datos Personales supuso, a nivel nacional, el impulso definitivo a los "Sistemas de información de denuncias internas", al reconocerlos y dotarlos de un mínimo régimen jurídico en el artículo 24, que, aunque hoy en día ha quedado derogado en favor de los previsto en la Ley del Informante, conviene reproducirlo en su integridad:

"Artículo 24. Sistemas de información de denuncias internas.

1. Será lícita la creación y mantenimiento de *sistemas de información a través de los cuales pueda ponerse en conocimiento de una entidad de Derecho privado, incluso anónimamente, la comisión en el seno de la misma o en la actuación de terceros que contratasen con ella, de actos o conductas que pudieran resultar contrarios a la normativa general o sectorial que le fuera aplicable.* Los empleados y terceros deberán ser informados acerca de la existencia de estos sistemas de información.

2. El acceso a los datos contenidos en estos sistemas quedará limitado exclusivamente a quienes, incardinados o no en el seno de la entidad, desarrollen las funciones de control interno y de cumplimiento, o a los encargados del tratamiento que eventualmente se designen a tal efecto. No obstante, será lícito su acceso por otras personas, o incluso su comunicación a terceros, cuando resulte necesario para la adopción de medidas disciplinarias o para la tramitación de los procedimientos judiciales que, en su caso, procedan.

Sin perjuicio de la notificación a la autoridad competente de hechos constitutivos de ilícito penal o administrativo, solo cuando pudiera proceder la adopción de medidas disciplinarias contra un trabajador, dicho acceso se permitirá al personal con funciones de gestión y control de recursos humanos.

3. Deberán adoptarse las medidas necesarias para preservar la identidad y garantizar la confidencialidad de los datos correspondientes a las personas afectadas por la información suministrada, especialmente la de la persona que hubiera puesto los hechos en conocimiento de la entidad, en caso de que se hubiera identificado.

4. Los datos de quien formule la comunicación y de los empleados y terceros deberán conservarse en el sistema de denuncias únicamente durante el tiempo imprescindible para decidir sobre la procedencia de iniciar una investigación sobre los hechos denunciados.

En todo caso, transcurridos tres meses desde la introducción de los datos, deberá procederse a su supresión del sistema de denuncias, salvo que la finalidad de la conservación sea dejar evidencia del funcionamiento del modelo de prevención de la comisión de delitos por la persona jurídica. Las denuncias a las que no se haya dado curso solamente podrán constar de forma anonimizada, sin que sea de aplicación la obligación de bloqueo prevista en el artículo 32 de esta ley orgánica.

Transcurrido el plazo mencionado en el párrafo anterior, los datos podrán seguir siendo tratados, por el órgano al que corresponda, conforme al apartado 2 de este artículo, la investigación de los hechos denunciados, no conservándose en el propio sistema de información de denuncias internas.

5. Los principios de los apartados anteriores serán aplicables a *los sistemas de denuncias internas que pudieran crearse en las Administraciones Públicas*".

Fundamentos fenomenológicos y axiológicos

§ 155. La concepción del **fenómeno de la corrupción** de la Ley del Informante se extiende tanto sobre la esfera pública como privada. De esta forma, se alinea con la visión moderna de la lucha contra la corrupción, que ha roto con la neta separación impuesta por los movimientos revolucionarios de los siglos XVIII y XIX, entre la esfera pública y privada, frente a la identificación propia del Antiguo Régimen. A este respecto, resultan clarificadoras las palabras de Ivo (2019):

"Según lo dicho, la comprensión histórica de la crítica de la corrupción como fenómeno «moderno» nos permite colocar los actuales debates sobre la corrupción bajo un nuevo prisma. Al igual que sucede con otros fenómenos de la posmodernidad, en los debates actuales el mismo problema se aborda aparentemente igual que hace cien años. También en este aspecto se han modificado las coordenadas de forma sustancial. Porque en el debate actual la separación nítida entre esfera privada y pública se ha abandonado desde hace tiempo. También se consideran ahora corruptas las transacciones de empleados dentro de las empresas privadas. Si la crítica de la corrupción sigue sirviendo para trazar límites, entonces estos límites se han difuminado".

§ 156. Desde una concepción fenomenológica, conviene poner en evidencia los **principios de subsidiariedad y excepcionalidad** de los canales internos con respecto a los procesos ordinarios de gestión interna. Conforme se definió en la *Sarbanes-Oxley Act* de 2002, el empleo de los canales internos debe entenderse siempre como un complemento y no un sustituto de los procesos de gestión interna, cuya debida aplicación debe evitar actos fraudulentos y, de producirse, la gestión ordinaria será el lugar habitual en el que deben comunicarse los hechos ilícitos conocidos por los actores corporativos. De forma claramente descriptiva, el Informe Nolan (1996, 74) analizó las razones para instaurar estas vías de comunicación interna complementarias a los canales ordinarios de la estructura corporativa:

> "Aceptamos la opinión del Gobierno de que la mayoría de los temas se pueden resolver con los mecanismos normales dentro de los departamentos y agencias. No obstante, creemos que la prevención de la corrupción y la mala administración se entorpece si un funcionario tiene que identificarse como reclamante ante sus superiores cuando ellos pueden tener una influencia directa sobre su carrera profesional. Se ha comprobado que esto es una disuasión potente para los denunciantes de una mala práctica en otras organizaciones. La organización caritativa independiente «Public Concern at Work» ha redactado una Guía Orientativa para el Mejor Proceder en el Trabajo que recomienda que se ofrezca a los empleados canales confidenciales para plantear sus preocupaciones. De hecho, irónicamente el resultado de no ofrecer un sistema confidencial para las cuestiones de conciencia es el de provocar filtraciones, que son dañinas para la cohesión de los organismos de la Administración Pública y que debilitan la relación entre los Ministros y los funcionarios".

§ 157. El **concepto** de sistema de información interno pretende dotar de una visión sistémica a esta política corporativa, más allá de la visión individual de herramientas como los canales de denuncias. Aunque el preámbulo LPI establece una concepción más limitada de estos sistemas, que incluiría sólo al canal, el responsable y el procedimiento, resulta más adecuada una visión sistémica entendida como un conjunto de medios, personas y procesos (González Navarro, 2000) dirigidos a facilitar a los máximos responsables corporativos información de los fraudes acaecidos *ad intra* de la organización.

§ 158. La **vocación** de los sistemas de información internos debe ser integrarse dentro de los programas de *compliance* corporativos, configurando, en su conjunto, una estructura de "sistemas organizativos y de control que, entre otras cosas, tiendan a evitar la comisión de delitos en su seno o, al menos, lograr su descubrimiento" (FGE,

2016) o, desde una visión no sólo penal, la comisión de cualquier tipo de irregularidad o fraude.

§ 159. El **objeto** de los sistemas internos de información no puede ser el mero cumplimiento de una obligación legal, como puede ser la impuesta por la Ley del Informante o en el Código Penal, sino "promover una verdadera cultura ética corporativa, de tal modo que su verdadera eficacia reside en la importancia que tales modelos tienen en la toma de decisiones de los dirigentes y empleados y en qué medida constituyen una verdadera expresión de su cultura de cumplimiento" (FGE, 2016).

§ 160. Por lo tanto, el **interés corporativo** debe ser la primera razón de estos sistemas, tanto en los ámbitos público y privado, pues las organizaciones deben ser las primeras interesadas en conocer los asuntos contrarios a la integridad producidos en el seno interno. El éxito de estos canales y herramientas posiblemente requerirá un cambio de paradigma ético, pues, como ha destacado el Dictamen 4/2018, de 26 de septiembre de 2018, del Tribunal de Cuentas Europeo, se hace necesario "fomentar un entorno positivo y de confianza en el que la denuncia de infracciones sea parte reconocida de la cultura empresarial".

§ 161. La importancia de la **colaboración público-privada** también ha sido otra razón poderosa para que los ordenamientos jurídicos promuevan o exijan el reconocimiento del *whistleblowing* interno, como ha estudiado con profundidad García-Moreno (2020). Estos canales forman parte de la cultura de cumplimiento normativo que, junto con otras herramientas, se integran en los sistemas de control interno, sobre todo de las grandes corporaciones multinacionales, que, bajo el poder de dirección sobre sus empleados, pueden ejercer eficazmente la labor detección, investigación y sanción disciplinaria. De esta forma, las entidades privadas cooperan con las Administraciones Públicas en la vigilancia del cumplimiento de la ley, facilitando el control y la investigación de fraudes que, sobre todo en entornos internacionales, conllevan complicadas tareas de colaboración judicial y administrativa (García-Moreno, 2020). Por estas razones, estos sistemas se han ido imponiendo progresivamente al sector privado por todos los niveles territoriales de las Administraciones Públicas, como, por ejemplo:

- La sección 301,4 de la *Sarbanes-Oxley Act* estadounidense ya citada.
- La Directiva (UE) 2015/849 en materia de prevención del blanqueo de capitales y financiación del terrorismo (art. 61.3) o el Reglamento (UE) 596/2014 en materia de abuso de mercado (art. 32.3).
- El artículo 48.1 de la Ley Orgánica 3/2007, de 22 de marzo, para la igualdad efectiva de hombres y mujeres.

§ 162. La **Directiva 2019/1937**, en esta misma línea, también ha reflexionado sobre la importancia de que en el propio seno de las organizaciones se fomenten funciones canales y procesos de investigación interna para responder con inmediatez y conocimiento ante los problemas de incumplimiento y, además, contribuir a "fomentar una cultura de buena comunicación y responsabilidad social empresarial en las organizaciones, en virtud de la cual se considere que los denunciantes contribuyen de manera significativa a la autocorrección y la excelencia dentro de la organización" (considerando 47 DPIUE).

§ 163. La **Ley del Informante**, en el mismo sentido, reconoce expresamente que "el Sistema interno de información debería utilizarse de manera preferente para canalizar la información, pues una actuación diligente y eficaz en el seno de la propia organización podría paralizar las consecuencias perjudiciales de las actuaciones investigadas. No obstante, declarada esta preferencia, el informante puede elegir el cauce a seguir, interno o externo, según las circunstancias y los riesgos de represalias que considere".

§ 164. El **oficial de cumplimiento** asume en numerosas ocasiones el papel de Responsable del Sistema de información interno. En todo caso, debe ser un órgano integrante de la propia corporación para que pueda conocer el desempeño y funcionamiento diario de la misma. En este sentido, resulta especialmente aplicable la concepción del oficial de cumplimiento como órgano específico unipersonal o colegiado de la persona jurídica, marcado por la Circular 1/2016 FGE, que debe ostentar autoridad, independencia y formación, y tener un amplio catálogo de funciones de supervisión que incluirían:

- "Participar en la elaboración de los modelos de organización y gestión de riesgos.

- Asegurar su buen funcionamiento, estableciendo sistemas apropiados de auditoría, vigilancia y control.
- Contar con personal con los conocimientos y experiencia profesional suficientes, disponer de los medios técnicos adecuados y tener acceso a los procesos internos, información necesaria y actividades de las entidades para garantizar una amplia cobertura de la función que se le encomienda".

§ 165. Por lo tanto, la **externalización** de la gestión de los Sistemas de información internos no debe conllevar la ausencia de un órgano supervisor propio de la entidad. Este no es óbice para que no resulte recomendable el apoyo de empresas especializadas, pues, como señala la Circular 1/2016 FGE, "resultarán tanto más eficaces cuanto mayor sea su nivel de externalización, como ocurre por ejemplo con la formación de directivos y empleados o con los canales de denuncias, más utilizados y efectivos cuando son gestionados por una empresa externa, que puede garantizar mayores niveles de independencia y confidencialidad".

§ 166. Por su parte, las **comisiones de auditoría** deben ser la unidad corporativa de adscripción de los Responsables del Sistema conforme a la Recomendación 42 del Código de buen gobierno de las sociedades cotizadas (CNMV. 2015, revisado en 2020), ya citada, que aboga para que establezcan y supervisen mecanismos de comunicación de irregularidades dirigidos a las personas vinculadas con la empresa y sus *stakeholders*, garantizando la confidencialidad y aceptando el anonimato.

§ 167. No obstante, hay que recordar que los **órganos de administración y gobierno** ostentan la máxima responsabilidad de las corporaciones públicas y privadas, pues, como recoge la Circular 1/2016 FGE, "corresponderá al órgano de administración establecer la política de control y gestión de riesgos de la sociedad y su supervisión, que en las sociedades cotizadas tiene la condición de facultad indelegable [art. 529 ter b) LSC]".

§ 168. Finalmente, desde el punto de vista **fenomenológico**, la prioridad de los canales internos se justifica por tres factores (considerando 33 DPIUE):

- "En general, los denunciantes se sienten más cómodos denunciando por canales internos, a menos que tengan motivos para denunciar por canales externos".
- "Estudios empíricos demuestran que la mayoría de los denunciantes tienden a denunciar por canales internos, dentro de la organización en la que trabajan".
- "La denuncia interna es también el mejor modo de recabar información de las personas que pueden contribuir a resolver con prontitud y efectividad los riesgos para el interés público".

Marco jurídico de la Directiva de protección de las personas que informen sobre infracciones del Derecho de la Unión

§ 169. Los **considerandos** de la Directiva 2019/1937 han realizado una exposición muy completa de las pretensiones del legislador comunitario con la instauración y exigencia de los canales de denuncia internos, que se pueden resumir en los siguientes argumentos:

- La importancia para actuar con *eficacia y rapidez* frente a las infracciones contra el Derecho de la Unión, desde la ventaja que supone actuar desde la esfera interna, así como la contribución a la cultura de la responsabilidad social empresarial (considerando 47 DPIUE).
- La necesidad de ajustar al *principio de proporcionalidad* el establecimiento de canales de denuncia interna en el sector privado, si bien, en todo caso, deberá exigirse a las empresas a partir de 50 trabajadores, sobre la base del deber de recaudación del IVA, o en otros sectores que presenten riesgos específicos (considerando 48 DPIUE).
- La *publicitación* a los informantes de poder acudir a los canales de denuncia externa por parte de las entidades privadas que, por su menor tamaño, no cuentan con sistemas internos (considerando 51 DPIUE).
- La *garantía* que implican los canales internos en el sector público en materia de contratación (considerando 52 DPIUE).
- La *multiplicidad* de vías de comunicación para la denuncia interna, que puede incluir medios escritos (correo, buzón físico, la

plataforma de intranet o internet), sistemas verbales (telefónica u otro medio de mensajería vocal) o presenciales (considerando 53 LGP).

- La *externalización* del servicio de recepción de denuncias internas, con las debidas garantías legales, tales como "proveedores de plataformas de denuncia externa, asesores externos, auditores, representantes sindicales o representantes de los trabajadores" (considerando 54 DPIUE).

- La *extensión* de la capacidad de recepción e investigación de denuncias a las corporaciones privadas tanto de fuentes laborales internas de la entidad o su grupo, como de cualquier agente o proveedor externo (considerando 55 DPIUE).

- La *libre elección* de la persona o unidad de gestión del canal de denuncias internas por parte las corporaciones privadas, siempre que se garantice la independencia y la ausencia de conflictos de intereses; si bien, en las entidades de menor tamaño puede ser asumida "una función dual a cargo de un ejecutivo de la sociedad bien situado para comunicarse directamente con la dirección de la entidad, por ejemplo, un responsable de cumplimiento normativo o de recursos humanos, un responsable de la integridad, un responsable de asuntos jurídicos o de la privacidad, un responsable financiero, un responsable de auditoría o un miembro del consejo de administración" (considerando 56 DPIUE).

- El *derecho del denunciante interno* a recibir información sobre la tramitación de la información que ha facilitado, dentro de los límites legales, para lograr generar confianza en el sistema y evitar que se realizan nuevas denuncias o revelaciones innecesarias (considerando 57 DPIUE).

- Un *plazo razonable* para la tramitación de la denuncia, que se estima en tres meses (considerando 58 DPIUE).

- La *publicitación accesible* de los procedimientos de denuncia internos para que todos los posibles informantes puedan tomar una decisión fundada sobre su interposición, por ejemplo, en lugar visible del sitio web o en cursos de formación sobre ética e integridad (considerando 59 DPIUE).

– *En definitiva*, "la prevención y detección efectivas de infracciones del Derecho de la Unión requiere garantizar que los denunciantes potenciales puedan aportar fácilmente y con total confidencialidad la información de que dispongan a las autoridades competentes que puedan investigar y solventar el problema, cuando sea posible" (considerando 60 DPIUE).

§ 170. Como **principio general**, todas las personas vinculadas por un contexto laboral o profesional con la entidad tienen derecho a utilizar los canales internos, "siempre que se pueda tratar la infracción internamente de manera efectiva y siempre que el denunciante considere que no hay riesgo de represalias" (artículo 7 DPIUE). A pesar de ello, se encuentra libre de optar por la denuncia externa si entiende que puede ser más positivo para perseguir la infracción o menos perjudicial para sus intereses.

§ 171. La **obligación subjetiva** de establecimiento de canales de denuncia interna alcanza a todas las entidades del sector público y privado, con las siguientes excepciones (artículo 8 DPIUE):

a) Las *entidades del sector privado de menos de 50 trabajadores*, salvo decisión del Estado miembro en virtud del nivel de riesgo y la naturaleza de la actividad; o que se refiera a materias incluidas en las partes I.B y II del anexo que hacen referencia a materias como los servicios, productos y mercados financieros, y prevención del blanqueo de capitales y la financiación del terrorismo; la seguridad del transporte; y la protección del medio ambiente.

b) Las *entidades del sector público de menos de 10.000 habitantes o menos de 50 trabajadores*, cuando sean eximidas por el Estado miembro.

§ 172. Tanto en el sector público como en el sector privado se admite la posibilidad del empleo de **medios compartidos** bajo las siguientes condiciones (artículo 8 DPIUE):

a) Las *entidades del sector privado entre 50 y 249 trabajadores*, sin perjuicio de la responsabilidad en relación con las garantías y obligaciones derivadas de la denuncia presentada.

b) Las *entidades municipales* pueden compartir canales de denuncia interna o pueden gestionarse a través de autoridades municipales conjuntas, siempre que estén diferenciados y autónomos respecto de los canales de denuncia externa.

§ 173. La denuncia interna exige el establecimiento de un **procedimiento** regido por los principios de seguridad, imparcialidad, diligencia, agilidad y accesibilidad, para lo cual se tendrán en cuenta las siguientes condiciones (artículo 9 DPIUE):

a) La *seguridad* debe garantizar la confidencialidad del denunciante y de cualquier tercero mencionado, así como impedir el acceso de personas no autorizadas.

b) La *imparcialidad y diligencia* será exigible a la persona o departamento designado para recibir, seguir, solicitar información adicional y responder al denunciante.

c) La *agilidad* obliga a acusar recibo de la denuncia en siete días desde su recepción y dar respuesta en tres meses desde el acuse de recibo o el vencimiento del plazo para el mismo, ampliable a tres meses en causas complejas.

d) La *accesibilidad interna* mediante denuncia escrita, por buzón físico o plataforma en línea de intranet o internet; verbal, bien sea telefónica o por cualquier otro sistema de mensajería de voz; y presencial.

e) La *accesibilidad externa* hacia los procedimientos de denuncia externa ante las autoridades competentes nacionales o de la Unión.

Régimen jurídico de la Ley de Protección del Informante

§ 174. Los **Sistemas internos de información** se configuran por la Ley del Informante basándose en tres pilares: el canal interno de denuncia, el Responsable del procedimiento y el procedimiento de gestión de informaciones (preámbulo LPI), al que cabe añadir el órgano de gobierno impulsor "que tendrá así, por tanto, la condición de responsable a efectos de la aplicación, en su caso, de algunas conductas infractoras y de sus consiguientes sanciones [...], pues el incumplimiento de la obligación de disponer de un SIINF se tipifica como infracción muy grave" (Jiménez Asensio, 2023b).

§ 175. El Sistema interno de información constituirá "el **cauce preferente** para informar sobre las acciones u omisiones previstas en el artículo 2, siempre que se pueda tratar de manera efectiva la infracción y si el denunciante considera que no hay riesgo de represalia" (artículo 4.1 LPI). Por lo tanto, se atribuye al informante la capacidad de valorar si resulta seguro la utilización de los mecanismos internos de la entidad y decidir libremente su empleo o dirigir su información hacia el canal externo.

§ 176. El **órgano de gobierno o administración** es el responsable de instaurar estos sistemas de información, previa consulta con los representantes legales de los trabajadores (artículo 5.1 LPI). Por lo tanto, en las entidades mercantiles esta función corresponderá a los Consejos de Administración y en las Administraciones Públicas a los titulares del Poder Ejecutivo. No obstante, esta última interpretación no ha sido seguida, por ejemplo, por la Administración General del Estado, en el que han sido los departamentos ministeriales quienes han asumido estas funciones, como se analizará en el apartado de *Reflexiones finales y comentarios* de este capítulo.

§ 177. Los **principios de buena gestión** del Sistema interno de información serán los siguientes (artículo 5.2 LPI):

– *accesibilidad* de las personas habilitadas.
– *seguridad* sobre la confidencialidad y la protección de datos.
– *dualidad formal*, verbal o escrita.
– *integración* de todos los canales internos de la organización.
– *efectividad real* de las comunicaciones recibidas.
– *independencia* con respecto a otros instrumentos de control interno.
– *planificación y transparencia* mediante una política o estrategia pública.
– *operatividad* mediante el establecimiento de gestión de los expedientes y garantía de los informantes.

§ 178. La **externalización** del Sistema interno de información únicamente se permite a efectos de recepción de las informaciones, sin que puede derivarse la figura del Responsable, ni mermarse las garantías previstas por la ley (artículo 6 LPI).

§ 179. El **canal interno** deberá permitirá realizar comunicaciones ateniéndose a las siguientes condiciones (apartados 1, 2 y 3 del artículo 7 LPI):

a) La *forma de comunicación* podrá ser escrita, a través de correo postal o cualquier medio electrónico, o verbal, por vía telefónica, a través de sistema de mensajería de voz o presencialmente. En todo caso, el informante podrá solicitar una reunión presencial en el plazo de siete días.

b) La indicación al informante sobre los *canales externos* de las autoridades competentes o de las instituciones, órganos u organismos de la Unión Europea a su disposición.

c) Adicionalmente, en las *comunicaciones verbales* se informará de que la conversación será grabada, del tratamiento que recibirán sus datos personales y del derecho a autorizar la documentación, mediante grabación o transcripción, de la comunicación. En el caso de la transcripción se permitirá al informante ratificar o rectificar la información con carácter previo a la firma.

§ 180. Como **excepción al principio de independencia operativa**, se permite que el canal interno acepte la recepción de otras comunicaciones o informaciones fuera de su ámbito de aplicación, si bien, a las mismas no les será de aplicación el ámbito de protección de la norma (artículo 7.4 LPI).

§ 181. El **Responsable del Sistema** recibe un estatus específico en garantía de independencia (artículo 8 LPI):

– El *nombramiento y cese* por el órgano de administración o de gobierno por la entidad

– El *órgano colegiado* Responsable del Sistema deberá delegar en uno de sus miembros "las facultades de gestión del Sistema interno de información y de tramitación de expedientes de investigación".

– La *notificación* del nombramiento y el cese a la Autoridad Independiente de Protección del Informante, A.A.I., o, en su caso, a las autoridades u órganos competentes de las comunidades autónomas, en el plazo de 10 días hábiles. En caso de cese, se deberá justificar ante la autoridad competente las razones del mismo.

- La *independencia y autonomía* para el desarrollo de sus funciones del resto de órganos de la entidad, sin que pueda recibir "instrucciones de ningún tipo en su ejercicio", y disponer de suficientes medios personales y materiales.

- En el *sector privado* deberá ser un directivo de la entidad, que actuará con independencia del órgano de administración y de gobierno. En razón a la naturaleza o tamaño de la entidad, el directivo podrá compatibilizar estas funciones con las de su puesto ordinario, siempre evitando el conflicto de interés.

- Los actuales *Responsables de cumplimiento normativo o de políticas de integridad* que reúnan estas condiciones podrán ser designados para estas funciones.

§ 182. **El procedimiento de gestión de informaciones** deberá ser aprobado por el órgano de administración o de gobierno de la entidad, y, en el ámbito público, convendría que se aprobará mediante reglamento (Jiménez Asensio, 2023b) debido a las garantías que deben otorgarse a las personas involucradas y la naturaleza de denuncia, en tanto que comunicación de hechos que puedan constituir una infracción administrativa, conforme prevé el artículo 62.2 LPAC. El Responsable del Sistema responderá de su tramitación diligente y en su configuración se atenderá a los siguientes principios y contenido mínimo (artículo 9 LPI):

a) *Disposiciones sobre el informante*:

- Identificación del canal o canales internos de información a los que se asocian.

- Información "clara y accesible" sobre los canales externos de información ante las autoridades competentes y, en su caso, ante las instituciones, órganos u organismos de la Unión Europea.

- Recepción de acuse de recibo, en el plazo de siete días naturales desde la recepción, salvo que exista riesgo de pérdida de la confidencialidad.

- Respuesta sobre las actuaciones de investigación en el plazo que se determine en la regulación del procedimiento, sin que este pueda superar los tres meses desde el cumplimiento del plazo de siete días, que podrá ampliarse otros tres meses en casos de especial complejidad.

- – Posibilidad de comunicación con el informante y de solicitar información adicional.

b) *Disposiciones sobre la persona afectada*:

- – Comunicación de los acciones u omisiones informadas.

- – Derecho a ser oída en cualquier momento, garantizando siempre el buen fin de la investigación.

- – Derecho a la presunción de inocencia y al honor.

c) *Disposiciones sobre el Responsable del Sistema*:

- – Garantía de confidencialidad de las comunicaciones remitidas por otros canales de denuncia o miembros del personal que no sea el Responsable del Sistema.

- – Formación al personal sobre el deber de remitir las comunicaciones recibidas inmediatamente al Responsable del Sistema y sobre la consideración como infracción muy grave de la ruptura del deber de confidencialidad.

- – Respeto a las disposiciones sobre protección de datos del título VI.

- – Remisión al Ministerio Fiscal o la Fiscalía Europea, si se afectan intereses financieros comunitarios, de forma inmediata, cuando los hechos pudieran ser constitutivos de delito.

§ 183. Las **Entidades obligadas del sector privado** que mantengan sistemas internos de información se regirán por esta ley en los siguientes casos (artículo 10 LPI):

a) Las *personas físicas y jurídicas que tengan contratados al menos cincuenta trabajadores.*

b) Los *partidos políticos, los sindicatos, las organizaciones empresariales y las fundaciones creadas por unos y otros, que reciban o gestionen fondos públicos.*

c) Las *personas jurídicas del sector privado encuadradas en ámbitos de servicios, productos y mercados financieros, prevención del blanqueo de capitales o de la financiación del terrorismo, seguridad del transporte y protección del medio ambiente*, si bien se regularán por su normativa específica y supletoriamente por esta ley. Se entenderá que reúnen esta condición las entidades incluidas en las partes I.B y II del anexo de la Directiva (UE) 2019/1937, del Parlamento Europeo y del Consejo, de 23 de octubre de 2019. A efectos de esta ley, se considerarán incluidas a las personas jurídicas definidas anteriormente que, "pese a no tener su domicilio en territorio nacional, desarrollen en España actividades a través de sucursales o agentes o mediante prestación de servicios sin establecimiento permanente".

§ 184. Los **Grupos de empresas**, conforme a la definición del artículo 42 del Código de Comercio, se rigen por el *principio de política de integridad única*, por lo que tendrán una política general relativa al Sistema de información y defensa del informante, cuyos principios serán aplicables a todas las entidades integrantes, el Sistema de información podrá ser único y el Responsable podrá ser único o bien uno para cada Sociedad, los cuales podrán intercambiar información (artículo 11 LPI). Todo ello, según agrega el citado artículo, "sin perjuicio de la autonomía e independencia de cada sociedad, subgrupo o conjunto de sociedades integrantes que, en su caso, pueda establecer el respectivo sistema de gobierno corporativo o de gobernanza del grupo, y de las modificaciones o adaptaciones que resulten necesarias para el cumplimiento de la normativa aplicable en cada caso".

§ 185. El empleo de **medios compartidos en el sector privado** se permite a las entidades que tengan *entre cincuenta y doscientos cuarenta y nueve trabajadores*, lo que incluye "el Sistema interno de información y los recursos destinados a la gestión y tramitación de las comunicaciones", y siempre respetando las garantías previstas en la ley (artículo 12 LPI).

§ 186. Las **Entidades obligadas en el sector público** se incluyen con carácter universal, sin las excepciones por número de trabajadores o de población que permitía la Directiva 2019/1937 (artículo 12 LPI). De forma resumida, el catálogo de entidades públicas obligadas por esta Ley a establecer un Sistema de interno de información incluye a las siguientes:

a) Las Administraciones Públicas territoriales e institucionales de naturaleza jurídico-pública, sin excepción alguna.

b) Las asociaciones y corporaciones con participación de entidades públicas y las fundaciones y sociedades mercantiles con
participación de entidades públicas en las condiciones respectivamente establecidas en los apartados f) y g) del artículo 13.1
LPI.

c) los órganos constitucionales, los de relevancia constitucional e
instituciones autonómicas análogas a los anteriores.

§ 187. La **Casa de Su Majestad el Rey** también debe considerarse
incluida en la mención genérica a los órganos constitucionales del artículo 13, pues la redacción del precepto fue propuesta por el Consejo
de Estado (2022) y expresamente consideró que con la misma debería
entenderse incluida esta institución.

§ 188. Los **organismos públicos de comprobación e investigación**
de incumplimientos sujetos a esta norma, como pueden ser las agencias anticorrupción autonómicas (ACAs), a quienes se les atribuya
la condición de autoridad competente para la gestión de los canales
externos, tendrán las siguientes especialidades en la gestión de su Sistema interno de Información:

a) La *diferenciación entre el canal interno de su organización y el
canal externo* para la recepción de comunicaciones sobre incumplimientos de terceros sobre las materias de su competencia (artículo 13.3 LPI).

b) La *tramitación de las informaciones recibidas sobre incumplimiento de terceros* acerca de la aceptación o no de la comunicación y, en su caso, del resultado de la comprobación o investigación. "Si los datos e informes que figuran en el expediente
tienen carácter reservado o confidencial de acuerdo con alguna
disposición con rango de ley, el contenido del resultado que se
traslade al informante tendrá carácter genérico" (artículo 13.4
LPI).

c) La *inimpugnabilidad de las decisiones* sobre las informaciones
recibidas tanto en vía administrativa como en vía contencioso-
administrativa (artículo 13.5 LPI).

§ 189. Los **medios compartidos en el sector público** incluirán tanto
al Sistema interno de información como a los recursos destinados a
las investigaciones y las tramitaciones, y deberán garantizar que los
sistemas y canales se identifiquen claramente como independientes.

Las entidades públicas autorizadas a compartir medios información serán las siguientes (artículo 14 LPI):

a) Los *municipios de menos de 10.000 habitantes* con cualquier Administración Pública de su Comunidad Autónoma.

b) Las *entidades del sector público con personalidad jurídica propia de menos de cincuenta trabajadores* con la Administración de adscripción.

§ 190. La **externalización** del Sistema interno de información por parte de las Administraciones de naturaleza territorial solo podrá tener carácter instrumental y relativa a la recepción de informaciones, siendo únicamente admisible cuando "se acredite insuficiencia de medios propios, conforme a lo dispuesto en el artículo 116 apartado 4 letra f) de la Ley 9/2017, de 8 de noviembre, de Contratos del Sector Público, por la que se transponen al ordenamiento jurídico español las Directivas del Parlamento Europeo y del Consejo 2014/23/UE y 2014/24/UE, de 26 de febrero de 2014" (artículo 15 LPI).

§ 191. El **régimen jurídico** del Sistema interno de información se completa a lo largo del articulado de la Ley del Informante con las siguientes previsiones (Jiménez Asensio, 2023b):

a) La *subsidiariedad* de los canales externos del artículo 16.1 LPI.

b) La *publicidad* de la información y registro de *Informaciones* del título IV LPI.

c) Las referencias a la *protección de datos* del título VI LPI.

d) Las *medidas de protección* del título VII LPI, con ciertas excepciones solo aplicables a las autoridades independientes como, por ejemplo, las medidas de apoyo conforme al artículo 41 LPI.

e) El *régimen transitorio* previsto en las disposiciones transitorias primera y segunda LPI.

§ 192. La **continuidad** de los Sistemas y canales internos de información previos a la entrada en vigor de la ley será la regla general, "siempre y cuando se ajusten a los requisitos establecidos en la misma" (disposición transitoria primera LPI).

§ 193. El **plazo** para el establecimiento de los Sistemas internos de información y adaptación de los ya existentes (disposición transitoria segunda LPI), se atenderá al siguiente calendario:

"1. Las Administraciones, organismos, empresas y demás entidades obligadas a contar con un Sistema interno de información deberán implantarlo en el *plazo máximo de tres meses* [13 de junio de 2023] a partir de la entrada en vigor de esta ley.

2. Como excepción, en el caso de las entidades jurídicas del sector privado con doscientos cuarenta y nueve trabajadores o menos, así como de los municipios de menos de diez mil habitantes, el plazo previsto en el párrafo anterior se extenderá hasta el *1 de diciembre de 2023*."

Reflexión final y comentarios

§ 194. La **preferencia** del canal interno sobre el canal externo, que puede resultar controvertida de la redacción de la Ley, queda esclarecida en el apartado III del preámbulo LPI: "el informante puede elegir el cauce a seguir, interno o externo, según las circunstancias y los riesgos de represalias que considere". Como afirma la AVAF (2023a, 2), "El Sistema interno de información debería utilizarse de manera preferente para canalizar la información, pues una actuación diligente y eficaz en el seno de la propia organización podría paralizar las consecuencias perjudiciales de las actuaciones investigadas. No obstante, declarada esta preferencia, el informante puede elegir el cauce a seguir, interno o externo, según las circunstancias y los riesgos de represalias que considere".

La preferencia del canal interno sobre la revelación pública si se encuentra reforzada en la norma, pues el artículo 28.1 LPI lo establece como uno de los requisitos previos para que quien acude a la publicitar la denuncia pueda acceder a las medidas de protección. De todas formas, esta preferencia se quiebra en el caso de la revelación pública ante la prensa (artículo 28.2 LPI), por lo que el único resquicio real de esta prioridad será la realizada en medios que no ostenten la consideración de «prensa» (Parajó, 2022).

§ 195. En las **entidades de pequeño tamaño del sector privado** la exigencia del Sistema interno de información puede resultarse excesivamente onerosa, además de ineficiente desde el punto de vista de la realidad corporativa. En los entornos con poca presencia de recursos humanos, quien informa de prácticas irregulares con el beneplácito de la Alta Dirección no ha de temer represalias y podrá recurrir a métodos de comunicación más directos que los canales internos. Por el contrario, si el informante teme la mala acogida de su denuncia por parte de los máximos responsables de la organización, optará por acudir directamente a los canales externos y al amparo de autoridad independiente para su protección.

§ 196. La **externalización** de la gestión de los sistemas internos de información no solo puede garantizar la exigente especialización que requiere el tratamiento de estos instrumentos, sino que también puede ayudar a incrementar la confianza de los usuarios al remitirse a personas independientes y ajenas a la entidad. Tras la reforma de la responsabilidad penal de las personas jurídicas de 2015, las corporaciones privadas han configurado su canal de denuncias de muy diversas formas, desde un mero *email* interno en muchas PYMES hasta el recurso a plataformas externas, en las organizaciones con mayor grado de madurez en la materia, "dotándolo así de mayor independencia, objetividad y confidencialidad y, sobre todo, generando mayor confianza en el usuario" (Fortuny y Vilà, 2022, 383-384)

§ 197. La **forma multicanal**, que permite distintas vías de comunicación de carácter escrito y verbal, parece la fórmula más recomendable para los canales internos, con el fin de adaptarse a las circunstancias de los informantes. Los canales *on line* con acceso externo a la red corporativa y facilitar una dirección postal para las personas con dificultades de acceso a la tecnología debieran constituir unos requisitos mínimos, que deben acompañarse con un número de teléfono de consulta y asesoramiento. La redacción ambigua, "por escrito o verbalmente, o de las dos formas", empleada tanto por la Ley del Informante como por la Directiva 2019/1937 puede provocar dudas sobre la obligatoriedad de establecer diferentes canales de comunicación, pero, como ha señalado Sierra (2023, 84), "solo se podrá hablar de un cumplimiento acorde a la vocación que se espera de estos sistemas cuando se articule una variedad de modalidades, entre las que haya necesariamente un buzón online".

§ 198. La aplicación a los **principales actores políticos** (partidos políticos, sindicatos de trabajadores y asociaciones empresariales, así como sus fundaciones) con independencia su dimensión, salvo que no perciban fondos públicos, se ampara en la garantía exigida en los artículos 6 y 7 de la Constitución para que se doten de una "estructura interna y funcionamiento" de carácter democrático. En el preámbulo de la Ley se reconoce la preocupación ciudadana por los casos de corrupción detectados y la importancia de la existencia de los Sistemas internos de información para que estas organizaciones reaccionen con rapidez con el fin de facilitar, según expresa, "la erradicación de cualquier sospecha de nepotismo, clientelismo, derroche de fondos públicos, financiación irregular u otras prácticas corruptas".

A mayor abundamiento, la Memoria del Análisis de Impacto Normativo del APL resalta que "La existencia de casos de corrupción ha incrementado la preocupación entre la ciudadanía, por lo que resulta indispensable ofrecer una actitud ejemplar de estas organizaciones que asiente la confianza en ellos de la población". En el mismo sentido, la AVAF (2023a, 7) considera que "La generalización de un Sistema interno de información facilitará la erradicación de cualquier sospecha de nepotismo, clientelismo, derroche de fondos públicos, financiación irregular u otras prácticas corruptas".

No obstante, el Informe del Consejo Económico Social (2022, 10) ha advertido, sin éxito, que esta exigencia hacia los principales actores sociales en la vida pública, que no se aplica a otras asociaciones o fundaciones también financiadas con fondos públicos, puede suponer una desigualdad de trato arbitraria, pues:

> "Al ir más allá de lo dispuesto en la Directiva y extender esta obligación a todas las entidades sin importar el número de empleados, el legislador está olvidando que muchas de estas entidades, y desde luego en la mayor parte de los casos las asociaciones empresariales, son de pequeño tamaño y cuentan con limitados recursos para realizar las funciones que tienen atribuidas estatutariamente, por lo que no disponen de medios adecuados, dificultando con ello el cumplimiento de la norma".

§ 199. La extensión a **toda entidad del sector público**, de cualquier naturaleza y volumen, sin ampararse en la posibilidad establecida en la Directiva 2019/1937 de exceptuar a las de pequeño tamaño, se justifica para "no facilitar resquicios que puedan dañar gravemente el interés general" (preámbulo III LPI). Como ha indicado la AVAF (2023a, 8), "preocupa que todas las instituciones, organismos y otras personificaciones que ejercen funciones públicas tengan un sistema eficaz para detectar las prácticas irregulares descritas en esta norma, sin que a estos efectos parezca relevante el tamaño de la entidad o el ámbito territorial en el que ejerza sus competencias".

La adopción positiva del legislador nacional sobre la sujeción a esta normativa de las entidades públicas de menor envergadura debe valorarse favorablemente, "pues si se quieren combatir determinadas prácticas irregulares (por ejemplo, en la contratación pública o en selección de personal), dejar fuera de esa obligación a las empresas o entidades públicas en esos casos (o incluso a un altísimo número de ayuntamientos: 7.372) no parece lo más adecuado" (Jiménez Asensio, 2022, 45).

§ 200. No obstante, en el caso concreto de los llamados "*microayuntamientos*" sería conveniente haber establecido una configuración específica de sus sistemas internos de información, pues, a pesar de que puedan acudir a la figura de la gestión compartida o la externalización, en muchas ocasiones la reducida plantilla con la que cuentan, que puede no sobrepasar la decena, hace inviable el disponer de personal funcionario suficiente y especializado para ser responsable de su gestión. En el mismo sentido se ha manifestado Almeida (2023), el cual define los *microayuntamientos* como aquellos de menos de 1.000 habitantes y con un presupuesto medio cuatrianual de 600.000 €, que ha criticado expresamente la "falta de sensibilidad y de la ausencia de la oportuna ponderación del principio de adecuación [que] se puede encontrar en la reciente Ley 2/2023, de 20 de febrero, reguladora de la protección de las personas que informen sobre infracciones normativas y de lucha contra la corrupción". Como justifica el citado autor, la necesaria aplicación del principio de singularización precisa que a los pequeños municipios únicamente se le asignen funciones para las que se encuentran organizativa y financieramente preparados y el principio de simplificación nos remite a que su estructura interna se reduzca al mínimo indispensable.

Desde el punto de vista fenomenológico debe tenerse en cuenta que el trato directo entre las autoridades y los empleados en las pequeñas entidades municipales dificulta la denuncia interna contra las máximas autoridades consistoriales. Como se ha señalado anteriormente, en entidades de pequeñas dimensiones, el denunciante interno difícilmente puede recibir garantías de confidencialidad cuando las informaciones se dirigen contra personas con las que tiene una relación cercana, por lo que la solución habitual será buscar acogida en la protección de la identidad que le garantiza el acudir a los canales externos.

Como solución alternativa, también podría articularse una solución intermedia que residencie la gestión del canal interno municipal, en primera instancia, plenamente en las diputaciones provinciales, para que las informaciones, tras su análisis preliminar, las derive hacia el municipio afectado o el canal externo, ha opción del informante identificado, o conforme a su criterio, si la comunicación es anónima. Por su parte, Nieto Martín (2021) ha propuesto que los municipios de menor tamaño pudieran directamente definir a la correspondiente agencia antifraude como canal único de denuncias al que remitir las comunicaciones sobre infracciones.

§ 201. Los **medios compartidos en el sector público** en el ámbito municipal deben ser una solución eficiente en el ámbito de los municipios de menos de 10.000 habitantes, correspondiendo la labor de apoyo e implementación prioritaria, como en otras materias, a las diputaciones provinciales. Esta limitación de la utilización compartida de estos servicios, que no implica la cesión de la gestión del sistema, no se encuentra en correlación con la actual tendencia en el ámbito municipal, pues, como afirma Jiménez Asensio (2022, 58):

> "no casa bien esa limitación con las posibilidades abiertas por la Carta Europea de Autonomía Local de asociarse los municipios para gestionar sus servicios, ni tampoco con la asistencia técnica que en materia por ejemplo telemática ofrecen las diputaciones provinciales y entes equivalentes a los municipios de menos de 20.000 habitantes".

Además, en las comunidades autónomas con implantación de una agencia antifraude, las entidades locales podrán hacer uso de su experiencia, como, por ejemplo, el ofrecimiento que ha realizado la AVAF (2023a) del software gratuito de gestión de buzones de denuncias que utiliza. Como ha recordado la propia AVAF (2023a, 11):

> "Recordamos asimismo que, tal y como dispone el artículo 157.3 de la Ley 40/2015, de 1 de octubre, de Régimen Jurídico del Sector Público, siempre que existan soluciones públicas (aplicaciones o herramientas) a su disposición para su reutilización, deberán justificar que la elección de otras tecnologías privadas que puedan comercializarse en el mercado (con el correspondiente gasto público) resultan más eficientes que las primeras conforme al artículo 7 de la LO 2/2012 de Estabilidad Presupuestaria y Sostenibilidad Financiera".

§ 202. La **externalización en el sector público** excluye expresamente la gestión de las informaciones recibidas; pero hay que resaltar que los procedimientos de tramitación de las denuncias requieren una alta especialización, puesto que se encuentran en juego importantes derechos fundamentales del denunciante y los denunciados, así como presenta numerosas dificultades para la obtención de evidencias jurídicamente válidas.

En esta materia pueden encontrarse opiniones discordantes entre las organizaciones cívicas y los expertos. Por una parte, se señala la importancia de que la propia empresa gestione sus riesgos de fraude, porque es quien mejor conoce sus mecanismos internos. Por otro lado, una gestión externa puede facilitar la tramitación confidencial y la profesionalidad en la gestión de las

Finalmente, hay que advertir para el sector público, como ha señalado la AVAF (2023a), la limitación constitucional de externalizar funciones que impliquen el ejercicio de potestades públicas o reservadas al personal funcionario (artículo 105 de la Constitución), por lo que:

> "A tal efecto, cada Administración y entidad del sector público deberá velar por implementar cuantas garantías y mecanismos resulten necesarios en el procedimiento de recepción de informaciones sobre infracciones para: detectar eventuales posibles conflictos de interés entre el tercero y las personas informantes (declaraciones de ausencia de conflictos de interés preceptivas y actualizadas, mecanismos de inhibición y abstención, control por las respectivas entidades públicas, etc.); prevenir y contener los riesgos de fuga de información institucional y los ciberataques; protección de datos personales de las personas informantes, garantías de confidencialidad, entre otras".

§ 203. La **profesionalidad del Responsable del Sistema** resulta especialmente importante, pues debe de tratarse de una persona con conocimientos específicos en la materia, tal y como ha estudiado con detenimiento Sierra (2023). A las competencias puramente técnicas, Casanovas (s. f.), ha destacado que el ejercicio de esta actividad requiere unas habilidades personales muy específicas:

> "Los textos sobre *Compliance* suelen referirse a las competencias personales asociadas con dicha función, como la integridad, el liderazgo o la capacidad para mantener la confidencialidad y el secreto. La Norma 37002 añade algunas que pueden llamar la atención: la generación de

confianza, inteligencia emocional y la diplomacia. Quienes estén acostumbrados a la gestión de canales de denuncias saben perfectamente que no es una excentricidad: están tratando con personas, sus inquietudes y carga emocional, hasta el punto de que una gestión poco sensible puede empeorar drásticamente la situación".

§ 204. La protección del Responsable del Sistema, al quien se le exige independencia y autonomía de criterio, se ha decidido salvaguardar con la obligación de que su cese se justifique adecuadamente y se comunique a la autoridad independiente competente. Como ha reflexionado Jiménez Asensio (2023b), hubiese sido conveniente establecer "un tipo específico de infracción para potenciales abusos o arbitrariedades en los ceses", aun cuando pudiera ser incorporado el hecho en algún tipo más genérico o, en su caso, quedando la aplicación de la cláusula residual de las infracciones leves.

Por su parte, Parajó (2022) ha incidido en la ausencia de requisitos mínimos exigidos legalmente de formación y conocimientos para la designación de esta persona. De forma más crítica, en el sector público esta ausencia de condiciones de "diseño normativo-institucional abre la puerta de par en par a que el puesto de trabajo que ocupe ese responsable del sistema se configure como libre designación y de libre cese" (Jiménez Asensio, 2022, 56). A este respecto hay que recordar que Ponce y Villoria (2021,3) han propuesto para el sector público, en línea con lo reclamado numerosas veces por los inspectores de servicios, "el nombramiento de responsables de tramitación de denuncias que sean funcionarios de carrera, con un plazo establecido para el desarrollo de su tarea, sin que puedan ser removidos a falta de causa justificada". En todo caso, las agencias anticorrupción deben convertirse en "garantes" (Nieto Martín, 2021, 41) de la independencia de los responsables de cumplimiento y, en este caso, también de los responsables de los sistemas internos de información.

En nuestra opinión, los inspectores de servicio son las figuras idóneas para asumir estas responsabilidades en los ministerios y consejerías, pues, como ha destacado Cubillo (2002, 60), reúnen las condiciones adecuadas para el análisis de los casos fraudulentos a partir del conocimiento que obtienen de situaciones que favorecen su aparición, como el "desorden burocrático, situaciones de interinidad, etc.". Por otra parte, las inspecciones generales de servicios son órganos dependientes de las subsecretarías departamentales que, por naturaleza, tienen asignado la misión de inspección de los empleados públicos y, en particular, de tramitar los procedimientos disciplinarios, por lo que tienen amplia experiencia en esta materia. Por otra parte, el Real Decreto 799/2005, de 1 de julio, por el que se regulan las inspecciones generales de servicios de los departamentos ministeriales les atribuye expresamente las responsabilidades que se encuentran vinculadas a los sistemas internos de información:

a) Inspeccionar y supervisar la actuación y el funcionamiento de las unidades, órganos y organismos vinculados o dependientes del departamento, para garantizar el cumplimiento de la normativa vigente (aparado a).

b) Verificar y efectuar el seguimiento de las reclamaciones y denuncias de los ciudadanos (apartado g).

c) Examinar actuaciones presuntamente irregulares de los empleados públicos en el desempeño de sus funciones y proponer, en su caso, a los órganos competentes la adopción de las medidas oportunas (apartado h).

§ 205. Las **funciones de Responsable del Sistema** se pueden compatibilizar con la función de cumplimiento normativo o de políticas de integridad. La configuración de un Responsable de integridad puede resultar sumamente útil para desarrollar una estrategia de integridad y antifraude que coordine la gestión de todas las herramientas e instrumentos exigidos por las normativas de integridad, transparencia y buen gobierno, como los códigos éticos, los sistemas de alerta temprana, las autoevaluaciones de riesgos de fraude, los procedimientos de prevención, las declaraciones de conflictos de intereses o la formación en integridad. En este mismo sentido se ha manifestado la AVAF (2023a, 13), haciendo hincapié en la importancia de la coordinación vertical:

> "Dicha persona u órgano designado como tal sería "puente" y "palanca" con esta Agencia así como con el resto de órganos de control, propiciando así una comunicación fluida y la creación de una futura red autonómica de responsables de integridad con mayor capacidad de afrontar cuestiones similares en la práctica".

§ 206. La **identidad pública del Responsable del Sistema** es una cuestión crítica, aunque no exigida expresamente por la normativa,

pues, para obtener la confianza del futuro informante, es necesario
que el mismo conozca con exactitud la persona que recibirá su denuncia con indicación del puesto de trabajo que ocupa en la entidad
y el curriculum vitae de su trayectoria profesional y su formación
específica en la materia. En definitiva, se hace necesario que el informante pueda valorar, en el ejercicio de opción entre el canal interno y
externo que le otorga la ley, si el grado de cercanía entre el puesto de
trabajo del Responsable y el departamento afectado o si la experiencia y formación del mismo le inspira suficiente confianza para utilizar
el canal interno, en lugar del canal externo.

La práctica de algunos sistemas internos de información ya instaurados conforme a la nueva Ley del Informante muestra que la
identidad del Responsable no se expone de forma abierta entre los
datos aportados en los sitios web que alojan los canales internos. Al
contrario, la tendencia es indicar en el documento de constitución del
sistema interno de información la referencia del cargo corporativo
o el órgano colegiado que ejercerá estas funciones, o derivar a un
acto posterior de nombramiento su designación, sin que el mismo
se encuentre a disposición de los posibles informantes. La pionera
propuesta del Informe Nolan (Committe Nolan, 1996, 112) alerta-
ba de la importancia del nombramiento de una persona claramente
identificada encargada de la recepción de denuncia, basándose en las
reticencias detectadas entre el personal de las corporaciones sobre
el destino de sus comunicaciones, para lo cual proponía el nombramiento de "un oficial para que las preocupaciones del personal acerca de la conducta indebida tengan una persona bien definida donde
dirigirse".

§ 207. El **procedimiento de gestión** se regula de forma conjunta
para el sector público y privado, por lo que presenta carencias normativas en aspectos esenciales de los procedimientos administrativos, como "las condiciones de admisión, el contenido mínimo de la
respuesta a las actuaciones de investigación o su carácter recurrible"
(Parajó, 2022, 57). Como propone el citado autor, y en el mismo sentido Villegas (2022), estas insuficiencias deberán complementarse en
la configuración del procedimiento, adoptando como referencias las
siguientes fuentes:

a) La amplia regulación del procedimiento del canal externo de la AIPI, A.A.I. o del equivalente autonómico en la propia Ley del Informante.

b) Las normas técnicas en materia de *compliance* como la Norma UNE-ISO 37301:2021 de «Sistemas de gestión de *compliance*» y la Norma UNE-ISO 37002:2021 de «Sistema de gestión de denuncia de irregularidades. Directrices».

§ 208. La **naturaleza del acuerdo** que apruebe el procedimiento de gestión de informaciones previsto en el artículo 9 LPI plantea el interrogante, en el ámbito público, de si es suficiente con el mero acto administrativo del correspondiente órgano de administración o de gobierno, o es necesaria una norma de carácter reglamentario. El examen detallado del contenido mínimo previsto en el apartado 2 del artículo 9 LPI recomienda decantarse por la vía reglamentaria, dado que algunos de los aspectos a tratar, en especial los relativos a los derechos del informante y el investigado, pueden tener efectos externos a las propia Administración tramitadora. En el mismo sentido, Jiménez Asensio (2023b) considera que "la opción más prudente para crear el SIINF sería elaborar, tramitar y aprobar la creación del SIINF a través de una disposición general de naturaleza reglamentaria". No obstante, como opción más realista, dentro del breve plazo inicial establecido por la ley, el mismo autor ha aportado la solución de remitirse "a las normas procedimentales recogidas en la Ley 39/2015, de 1 de octubre, de procedimiento administrativo común de las administraciones públicas" (Jiménez Asensio, 2022, 55).

§ 209. La **falta de causas de inadmisión** en la descripción de los procedimientos de gestión interna resulta mucho más censurable, dada la importante consecuencia de la exclusión de la protección del informante prevista en el artículo 18.a) LPI. Como ha reflexionado Jiménez Asensio (2022, 56): "Esta es una enorme laguna de la ley, que probablemente hará que un denunciante mida mucho hasta qué punto acude a esos pretendidos (y no reales) canales internos preferentes, en la medida en la cual la inadmisión de la información o denuncia comporta la absoluta desprotección del denunciante". En el mismo sentido, Sierra (2023, 88) advierte que "la laguna sobre su regulación en los sistemas internos, ocasiona que no queden delimitados cuáles son los criterios a respetar, lo que puede dar lugar a un abuso de la inadmisión por contemplar causas que se aparten de las recogidas en la Ley para el canal externo o porque éstas sean interpretadas de manera extensiva".

§ 210. El **régimen de recursos** de las decisiones de los procedimientos de gestión de informaciones en el sector público parte del principio de *inimpugnabilidad* en vía judicial, en consonancia con lo previsto para las resoluciones de esta naturaleza de la AIPI, AAI. No obstante, la omisión en el artículo 9 LPI, relativo al Procedimiento de gestión de informaciones, sobre la posibilidad de recurso en su tramitación y resolución, ha conllevado que algunos autores, como Parajó (2022), admitan que la posibilidad del recurso se encuentra abierta. Por el contrario, el artículo 13.5 LPI parece cerrar la vía de recurso, y así lo ha entendido el CGPJ (2022), a todas las decisiones de los organismos públicos con funciones de comprobación o investigación en relación con las informaciones recibidas.

Además de las razones que se argumentarán al tratar esta cuestión el título III, es cierto que este criterio es el habitualmente seguido en los informes que cierran las investigaciones administrativas, pues se entiende que comparten la naturaleza de actos de trámite, como en el caso de los informes que forman parten del procedimiento administrativo. Por otra parte, en cuanto a las decisiones de archivo de las comunicaciones, esta disposición no cierra todavía la vía administrativa para el informante, pues, tras la denegación, puede reproducir su denuncia ante el correspondiente canal externo.

No obstante, el informe del CGPJ (2022), aun considerando que nuestro ordenamiento jurídico, en el artículo 62.5 LPAC, y la jurisprudencia (et. al. STS de 5 de febrero de 2018) han negado la legitimación del denunciante para recurrir el archivo de la denuncia, estima que esta prescripción normativa de la Ley del Informante es contraria a la Directiva 2019/1937. Para ello, apela al considerando (103) que dictamina que las decisiones contra los derechos reconocidos en la Directiva, y en particular el archivo de denuncias manifiestamente menores o reiteradas o no merecedoras de tratamiento prioritario, estaría sujeto a control judicial, según el artículo 47 de la Carta de los Derechos Fundamentales de la Unión Europea que establece las condiciones del derecho a la tutela judicial efectiva y a un juez imparcial.

§ 211. La **definición de los órganos del sector público** titulares de la potestad de administración y gobierno resulta especialmente importante en esta materia, pues la ley les atribuye funciones clave como la responsabilidad en la implantación del Sistema interno de información, la designación del Responsable del Sistema o la aprobación del procedimiento de gestión de informaciones. A estos efectos, hay que recordar que, en el ámbito estatal, corresponde al Gobierno la función de dirección de la Administración Pública civil y militar, por mandato expreso del artículo 97 CE, que se reitera en el artículo 1.1 LG. De forma más omnicomprensiva del sector público, el artículo 3.3 LRJSP establece que:

> "Bajo la dirección del Gobierno de la Nación, de los órganos de gobierno de las Comunidades Autónomas y de los correspondientes de las Entidades Locales, la actuación de la Administración Pública respectiva se desarrolla para alcanzar los objetivos que establecen las leyes y el resto del ordenamiento jurídico".

Esta adscripción de las principales funciones de los Sistemas internos de información en el máximo nivel gubernativo no ha sido seguida por la Administración General del Estado, pues en la práctica estas funciones han sido ejercidas a nivel de departamento ministerial. Por ejemplo, el Ministerio de Justicia ha establecido los requisitos del Sistema interno de información mediante la Resolución de la Subsecretaria de Justicia, de 31 de mayo de 2023. por la que se aprueban la estrategia del sistema interno de información y el procedimiento de gestión del canal interno de información del Ministerio de Justicia.

En sentido contrario, la Administración de la Generalitat valenciana ha seguido estrictamente los mandatos de la Ley del Informante y el Consell de la Generalitat ha sido el encargado de la implantación del Sistema interno de información y del nombramiento del Responsable del sistema, mediante el Acuerdo de 12 de mayo de 2023, del Consell, sobre la implantación del «Sistema Interno de Información de la Administración de la Generalitat» (SII-GVA) previsto en la Ley 2/2023, de 20 de febrero, reguladora de la protección de las personas que informen sobre infracciones normativas y de lucha contra la corrupción.

§ 212. Los **organismos públicos de comprobación e investigación** de incumplimientos sujetos a esta norma se encuentran sujetos a un

régimen especial para discernir entre el tratamiento de las informaciones que reciban en sus propios canales internos y aquellas recibidas
por los canales externos en relación con la materia de su competencia.
En esta situación no solo se encontrarán las agencias antifraude, sino
también prácticamente todos los órganos de la Administración controladora que tengan habilitado un canal externo de denuncias, como
la Agencia Tributaria o el Tribunal de Cuentas.

§ 213. Finalmente, el **breve plazo** de tres meses para el establecimiento de los sistemas internos de información, con carácter general,
ha sido calificado, con sobradas razones, de extremadamente breve y
poco realista (Jiménez Asensi, 2022). La introducción de estos sistemas en el conjunto de los sistemas de integridad institucional de cada
entidad debería haberse realizado de forma más sosegada y contando
con la dirección y colaboración de la AIPI, AAI., cuyo plazo de creación se ha postergado en doce meses (Sierra, 2023).

Título III
CANAL EXTERNO DE INFORMACIÓN DE LA AUTORIDAD INDEPENDIENTE DE PROTECCIÓN DEL INFORMANTE, A.A.I.

Antecedentes de política legislativa y de Derecho comparado

§ 214. La **fenomenología del fraude** ha puesto reiteradamente de manifiesto la necesidad de establecer múltiples canales de comunicación de irregularidades, aunque, a priori, el lugar y la forma para la presentación de denuncias ante las Administraciones Públicas más acorde con las previsiones legales nos remita a la comunicación por escrito ante los registros oficiales presenciales o electrónicos, lo que permite asegurar el cumplimiento de las exigencias formales del artículo 62 LPAC. Por el contrario, la práctica demuestra que resulta mucho más habitual que estas revelaciones se efectúen de forma más heterodoxa: la transmisión personal a un responsable administrativo durante una reunión formal o simplemente en un encuentro casual, o la comunicación verbal o escrita, generalmente anónima, mediante servicios telefónicos, postales o de mensajería electrónica.

§ 215. Ante esta realidad, las **Administraciones Públicas** han establecido diversos mecanismos para encauzar las denuncias ciudadanas, que actualmente se apoyan en las facilidades que otorgan las nuevas tecnologías de la información y las comunicaciones. A finales de los 90, en el marco de la lucha contra la corrupción se instauraron las *hotlines* o líneas directas telefónicas que, siguiendo las recomendaciones marcadas por el Informe Nolan, permitían la comunicación inmediata y anónima con el denunciante. En la actualidad, se han priorizado los buzones electrónicos en los sitios web corporativos que permiten diversos modos de comunicación, respetando la confidencialidad o el anonimato.

§ 216. La **Guía Técnica UNODC** (2010) determina con claridad que los organismos especializados en la prevención de la corrupción previstos en el artículo 6 CNUCC deben de contar con un canal de denuncias:

> "Cuando su cometido fundamental son las políticas y prácticas de prevención, el órgano u órganos deben velar por adoptar medidas adecuadas para coordinar su labor con la de otros organismos, entre ellas las relativas al *tratamiento de las diferentes denuncias* (especialmente para no comprometer las diligencias de los organismos de represión ni los eventuales enjuiciamientos), establecer perspectivas estratégicas a largo plazo y lograr un equilibrio entre el consenso y una sólida independencia".

§ 217. A **nivel internacional** se pueden citar tres casos paradigmáticos de canales de denuncia de naturaleza externa instaurados a partir de los años 80 en las siguientes instituciones:

a) La "*línea directa de denuncias internacional*" *del Banco Mundial*, la cual permitía la recepción telefónica de denuncias, gestionada personal independiente 24 horas, o enviar informes al equipo del Departamento de Integridad Institucional por correo electrónico o a través del sitio web del Departamento (actualmente esta última opción es la que se encuentra operativa). El Departamento de Integridad Institucional del Banco Mundial (*World Bank Group's Department of Institutional Integrity*) es una unidad independiente, con rango de Vicepresidencia, constituida con el objetivo de "investigar las alegaciones de fraude y corrupción en los proyectos del Banco y las alegaciones de conducta indebida del personal, incluidos, sin que la enumeración sea exhaustiva, el fraude y la corrupción". Los resultados de sus trabajos, conforme a su 'rol de investigador neutral', se dirigen a las instancias decisorias del Banco, como la Presidencia, el Departamento de Operaciones Regionales, la Junta de Sanciones del Banco (en casos relacionados con proyectos) o el Vicepresidente de Servicios de Recursos Humanos (en casos de conductas indebidas del personal), para que adopten las medidas necesarias. Asimismo, la INT presenta las conclusiones de sus investigaciones, en su caso, a las autoridades pertinentes de los países miembros si descubre que se han violado las leyes de alguno de ellos (Banco Mundial, 2007).

b) El "*Sistema de comunicación de la Oficina Europea de Lucha Antifraude (OLAF)*", que, tras su creación en 1999, estableció una línea directa de recepción de denuncias telefónicas, además de medios postales y electrónicos, que funcionaba 24 horas al día, para cuestiones vinculadas con la protección de los intereses financieros comunitarios. A partir de 2010, este instrumento se ha sustituido por el *"Sistema de Notificación de Fraudes"* (FNS), que prioriza un buzón electrónico seguro que permite mantener el anonimato y el intercambio de información con los investigadores, a la vez que mantiene el formulario *on line* y la comunicación postal y suprime el sistema de llamadas telefónicas. La OLAF ejerce funciones de investigación administrativa, cooperación con los Estados miembros, y asesoramiento y asistencia técnica en la lucha contra el fraude (artículo 2 DOLAF); y está dotada de las mismas facultades que los inspectores de los Estados miembros, para realizar investigaciones externas, y de amplias facultades en el ámbito de sus investigaciones internas (García Ureta, 2006).

c) El *canal "Fraudnet" de la U.S. Government Accountability Office (GAO)*, que permite la denuncia (pública, anónima o reservada) por cualquier medio de comunicación, habilitándose direcciones postales y líneas telefónicas específicas para este propósito que están disponibles en el portal de la propia agencia. Tras la reforma institucional de 2004, se constituyó al año siguiente la *Forensic Audits and Special Investigations*, reunificando otras unidades anteriormente existentes, cuya función es la realización de auditorías forenses, investigaciones del fraude, el derroche y el abuso, la evaluación de las vulnerabilidades de seguridad y otros servicios de investigación, sirviendo de apoyo a los trabajos de los otros equipos (Richter y Burke, 2007).

§ 218. El **"Canal Infofraude" del SNCA**, dirigido a la protección de los intereses financieros de la Unión Europea, ha optado por un modelo similar a la OLAF, aceptando como forma general de comunicación el formulario web y el envío postal o soporte papel con carácter excepcional. El canal trae causa del impulso de la Comisión Europea, en el marco presupuestario 2014-2020, que conminó a los Estados Miembros a establecer canales que facilitaran las denuncias de casos de fraude (OLAF, 2014). Ante la ausencia en nuestro país de canales específicos y formalizados para poner en conocimiento de las autoridades competentes los hechos que pudieran ser constitutivos

de fraude o irregularidad se ha optado por una solución común, mediante la creación de un canal de comunicaciones centralizado en el
Servicio Nacional de Coordinación Antifraude. El funcionamiento se
rige por la Comunicación 1/2017, de 6 de abril, sobre la forma en la
que pueden proceder las personas que tengan conocimiento de hechos
que puedan ser constitutivos de fraude o irregularidad en relación con
proyectos u operaciones financiados total o parcialmente con cargo
a fondos procedentes de la Unión Europea, en la cual se justifica la
inadmisión de la comunicación anónima, en coherencia con las previsiones del procedimiento administrativo común que, en el artículo
62.2 LPAC, establece que las denuncias deben "expresar la identidad
de la persona o personas que las presentan".

§ 219. A nivel autonómico y local, el Buzón Ético y de Buen Gobierno de la Oficina para la Transparencia y las Buenas Prácticas del
Ayuntamiento de Barcelona es seguramente el canal de denuncias que
ha servido de modelo para posteriores desarrollos, como la Oficina
Antifraude Cataluña y la Oficina Antifraude de la Comunidad Valenciana. Este canal permite las denuncias anónimas y garantiza la
seguridad de las comunicaciones a través de herramientas como la red
TOR. La red TOR (*The Onion Router*), permite garantizar el anonimato en el entorno digital, incluso impidiendo conocer la dirección IP
del usuario que emplea la navegación por Internet, al ser una red de
comunicaciones superpuesta que no permite conocer la identidad de
los usuarios ni de la información (Fortuny y Vilà, 2022).

Fundamentos fenomenológicos y axiológicos

§ 220. El **fundamento fenomenológico** de la constitución del canal
externo de información se explicita con claridad en el considerando
(33) de la Directiva 2019/1937 y no es otro que subsanar la falta
de confianza de los ciudadanos en el funcionamiento eficaz de los
sistemas internos de información, por lo que se "considera necesario
el establecimiento de canales externos en los que se tramiten con diligencia las denuncias y se ofrezca una respuesta en un plazo razonable bajo la responsabilidad de una autoridad independiente" (Parajó,
2022, 59).

§ 221. Desde el **punto de vista formal**, la denuncia no deja de ser una comunicación por la cual se pone en conocimiento de la Administración un hecho que pueden constituir un acto irregular o ilícito (Bauzá, 2015). Tradicionalmente, quienes deseaban dar a conocer estos hechos se ponían en contacto personalmente con las autoridades públicas para trasladar su conocimiento de estas acciones y, si deseaban preservar su identidad, remitían un correo postal sin remitente con la información y, en su caso, la documentación incriminatoria hacia un tercero. En la década de los 90, como se ha señalado, el medio de comunicación estelar correspondió a las denominadas "*hot line*", líneas telefónicas de acceso incluso 24 horas, si bien, la práctica diaria determinó que esta vía resultaba poco fructífera, hasta el punto de que el Banco Mundial y la OLAF suprimieron posteriormente este servicio. En actualidad se han impuesto como prioritarios los canales de comunicación electrónica, pues, por ejemplo, la AVAF había recibido el 88,5% de las denuncias a través de esta vía desde 2016 a 2021 (Llinares, 2023).

§ 222. Desde el **punto de vista material**, la información suministrada a los canales externos requiere un contenido mínimo que permita deslindar la denuncia de la mera traslación de rumores o suposiciones, tal y como recoge el apartado tercero.1 de la Circular 1/2017 SNCA:

> "La información que se remita al Servicio Nacional de Coordinación Antifraude a través de los medios establecidos en el apartado SEGUNDO deberá contener una descripción de los hechos de la forma más concreta y detallada posible, identificando, siempre que fuera posible, las personas que hubieran participado en los mismos; los negocios, convocatorias, instrumentos o expedientes afectados por la presunta irregularidad o fraude; la fecha cierta o aproximada en la que los hechos se produjeron; el Fondo o Fondos europeos afectados; el órgano o entidad que hubiera gestionado las ayudas; y los órganos o entidades a los que, adicionalmente y en su caso, se hubiera remitido la información. Asimismo, deberá aportarse cualquier documentación o elemento de prueba que facilite la verificación de los hechos comunicados y la realización de las actuaciones que correspondan en relación con los mismos".

§ 223. La **finalidad** de los canales externos se encuentra íntimamente vinculada a la lucha contra el fraude y la corrupción. Si el riesgo de mala administración conforma el núcleo de actividad del sistema de controles ordinarios de las Administraciones Públicas (Sánchez Morón, 1991), la vigilancia de las violaciones más graves de los intereses generales se atribuye habitualmente a las instituciones especializadas en la investigación administrativa.

§ 224. La **naturaleza** del procedimiento de investigación de los canales externos se inserta dentro de las funciones de la denominada Administración controladora y, en concreto, en la actividad de inspección. Las actividades de los órganos administrativos de inspección y control pueden ejercitarse con muy diversos grados de intensidad: desde la función exclusivamente consultiva del Consejo de Estado al enjuiciamiento de la Administración de Justicia y, a partir de este esquema, se establecen diversas modalidades como la evaluación, la supervisión, la fiscalización, la inspección y el enjuiciamiento que progresivamente van incrementando la intensidad de las actuaciones de control (Fernández Ajenjo, 2011). En este esquema, las investigaciones administrativas son procedimientos de naturaleza inspectora que se caracterizan por su vocación forense vinculada a la recolección de evidencias de fraude y corrupción con carácter previo al inicio, si procede, del enjuiciamiento penal, administrativo o disciplinario.

§ 225. Sin duda, la **función** de investigación administrativa es la actividad de control más inquisitiva en la esfera administrativa, en tanto que se dirige a descubrir con herramientas no judiciales la verdad oculta tras los expedientes y los proyectos públicos, Con carácter general, a las autoridades encargadas de estos trabajos se le asignan amplias facultades para el adecuado cumplimiento de sus funciones, como la condición de agentes de la autoridad, el libre acceso al suministro de información o el libre acceso a dependencias; pero siempre dentro de las restricciones constitucionales que, como la facultad de la privación de libertad, únicamente pueden ser soslayadas por los representantes del Poder Judicial (Fernández Ajenjo, 2022). Como afirma García Ureta (2008, 25-26), la verdad aparente puede siempre soportarse entre el muro de papel que conforma el expediente administrativo, por lo que se debe recurrir a "calibrar la virtualidad real de las normas y cómo se lleva a cabo la aplicación efectiva de las mismas".

§ 226. Las **facultades** de las investigaciones administrativas son plenas, dentro del campo de las potestades administrativas, pues el fraude y la corrupción, que es su ámbito natural de actuación, puede requerir desvelar hechos especialmente complejos y ocultos. Por ello, emplean habituales herramientas especializadas cercanas al ámbito de la jurisdicción penal:

– Las entrevistas reservadas a investigados y testigos.
– La entrada y registro a dependencias y domicilios, incluso con autorización judicial.
– Las operaciones digitales forenses de acceso a la información de los dispositivos electrónicos.

§ 227. Las fuertes **garantías jurídicas** de los investigados actúan como contrapeso de las amplias facultades otorgadas a las autoridades competentes, con el establecimiento de las rígidos límites temporales, formales y objetivos impuestos a todo procedimiento de naturaleza inspectora (Bermejo Vera, 2000).

§ 228. La **naturaleza no penal**, sino plenamente administrativa, es el rasgo más importante para destacar en estos procedimientos de investigación. Sin duda, las instituciones y procedimientos de control administrativo y judicial comparten la protección de un mismo bien jurídico, como, por ejemplo, los intereses financieros públicos en el caso del fraude fiscal y financiero. No obstante, los medios y los fines empleados son de diferente alcance y fuerza inquisitiva, pudiéndose destacar las siguientes divergencias:

– La *investigación penal* puede interceptar comunicaciones telefónicas para grabar conversaciones incriminatorias de los sospechosos, previa autorización judicial, e incluso privar de libertad a los encausados.
– La *investigación administrativa* puede ejercer, como actuación más invasiva, la operación digital forense, con autorización judicial para entrar en el domicilio constitucionalmente protegido de la empresa, mediante la cual se obtiene copia del contenido de los ordenadores corporativos para buscar pruebas del fraude cometido.

§ 229. El **fundamento** de las investigaciones administrativas es el deber especial de colaboración con la Administración de Justicia impuesto normativamente a las autoridades públicas de control para examinar exhaustivamente los indicios de fraude detectados con la finalidad de trasladar las evidencias obtenidas a las autoridades judiciales. La razón de ser es la posición privilegiada de los órganos de control de la Administración Pública para obtener información y examinar los casos de fraude y corrupción en su ámbito de actuación, frente a las dificultades que encuentran para conocer la *notitia criminis* de estos asuntos los órganos del Poder Judicial (Fernández Ajenjo, 2007).

§ 230. El **principio de equidad procesal** debe orientar la actuación de toda investigación administrativa, por lo que "todas las actividades de investigación se realizarán de una manera objetiva e imparcial que garantice la equidad procesal, de acuerdo con las más altas cotas de profesionalidad y respetando escrupulosamente los derechos de todas las personas implicadas" (OLAF, 2013). El principio de equidad procesal supone del mandato de servir "con objetividad los intereses generales" reclamado a todas las Administración Públicas por el artículo 103.1 CE. La consecuencia práctica es que, en todas las fases del proceso de investigación, deberán ponderarse las informaciones en favor y en contra del interesado.

§ 231. Finalmente, el **principio de oportunidad** en la apertura de las investigaciones resulta igualmente controvertido, como acontece en el ámbito penal, pues surge el debate ético y jurídico sobre si las vulneraciones del ordenamiento jurídico pueden dejar de atenderse bien por falta de medios o por razones de eficiencia económica. El artículo 5.1 de las Directrices de Investigación OLAF 2013, cuyo contenido no se ha reiterado en las Directrices OLAF 2021, condicionaba la apertura del caso a "si entra dentro de las prioridades de la política de investigación (PPI) fijadas por el Director General". Este principio favorable a la racionalidad económica, por encima de la razón jurídica, ha sido acogido en el Directiva 2019/1397, que en su considerando (70) afirma taxativamente:

> "Para garantizar la eficacia de los procedimientos de seguimiento de las denuncias y de respuesta a las infracciones de las normas de la Unión de que se trate, los Estados miembros deben tener la posibilidad de adoptar medidas para aliviar las cargas que soporten las autoridades competentes como consecuencia de las denuncias de infracciones menores de disposiciones que entren en el ámbito de aplicación de la presente Directiva, las denuncias reiteradas o las denuncias sobre infracciones de disposiciones accesorias, por ejemplo, disposiciones sobre obligaciones relativas a la documentación o la notificación. Dichas medidas pueden consistir en permitir a las autoridades competentes, tras una debida valoración del

asunto, decidir que una infracción denunciada es claramente menor y no requiere que se adopten más medidas para su seguimiento con arreglo a la presente Directiva, que no sea el archivo del procedimiento. Los Estados miembros también han de poder autorizar a las autoridades competentes cerrar procedimientos relativos a denuncias reiteradas que no contengan información nueva y significativa con respecto a una denuncia anterior cuyo procedimiento haya concluido, a menos que nuevas circunstancias de hecho o de Derecho justifiquen una forma de seguimiento distinta. Además, en caso de un elevado número de denuncias, los Estados miembros deben poder permitir a las autoridades competentes dar prioridad al tratamiento de las denuncias de infracciones graves o de infracciones de disposiciones esenciales que entran en el ámbito de aplicación de la presente Directiva".

Marco jurídico de la Directiva de protección de las personas que informen sobre infracciones del Derecho de la Unión

§ 232. La apuesta por los canales externos impuesta por la Directiva 2019/1937 surge por el fundado temor a que los posibles informantes decidan no utilizar los canales internos puestos a su disposición bien por su ineficacia o inexistencia o bien miedo a las represalias. En estos supuestos, el considerando (62) DPIUE analiza que:

"Las autoridades competentes podrían estar mejor situadas, por ejemplo, cuando el responsable último en el contexto laboral está implicado en la infracción, o existe el riesgo de que se oculten o destruyan la infracción o las pruebas conexas o, de manera más general, porque la eficacia de las investigaciones por parte de las autoridades competentes podría verse amenazada de otra manera, como en el caso de que se denuncien prácticas colusorias u otras infracciones de las normas en materia de competencia; o porque la infracción requiere medidas urgentes, por ejemplo, para proteger la vida, la salud y la seguridad de las personas o para proteger el medio ambiente".

§ 233. La naturaleza de norma mínima común para la protección del Derecho de la Unión parte del reconocimiento de canales y autoridades especializadas ya existentes en la actualidad en el ámbito comunitario (considerando 68 y 68 DPIUE):

a) La *normativa sectorial reguladora de canales internos y externos* incluiría, por ejemplo, las siguientes:

- En relación con el abuso de mercado, el Reglamento (UE) 596/2014 y la Directiva de Ejecución (UE) 2015/2392.
- En relación con la aviación civil, el Reglamento (UE) 376/2014.
- En relación con la seguridad de las operaciones de extracción de petróleo y gas en alta mar, la Directiva 2013/30/UE.

b) La *normativa reguladora de canales externos* gestionados por autoridades especializadas incluiría, por ejemplo, las siguientes:
- La Oficina Europea de Lucha contra el Fraude (OLAF).
- La Agencia Europea de Seguridad Marítima (AESM).
- La Agencia Europea de Seguridad Aérea (AESA).
- La Autoridad Europea de Valores y Mercados (AEVM).
- La Agencia Europea de Medicamentos (EMA).

§ 234. La **libertad de opción del informante** para el acceso de los canales de denuncias externas, directamente o tras haber realizado una previa denuncia interna, se reconoce expresamente en el artículo 10 DPIUE, a pesar de las reiteradas recomendaciones sobre las ventajas de usar preferentemente los canales internos.

§ 235. Los **principios de buen funcionamiento** de los canales se dirigen a incrementar las garantías del denunciante (artículos 11 y 12 DPIUE):

a) La *seguridad* debe garantizar la exhaustividad, la integridad, la confidencialidad y almacenamiento de la información, así como impedir el acceso de personas no autorizadas.

b) La *formación y diligencia* será exigible a la persona o departamento designado para recibir, seguir, solicitar información adicional y responder al denunciante.

c) La *agilidad* obliga a acusar recibo de la denuncia en siete días desde su recepción, salvo petición expresa del denunciante o que la autoridad competente considere que compromete la identidad del denunciante y dar respuesta en tres meses o seis meses en casos justificados.

d) La *accesibilidad* mediante denuncia escrita, por buzón físico o plataforma en línea de intranet o internet; verbal, bien sea telefónica o por cualquier otro sistema de mensajería de voz; y presencial.

§ 236. El **archivo** de la denuncia externa por razones de oportunidad se limita a *numerus clausus*, pues la regla general es la aceptación de toda denuncia veraz. En concreto, los Estados miembros pueden establecer los siguientes casos tasados de archivo por razones de oportunidad (artículo 11 DPIUE):

a) La *denuncia de infracciones manifiestamente menores*, de forma motivada y con independencia del derecho de protección del denunciante.

b) Las *denuncias reiteradas*, de forma motivada, salvo que se den nuevas circunstancias de hecho o de Derecho.

c) Las *denuncias inasumibles* por su elevado número, dando prioridad a las infracciones graves o esenciales, con comunicación en plazo al denunciante.

§ 237. El **diseño** de los canales de denuncias externas debe reunir un conjunto de características para asegurar su buen funcionamiento, tal y como se detallan el artículo 12 DPIUE:

– La *independencia y autonomía* del canal externo, para lo cual su diseño debe garantizar la exhaustividad, integridad y confidencialidad de la información, impedir el acceso al personal no autorizado de la autoridad competente y permitir el almacenamiento duradero de información para que puedan realizarse nuevas investigaciones.

– La *forma de recepción* deberá ser tanto escrita como verbal y, en este último caso, deberá establecerse un sistema de mensajería de voz, como, por ejemplo, el telefónico, y la posibilidad de solicitar una reunión presencial.

– Las *garantías de confidencialidad y agilidad* de las denuncias se deberán asegurar a pesar de que se reciban por otros canales o ante personas que no sean responsables de su tratamiento.

– La *designación del personal responsable* del tratamiento de las denuncias, lo que incluirá la información sobre el procedimiento, la recepción y seguimiento y el contacto con el denunciante.

– La *formación específica* del personal encargado de la tramitación de las denuncias.

§ 238. El **procedimiento de gestión** no se encuentra definido por la Directiva 2019/1937, que únicamente establece la información que los canales externos deben suministrar sobre la recepción y seguimiento de denuncias, para lo cual se insta a los Estados Miembros a que las autoridades competentes publiquen de forma accesible en su sitios web información sobre las condiciones para acceder a la protección, los datos de acceso al canal, el procedimiento de tramitación, el régimen de confidencialidad, la naturaleza del seguimiento, las vías de protección, el asesoramiento para denunciar, las condiciones de exención de responsabilidad por infracción de la confidencialidad o los datos de contacto del centro de información o autoridad única independiente (artículo 13 DPIUE).

§ 239. El **modelo** de procedimiento de investigación en el marco del Derecho de la Unión Europea es la legislación sobre la protección de los intereses financieros de la Unión Europea, que otorga a la Oficina Europea de Lucha Antifraude (OLAF) el protagonismo en la investigación del fraude tanto a nivel interno, dentro de las instituciones comunitarias, como a nivel externo, Se trata de un procedimiento administrativo especial de investigación administrativa que se caracteriza por los siguientes elementos (García Ureta, 2008):

a) El *elemento subjetivo* residencia en la OLAF la investigación del fraude a los intereses comunitarios, en colaboración con los Estados Miembros, conforme a lo previsto en el Reglamento 2988/1995 y el Reglamento 2185/1996.

b) El *elemento objetivo* se centra en "la lucha contra el fraude, la corrupción y cualquier otra actividad ilegal que vaya en detrimento de los intereses financieros de la Unión" (artículo 1.1 Reglamento 883/2013).

c) El *elemento procedimental* se concreta en los artículos 5 a 11 Reglamento 883/2013 y las Directrices del Director General sobre los procedimientos de investigación dirigidas al personal de la OLAF, de 1 de octubre de 2013.

§ 240. La **normativa** del procedimiento de investigación comunitario se encuentra establecida en las siguientes disposiciones legislativas, además de las previstas en las correspondientes normas sectoriales (García Ureta, 2008):

- *Reglamento (CE, EURATOM) 2988/1995 del Consejo*, de 18 de diciembre, relativo a la protección de los intereses financieros de las Comunidades Europea.
- *Reglamento (CE, EURATOM) 2185/1996 del Consejo*, de 11 de noviembre, relativo a los controles y verificaciones *in situ*.
- *Reglamento (UE, Euratom) 883/2013 del Parlamento Europeo y del Consejo*, de 11 de septiembre de 2013, relativo a las investigaciones efectuadas por la Oficina Europea de Lucha contra el Fraude (OLAF).

§ 241. En el ejercicio de las funciones de investigación, la OLAF podrá efectuar controles y verificaciones *in situ* en los Estados Miembros y ejercerá las siguientes competencias conferidas a la Comisión en los citados Reglamentos 2988/1995 y 2185/1996 (García Ureta, 2008):

- Facultad de acceso a los locales, terrenos, medios de transporte y demás lugares de uso profesional del operador económico investigado.
- Facultad de acceso a la información pertinente que obre en su poder sobre los hechos de otros operadores económicos afectados.
- Facultad de acceso la información y documentación, en las mismas condiciones que los inspectores nacionales, y obtener copia de la documentación.
- Facultad de solicitud de medidas cautelares a los Estados miembros.

§ 242. Además, en las **investigaciones externas** la OLAF tiene atribuidas una serie de facultades directamente por el Reglamento 883/2013 que, en la actualidad, tras la reforma realizada por el Reglamento (UE, Euratom) 2020/2223 del Parlamento Europeo y del Consejo, de 23 de diciembre de 2020, se concretan en las siguientes (artículo 3):

- Facultad de solicitar la cooperación de los operadores económicos y solicitar información escrita u oral, incluso a través de entrevistas.
- Facultad de solicitar a la autoridad competente del Estado miembro de que se trate de que preste al personal de la Ofici-

na, sin demora indebida, la asistencia necesaria para permitirle desempeñar efectivamente sus tareas.

- Facultad de acceso a toda la información, los documentos y los datos relacionados con el asunto investigado que sean necesarios para llevar a cabo de manera eficaz y eficiente los controles y verificaciones *in situ*, y que el personal pueda asumir la custodia de documentos o datos para evitar todo riesgo de desaparición.
- Facultad de inspección cuando se utilicen dispositivos privados con fines profesionales, en las mismas condiciones y en la misma medida en que se permita a las autoridades nacionales de control investigar dispositivos privados y la Oficina tenga razones fundadas para suponer que su contenido puede ser pertinente para la investigación.
- Facultad de solicitar a las autoridades competentes, incluidos, en su caso, las fuerzas y cuerpos de seguridad del Estado miembro de que se trate, la prestación al personal de la Oficina de la asistencia necesaria para que pueda llevar a cabo el control o verificación *in situ* de forma eficaz y sin demoras indebidas, cuando un operador económico se resista a someterse a un control o verificación *in situ* autorizada. Si dicha asistencia requiere autorización de una autoridad judicial de conformidad con el Derecho nacional, se solicitará esa autorización.

Régimen jurídico de la Ley de Protección del Informante

§ 243. **La finalidad** de la instauración de los canales externos de información se dirige, según reconocen las exposiciones de motivos de la Directiva 2019/1937 y la Ley del Informante, a combatir la falta de confianza de los alertadores mediante la configuración de instrumentos que garanticen el cumplimiento de "los principios de independencia y autonomía en la recepción y tratamiento de la información sobre las infracciones" (preámbulo LPI).

§ 244. Los **canales externos de información** se configuran como instrumentos complementarios o alternativos, a elección del informante, de los canales internos. El ámbito funcional de estos canales externos es el siguiente (artículo 16.1 LPI):

- El *ámbito subjetivo activo* de aplicación del canal externo alcanza a todas las personas físicas, según la dicción literal del artículo 16.1 LPI. En todo caso, como se analizará en el apartado de *Reflexiones finales y comentarios*, la interpretación sistemática de la ley permite afirma que son aplicables las exigencias de vinculación laboral, profesional o similar establecida en los canales internos.

- El *ámbito subjetivo pasivo* receptor de la información será la Autoridad Independiente de Protección del Informante, A.A.I., o las autoridades u órganos autonómicos correspondientes, según corresponda competencialmente.

- El *ámbito objetivo* son las informaciones sobre la comisión de cualesquiera acciones u omisiones incluidas en el ámbito de aplicación de la ley.

- El *ámbito temporal* es de libre elección del informante, pues puede acudir a ellos "directamente o previa comunicación a través del correspondiente canal interno".

§ 245. La **recepción** de las informaciones se ajustará a los siguientes requisitos procedimentales (artículo 17 LPI).

- La *confidencialidad o anonimidad* del informante, a su libre elección, salvo mandato legal.

- La *forma de presentación* deberá ser escrita (correo postal o cualquier medio electrónico habilitado), verbal (vía telefónica o mensajería de voz) y presencial.

- La *forma presencial* requerirá la solicitud del informante, que deberá ser recibido en un plazo de siete días.

- Las *comunicaciones verbales* serán grabadas, prevenía advertencia al denunciante e informándole del tratamiento de sus datos. Estas comunicaciones serán documentadas mediante "una grabación de la conversación en un formato seguro, duradero y accesible" o a través de "una transcripción completa y exacta de la conversación realizada por el personal responsable de tratarla", ofreciendo al informante la posibilidad de comprobar, rectificar y firmar la transcripción.

– Las *notificaciones al informante* se remitirán al domicilio, correo electrónico o lugar seguro que indique, pudiendo renunciar a recibir cualquier información.

– El *registro de la información* se realizará en el "Sistema de Gestión de Información", que generará un código de identificación y "estará contenido en una base de datos segura y de acceso restringido exclusivamente al personal de la Autoridad Independiente de Protección del Informante" en el que se cumplimentarán los siguientes datos (artículo 17 LPI): fecha de recepción, código de identificación, actuaciones desarrolladas, medidas adoptadas y fecha de cierre.

– El *acuse de recibo* se remitirá en un plazo de cinco días hábiles, salvo que el informante haya renunciado o la autoridad competente para tramitar la denuncia considere que este trámite compromete la protección de la identidad del informante.

§ 246. El **trámite de admisión** conllevará un análisis preliminar sustanciado en el plazo de diez días hábiles, que dictaminará su inadmisión, la admisión o la remisión inmediata al Ministerio Fiscal, Fiscalía Europea o autoridad competente en las siguientes circunstancias (artículo 18 LPI):

a) *Inadmisión a trámite*, con comunicación al informante en el plazo de cinco días hábiles, salvo renuncia del informante, en los siguientes casos:

"1.º Cuando los hechos relatados carezcan de toda verosimilitud.

2.º Cuando los hechos relatados no sean constitutivos de infracción del ordenamiento jurídico incluida en el ámbito de aplicación de esta ley.

3.º Cuando la comunicación carezca manifiestamente de fundamento o existan, a juicio de la Autoridad Independiente de Protección del Informante, A.A.I., indicios racionales de haberse obtenido mediante la comisión de un delito. En este último caso, además de la inadmisión, se remitirá al Ministerio Fiscal relación circunstanciada de los hechos que se estimen constitutivos de delito.

4.º Cuando la comunicación no contenga información nueva y significativa sobre infracciones en comparación con una comunicación anterior respecto de la cual han concluido los correspondientes procedimientos, a menos que se den nuevas circunstancias de hecho o de Derecho que justifiquen un seguimiento distinto. En estos casos, la Autoridad Independiente de Protección del Informante, A.A.I., notificará la resolución de manera motivada".

b) *Admisión a trámite*, que se comunicará al informante en el plazo de cinco días hábiles, salvo renuncia del informante.

c) *Remisión inmediata a la Fiscalía Europea o al Ministerio Fiscal*, en el primer caso, si indiciariamente los hechos son constitutivos de delito que afecta a los intereses financieros de la Unión Europea, y el segundo, para el resto de los delitos.

d) *Remisión a la autoridad, entidad y organismo competente* para su tramitación, en su caso.

§ 247. La inmediata remisión al **Ministerio Fiscal o a la Fiscalía Europea** no supone en una causa de inadmisión, pues las infracciones penales se encuentran dentro del ámbito de aplicación de la norma. De esta forma, la persona que alerta sobre hechos delictivos podrá ostentar la doble condición de "*informante protegido*", a efectos administrativos, basadas en las medidas de represión laboral, y de "*testigo o perito protegido*" en las causas criminales, si acredita además los requisitos de la Ley Orgánica 19/1994, de 23 de diciembre, basadas exclusivamente en la preservación de la identidad (Parajó, 2020).

§ 248. La remisión a la **Fiscalía Europea** se reserva exclusivamente cuando los hechos pudiesen ser constitutivos de delitos que afecten a los intereses financieros de la Unión Europea. En especial los previstos en el ordenamiento jurídico-penal español por desarrollo de la Directiva (UE) 2017/1371 del Parlamento Europeo y del Consejo, de 5 de julio de 2017, sobre la lucha contra el fraude que afecta a los intereses financieros de la Unión a través del Derecho penal. Hay que recordar que la Directiva (UE) 2017/1371 ha realizado una ampliación técnica del concepto de fraude que incluye la defraudación sobre los contratos públicos, la corrupción activa o pasiva, el cohecho, la malversación o la responsabilidad de las personas jurídicas, en sustitución del Convenio relativo a la protección de los intereses financieros de las Comunidades Europeas, de 26 de julio de 1995 (Fernández Ajenjo, 2022).

§ 249. La **instrucción** del procedimiento limita la investigación administrativa al "conjunto de actuaciones desarrolladas para comprobar la verosimilitud de los hechos relatados" (Parajó, 2022, 60) y se realizará de acuerdo con las siguientes prescripciones (artículo 19 LPI):

- El *objeto* de las actuaciones no se podrá extender más allá de aquellas necesarias para comprobar, como se ha indicado, "la verosimilitud de los hechos relatados". Por lo tanto, una vez comprobada este "indicio de verdad", no deberán seguirse las investigaciones, sino que deberán ser trasladadas inmediatamente a la autoridad competente.

- La *persona afectada* tendrá derecho a recibir noticia de la comunicación y sucinta referencia de los hechos relatados, a ser informado del derecho a presentar alegaciones escritas y del tratamiento de los datos personales, a acceder al expediente en la parte que no permita conocer la identidad del informante y a ser oída en cualquier momento; si bien esta información se puede demorar hasta el trámite de audiencia con el fin de evitar "la ocultación, destrucción o alteración de las pruebas" y en ningún caso se le facilitará "la identidad del informante ni se dará acceso a la comunicación" (artículo 19 LPI).

- La *entrevista* con la persona afectada se realizará siempre que sea posible, con respeto a la presunción de inocencia, invitándole a exponer su versión de los hechos y a aportar los medios de prueba que estime pertinentes, así como, teniendo acceso al expediente, salvaguardando la identidad del informante, ser oído en cualquier instante y pudiendo estar asistido por abogado.

- Los *investigadores* tendrán la consideración de agentes de la autoridad y deberán guardar secreto sobre las informaciones que conozcan.

- El *deber de colaboración* se extiende a todas las personas naturales o jurídicas, privadas o públicas, en relación con "los requerimientos que se les dirijan para aportar documentación, datos o cualquier información relacionada con los procedimientos que se estén tramitando, incluso los datos personales que le fueran requeridos".

§ 250. La **terminación** de las actuaciones se sustanciará de la siguiente forma (artículo 20 LPI):

- La *emisión de un informe* en el que se expondrán los hechos comunicados, el código de identificación de la comunicación y la fecha de registro; la clasificación de la comunicación sobre su prioridad; las actuaciones del análisis preliminar; y las conclusiones de la instrucción y la valoración de las diligencias e indicios que la sustentan.

- La *adoptación de la decisión* del archivo del expediente, la remisión al Ministerio Fiscal o a la Fiscalía Europea, el traslado a la autoridad competente o necesidad de apertura del procedimiento sancionador previsto en la Ley.

- La *notificación de la decisión al informante*, salvo renuncia, y a la persona afectada de la decisión.

- La *denegación de la protección al informante* si en el archivo del expediente concurren alguna de las causas de inadmisión del artículo 18.2.a) LPI.

- El *plazo del procedimiento* será de tres meses en los cuales se deberán finalizar las actuaciones y dar respuesta al informante.

- Las *decisiones no serán recurribles* en vía administrativa ni contencioso-administrativa, sin perjuicio del recurso frente a la resolución del posible procedimiento sancionador.

- La *no consideración de interesado* al informante por la sola presentación de la comunicación. De esta manera, el articulado refuerza la consideración del informante como mero "colaborador con la Administración", pues "las investigaciones que lleve a cabo tanto en el marco del Sistema interno de información del sector público como en el marco del procedimiento que desarrolla la Autoridad Independiente de Protección del Informante, A.A.I. se inician siempre de oficio y de conformidad con el procedimiento establecido en la LPAC" (apartado III del preámbulo LPI).

§ 251. El **estatus procesal del informante,** de acuerdo con su condición de colaborador con la Administración y no de interesado (Parajó, 2022), le confiere los siguientes derechos y garantías ante la autoridad competente (artículo 21 LPI):

1º. La decisión sobre la *forma anónima o no anónima* con reserva de su identidad.

2º. La elección sobre la *comunicación verbal o escrita.*

3°. La designación de *domicilio, correo electrónico o lugar seguro* a efectos de notificaciones.

4°. La *renuncia a recibir comunicaciones* de la autoridad competente.

5°. La *comparecencia* ante la autoridad competente asistido de abogado.

6°. El ejercer los *derechos de protección de datos* de carácter personal.

7°. El *conocimiento* del estado de tramitación y resultados de la investigación.

§ 252. **El procedimiento de gestión de informaciones** y sus modificaciones, que se elabore por la AIPI, A.A.I., será público y revisado cada tres años (artículo 22 LPI). De esta forma, se sigue fielmente la exigencia del artículo 14 DPIUE, conforme a los principios *better regulation* que aconsejan la evaluación periódica del impacto y la implantación de las decisiones legislativas.

§ 253. **El traslado de las comunicaciones a la AIPI, A.A.I.** por parte de otras autoridades que reciban informaciones sobre infracciones prevista en el título IX de esta Ley se realizará en el plazo de diez días, comunicándolo al informante en dicho plazo (artículo 23 LPI).

§ 254. La **distribución de competencias** para la recepción de las informaciones del canal externo entre la autoridad independiente estatal y las autoridades autonómicas se atenderá a los siguientes criterios (artículo 24 y disposición adicional segunda LPI):

a) La *Autoridad Independiente de Protección del Informante, A.A.I.* tramitará las informaciones de las entidades del sector público estatal, los órganos constitucionales o de relevancia constitucional y las entidades del sector privado en cuando afecte o produzca efectos en más de una comunidad autónoma. Además, podrá asumir estas funciones en las comunicades autónomas y ciudades con Estatuto de Autonomía que lo decidan y suscriban el correspondiente convenio, sufragando los correspondientes gastos.

b) La *autoridad competente designada por cada Comunidad Autónoma* tramitará las informaciones relativas a todo su sector público autonómico y local y las concernientes a las entidades del sector privado que se circunscriban a su ámbito territorial.

§ 255. En la actualidad, las **Agencias Antifraude autonómicas** con competencia para la recepción de denuncias en ámbitos vinculados a la Ley del Informante son las siguientes:

a) La *Agencia Antifraude de Cataluña* es competente para recibir comunicaciones de cualquier persona sobre "presuntos actos de corrupción, prácticas fraudulentas o conductas ilegales que afecten a los intereses generales o a la gestión de los fondos públicos" (artículo 16.1 LACA Cataluña). Además, gestionará el canal externo de informaciones del sector público y sector privado catalán previsto en la Ley del Informante (disposición adicional séptima Ley 3/2023, de 16 de marzo, de medidas fiscales, financieras, administrativas y del sector público para el 2023).

b) La *Agencia de Prevención y Lucha contra el Fraude y la Corrupción de la Comunitat Valenciana* será competente para la recepción de denuncias de cualquier persona "para comunicar conductas que puedan ser susceptibles de ser investigadas o inspeccionadas por esta" (artículo 11 LACA Valencia). El ámbito material de actuación de esta Agencia se corresponde, dentro del sector público valenciano (artículo 3 LACA Valencia), con la investigación de "posibles casos de uso o destino irregular de fondos públicos y de conductas opuestas a la integridad o contrarias a los principios de objetividad, eficacia y sumisión plena a la ley y al derecho" (artículo 4.a LACA Valencia) y "los actos o las omisiones que pudieran ser constitutivos de infracción administrativa, disciplinaria o penal y, en función de los resultados de la investigación, instar la incoación de los procedimientos que corresponda para depurar las responsabilidades que pudieran corresponder" (artículo 4.c LACA Valencia).

c) La *Oficina de Prevención y Lucha contra la Corrupción en las Illes Balears* "garantizará que cualquier persona pueda dirigirse a ella para comunicar presuntos actos de corrupción, prácticas fraudulentas o conductas ilegales que afecten a los intereses generales o a la gestión de los fondos públicos" (artículo 14.3 LACA Baleares).

d) La *Oficina de Buenas Prácticas y Anticorrupción de la Comunidad Foral de Navarra* podrá "recibir quejas, denuncias o sugerencias de la ciudadanía relacionadas con actuaciones o conductas en las que puedan incurrir las autoridades, el personal y altos cargos en los términos del artículo 4.1 de la presente ley foral, siempre que se refieran a asuntos sometidos al ámbito de aplicación de la misma" (artículo 12.1 LACA Navarra). El ámbito de actuación de la Oficina se extiende al sector público navarro, partidos políticos y organizaciones sindicales y empresariales, con ciertas condiciones detalladas en el artículo 4 LACA Navarra.

e) La *Agencia de Integridad y Ética Públicas de Aragón* podrá recibir denuncias sobre "hechos que pudieran dar lugar a la exigencia de responsabilidades por alcance o penales por delitos contra la Administración pública" (artículo 45.1 LACA Aragón).

f) La *Oficina de Buen Gobierno y Lucha contra la Corrupción de Asturias* podrá recibir denuncias sobre "conductas, hechos o situaciones de las que pudieran derivarse ilícitos administrativos o penales con la corrupción o comportamientos contrarios a la integridad pública en el ámbito de la Administración del Principado de Asturias, los organismos y entes públicos dependientes o vinculados a ella, así como en las sociedades mercantiles y fundaciones en las que aquella tenga directa o indirectamente participación mayoritaria o dominio efectivo cuando sean designados previo acuerdo del Consejo de Gobierno o por sus propios órganos de gobierno" (artículo 59 LACA Asturias).

g) La *Oficina Andaluza contra el Fraude y la Corrupción* es competente para la recepción de denuncias sobre "hechos que pudieran ser constitutivos de fraude, corrupción o conflictos de intereses" (artículo 20.c LACA Andalucía).

§ 256. En la **Administración de los Territorios Históricos del País Vasco**, la autoridad encargada del canal externo y la protección de los informantes será la designada por las instituciones competentes en los términos que disponga la normativa autonómica (disposición adicional cuarta LPI). En opinión de Jiménez Asensio (2023a), este precepto parece hacer referencia, en principio, a las Comisiones de

Reclamaciones del derecho de acceso a la información pública, pero deberá esperarse a lo que establezca la correspondiente normativa.

Así, por ejemplo, la Comisión de Reclamaciones en materia de Transparencia prevista en el artículo 27 de la Norma Foral 1/2016, de 17 de febrero, de Transparencia de Bizkaia "se configura como órgano colegiado independiente con autonomía funcional", compuesto de tres miembros, funcionarios del grupo A1 de la Diputación Foral con ciertas condiciones, sin dedicación exclusiva, pero con la garantía de inamovilidad de cuatro años.

§ 257. El **canal externo en materia de competencia** se atribuye específicamente a la Dirección de Competencia de la Comisión Nacional de los Mercados y la Competencia (disposición final tercera LPI). Por lo tanto, la tramitación de estas informaciones se atenderá a las peculiaridades introducidas por la citada disposición final LPI en la nueva disposición adicional duodécima en la Ley 15/2007, de 3 de julio, de Defensa de la Competencia. No obstante, la protección de los informantes y la aplicación del régimen sancionador le corresponderá a la AIPI, A.A.I. o autoridad autonómica, en su caso, conforme a lo previsto en la Ley del Informante.

§ 258. Como **cláusula de cierre** de las garantías del informante se establecen cautelas específicas en los supuestos que la comunicación no se reciba directamente en el canal externo (artículo 24.3 LPI):

> "Cuando se reciba una comunicación por un canal que no sea el competente o por los miembros del personal que no sean los responsables de su tratamiento, las autoridades competentes garantizarán, mediante el procedimiento de gestión del Sistema establecido, que el personal que la haya recibido no pueda revelar cualquier información que pudiera permitir identificar al informante o a la persona afectada y que remitan con prontitud la comunicación, sin modificarla, al Responsable del Sistema de información".

§ 259. Finalmente, se reitera la **autoevaluación de los procedimientos** de recepción y seguimiento de las informaciones de las autoridades responsables de los canales externos de información, en línea con lo establecido en el artículo 22 LPI, "al menos una vez cada tres años, incorporando actuaciones y buenas prácticas con la finalidad de que sirvan con la mayor eficacia a los fines para los que fueron creados" (disposición adicional primera LPI).

§ 260. Los **canales y procedimientos de información externa** ya existentes aplicarán su normativa específica, salvo que sea contradictoria a la Directiva 2019/1937, y, en su caso, la adaptación a la citada Directiva se deberá producir en el plazo de seis meses desde la entrada en vigor de la ley (párrafo primero de la disposición transitoria segunda LPI). Por lo tanto, el plazo para realizar esta adaptación finaliza el 9 de septiembre de 2023.

Por otra parte, los informantes que utilicen los canales externos ya existentes tendrán derecho a las medidas de protección de la Ley del Informante, siempre que la relación laboral o profesional se rija por la ley española, además de las establecidas en la normativa específica (párrafo segundo de la disposición transitoria segunda LPI).

Reflexión final y comentarios

El problema sobre la aplicación del **principio de oportunidad** para la admisión o archivo de la denuncia remite, como han explicado Ponce y Villoria (2021), al extenso debate de la doctrina jurídica española sobre su posible empleo en el marco de la potestad sancionadora y, en especial, en el campo penal. Como han analizado los citados autores, el reforzamiento de la confianza ciudadana acerca de la eficacia real de las denuncias requiere limitar el recurso a este principio únicamente a casos tasados legalmente y mediante una resolución motivada que justifique expresamente la causa que recomienda su archivo (por ejemplo, los criterios para decidir que se trata de una infracción menor o la ausencia de medios suficientes). La doctrina se ha mostrado generalizadamente crítica con la aceptación de estas causas de admisión de las denuncias (et. al. Garrido, 2019, 16):

> "A nuestro juicio, dichas medidas entran, en general, en colisión con el objetivo de fomentar la presentación de denuncias y promueven una inquietante falta de respeto por el Estado de Derecho. No existen excusas para no asumir que todos los denunciantes deben recibir el mismo tratamiento, con independencia de que la infracción que se revela sea leve, grave o muy grave".

En contra de este criterio académico, la Directiva 2019/1937 autorizaba a los Estados Miembros a establecer algunos casos tasados de archivo por razones de oportunidad referidos a las infracciones menores, las denuncias reiteradas y las denuncias inasumibles por su volumen, para dotar de mayor eficacia a estos sistemas. En principio, la Ley del Informante únicamente recoge como causa de archivo los casos que no contengan "información nueva y significativa sobre infracciones en comparación con una comunicación anterior" (artículo 18.2.4º LPI). También podrán archivarse las infracciones menores del Derecho nacional, pues el ámbito de aplicación material de la norma nacional solo se extiende a las infracciones graves o muy graves.

Por el contrario, las infracciones menores sobre el Derecho de la Unión, que si se encuentran dentro del ámbito de aplicación material tanto de la Directiva 2019/1937 como de la Ley del Informante, deberán tramitarse, pues la norma nacional no las prevé expresamente como causa de inadmisión. De la firma forma, la normativa nacional no ha establecido ninguna cláusula de inadmisión vinculada al volumen de comunicaciones recibidas.

El Consejo de Estado (2022) ha destacado que la norma no ha hecho uso tanto de la regla de *minimis* para no perseguir las infracciones menos relevantes o de escasa cuantía como tampoco de la posibilidad de establecer prioridades en la tramitación ante un elevado número de informaciones. No obstante, considera que esta cuestión podría establecerse por vía reglamentaria y así parece anunciarlo el artículo 20.1b) LPI al señalar que el contenido mínimo del informe de los procedimientos de investigación deberá exponer "la clasificación de la comunicación a efectos de conocer su prioridad o no en su tramitación".

Por otra parte, hay que recordar que, en principio, la aceptación de estas causas de inadmisión habría tenido un efecto limitado, pues, como afirma Fernández Ramos, 2023, "aunque lo cierto es que, en la medida en que no se exime a los sujetos obligados y autoridades a brindar la protección que corresponda al informante, la virtualidad de esta excepción es muy limitada (prácticamente afecta al procedimiento de investigación)".

A nivel comunitario, si se toma como ejemplo las disposiciones de la OLAF, el principio de oportunidad se prevé expresamente para la tramitación de las investigaciones internas, pues únicamente las referidas a hechos calificados como graves (artículo 2.1.párrafo 2 DOLAF). Y, de forma general, el artículo 5.3 Directrices OLAF 2013 permitía el empleo de las razones de oportunidad, fijadas en las prioridades establecidas en la política de investigación, como elemento decisorio para la apertura de investigaciones. No obstante, las nuevas Directrices de investigación de la OLAF, de 11 de octubre de 2021, han omitido esta referencia a criterios vinculados a la política de investigación para priorizar el inicio de las investigaciones.

En mi opinión, la amplia extensión del ámbito material de actuación de la AIPI, A.A.I. y las autoridades autonómicas asimiladas aconsejan establecer criterios para la priorización de las actuaciones de investigación, con el fin de evitar que la acumulación de casos paralice su actividad sobre los asuntos más importantes. En todo caso, con el fin de compaginar razones de eficacia y legalidad, la norma nacional podría haber habilitado a las autoridades gestoras de los canales externos para remitir los asuntos menores o excesivos directamente, sin más trámite, a las autoridades encargadas del control de ese ámbito material, que seguramente contarán con mayor capacidad y conocimiento para su tramitación.

§ 261. La **referencia genérica a las personas físicas**, sin ninguna otra condición, que realiza el artículo 16.1 LPI podría hacer pensar que la consideración de informante a efectos del canal externo únicamente excluye a las personas jurídicas. El estudio sistemático de la norma debe llevar a una solución contraria a este tenor literal, pues, como se ha analizado, el ámbito personal de aplicación (artículo 3.1 LPI) hace siempre referencia a las informaciones obtenidas en el ámbito de aplicación laboral o profesional. Así se deduce expresamente en el preámbulo LPI que señala que "el título III aborda de manera sistemática la regulación específica del canal externo ante el que podrán informar las personas físicas a las que se refiere el artículo 3 de la ley".

No obstante, aun aceptando la validez de esta interpretación, compartimos la opinión y los argumentos propuestos por Sierra (2023, 78), pues:

> "el canal externo se trata del lugar idóneo en el que podría haberse depositado la recepción de información proveniente de cualquier ciudadano o ciudadana ajeno/a a la organización en la que se producen los hechos, a imitación de cómo se ha venido haciendo en algunas agencias y oficinas antifraude autonómicas y municipales"

§ 262. El debate sobre la exigencia de **multicanalidad formal** del canal externo se ha reiterado, al igual que en los canales internos, ante la ambigüedad de las formulaciones de la Directiva 2019/1937 y la Ley del Informante. El artículo 12.2 DPIUE parecía haber cerrado, en este caso, la controversia al utilizar la conjunción copulativa "y" para delimitar las formas de comunicación: "Los canales de denuncia externa permitirán denunciar por escrito y verbalmente". No obstante, el artículo 17.2 LPI reitera la misma redacción que la utilizada para los canales internos, al hacer referencia a la forma escrita "o" verbal".

En los estudios sobre la Directiva 2019/1937, algunos autores, como Campanón (2020), habían estimado que el empleo conjunto de las formas verbal y escrita resultaba imperativo, tanto para los canales de información internos como externos. La práctica ha mostrado como algunos sistemas internos de información se han decantado, tras la aprobación de la Ley del Informante, por habilitar únicamente canales *on line*, como, por ejemplo, el Decreto-ley 3/2023, de 11 de mayo, por el que se regula el Sistema Interno de Información de la Administración de la Comunidad de Castilla y León. Por el contrario, en el campo de los canales externos, parece haberse optado, en la práctica, por permitir la denuncia escrita, sobre todo vía *on line*, y la denuncia verbal, fundamentalmente a través de la presencialidad.

§ 263. La **instrucción** de las investigaciones derivadas del canal externo se concibe por la ley de forma muy limitada y taxativa: exclusivamente para comprobar la verosimilitud de los hechos informados, después de que se haya comprobado en el trámite de admisión la posible incardinación de los mismos en una infracción incluida en el ámbito de aplicación. Por lo tanto, no nos encontramos ante una plena inspección administrativa sobre la persona denunciada, que trataría de alcanzar evidencia suficiente sobre la verdad material oculta tras los entramados, a veces muy complejos, que acontecen en los casos de infracciones especialmente graves. Esta misión se reserva los órganos de inspección administrativa o instrucción penal competentes según la materia, que tienen una mayor experiencia en las investigaciones relativas a los diferentes campos jurídicos.

§ 264. El **traslado de las informaciones al Ministerio Público** con indicios de delito por parte de los órganos de control presenta habitualmente problemas para dilucidar el momento en que debe produ-

134 José Antonio Fernández Ajenjo

cirse. A este respecto, debe tenerse en cuenta el mandato cualificado del deber de denuncia impuesto a quienes en el ejercicio de su cargo, profesión y oficio tuvieren noticia de un delito público (artículo 262 LECr). Como ha tenido ocasión de dictaminar la Fiscalía General del Estado (1996), el artículo 262 LECr establece la obligación de quienes, por razón de sus cargos, profesiones y oficios tuvieren noticia de algún delito público, de denunciarlo inmediatamente al Ministerio Fiscal o al Juez de Instrucción y esa obligación genérica se plasma luego en otras disposiciones de carácter más específico que hablan de la necesidad de 'pasar el tanto de culpa' al Juzgado competente. Como ha señalado el Tribunal Supremo (STS de 2 de febrero de 1984 de la Sala de lo Contencioso-administrativo), la remisión del tanto de culpa es consecuencia directa del artículo 262 citado y constituye una de las formas específicas que debe revestir la denuncia cuando el hecho es conocido en el ejercicio del cargo. Por lo tanto, el paso del tanto de culpa es una denuncia cualificada por su emisor, por el modo de adquisición de la *notitia criminis* y por ir acompañada de los correspondientes testimonios.

Por otra parte, la propia Fiscalía General del Estado (1996) ha tenido oportunidad de delimitar, en relación con la Administración tributaria, las condiciones que deben revestir el traslado de actuaciones, tras valorar la existencia de indicios penales suficientes, los cuales pueden ser aplicables a las autoridades independientes:

a) La Administración debe valorar la concurrencia de todos los elementos constitutivos de la infracción penal antes de remitir un expediente al Fiscal o a la Autoridad Judicial por si los hechos fuesen constitutivos de delito.

b) La abstención de la remisión únicamente puede producirse cuando aparezca con claridad la ausencia de elementos delictivos, pues en caso de duda debe ser resueltos a favor de la remisión.

c) La falta de identificación de los presuntos responsables penales de los hechos no es justificación para proseguir el expediente en vía administrativa y no ser remitido a las autoridades penales.

d) Las limitaciones de medios con los que actúan los órganos de control no pueden ser justificativas de la falta de comunicación a las autoridades penales basada en la ausencia de elementos suficientes para valorar los hechos.

e) Los elementos delimitadores de la conducta de los sujetos presumiblemente infractores, tales como la determinación de la existencia de dolo o culpa, o de causas exoneradoras de la responsabilidad, corresponderá valorarlos a las autoridades penales y no a las administrativas.

f) La estimación de la ausencia de elementos de prueba a efectos penales para determinar la cuota defraudada, cuando estemos ante infracciones cuya calificación penal se establece a partir de un cierto umbral económico, como en el caso de las subvenciones, no es causa que legitime para exonerar a la Administración del deber de pasar el tanto de culpa a las autoridades competentes.

De acuerdo con esta doctrina, la Ley del Informante ha venido a sancionar expresamente la potestad investigadora, en relación con las infracciones graves o muy graves, tanto de las entidades públicas y privadas en el marco del sistema interno de información como de las autoridades competentes a efectos de los canales externos de informaciones (Villegas, 2022). En sentido contrario, Parajó (2022, 60) estima que las denuncias ante los canales externos no habilitan a las autoridades administrativas competentes para iniciar una investigación penal, pues "su virtualidad se limita a servir de un cauce de entrada más y al régimen de protección del informante".

§ 265. La denegación de la protección al informante (artículo 20.2.a) LPI) cuando, tras la fase de instrucción, se decida el archivo del expediente por concurrir una causa de inadmisión de la comunicación prevista en el artículo 18.2.a) LPI, amplia las exigencias previstas en el artículo 35 LPI para alcanzar la condición de informante protegido. Hay que destacar, que el citado artículo 18 LPI no hace referencia a que los supuestos de archivo supongan una causa de exclusión de la protección del informante, por lo que puede producirse el efecto no deseado que se encuentre en peor situación las personas que han conseguido que su información sea tramitada que aquellas que aportaron información sobre hechos que ni siquiera pasaron de la fase de admisión. En este sentido se manifiesta la Guía Técnica UNODC (2010) que recomienda que el reconocimiento del estatus de protección se realice *ex ante*, con independencia de la valoración que posteriormente se realice de la denuncia. No obstante, estimamos que una interpretación sistemática del articulado de la ley debe decantarse por una aplicación extensiva de la protección al informante.

§ 266. El **plazo de tres meses** para concluir el procedimiento y responder al informante ha sido extensamente debatido durante el proceso de elaboración de la norma, llegando a presentarse diversas enmiendas proponiendo su ampliación (Parajó, 2022). La Directiva 2019/1937 permitía haber establecido un periodo de ampliación hasta alcanzar los seis meses (artículo 11.2.d DPIUE). No obstante, el legislador español ha declarado expresamente que "en línea con la Directiva 2019/1937, se ha considerado adecuado que el plazo para la realización de las investigaciones y para dar respuesta al informante no se dilate más de lo estrictamente necesario, razón por la que el plazo para finalizar esta fase de instrucción no puede ser superior a tres meses" (preámbulo LPI). En relación con este debate, debe tenerse en cuenta que el plazo establecido no es aplicable para el desarrollo de la investigación administrativa de la posible infracción, que se regirá por los preceptos aplicables conforme a su naturaleza administrativa o penal, sino exclusivamente para concluir si la información es verosímil y dar respuesta al denunciante.

Por lo tanto, el procedimiento de investigación se asemejaría al proceso de selección de operaciones de la OLAF, para el cual tiene sesenta días de plazo para decidir sobre la denuncia recibida (Directrices OLAF 2021), en los cuales se podrá poner en contacto con la fuente y la institución afectada para obtener aclaraciones e información, así como obtener la información adicional mediante la toma de declaración a los interesados, la consulta de bases de datos de información o la solicitud de información a terceros.

Por otra parte, se trataría de un proceso más extenso que la fase de evaluación previa sobre la verosimilitud de los hechos que, como en el caso de la Oficina Antifraude de Cataluña, se extiende a treinta días hábiles (Capdeferro, 2016). La Ley del Informante establece un procedimiento complejo, con las tres fases clásicas de inicio, instrucción y resolución, más la necesidad de entrevistar y dar audiencia al investigado y, muy probablemente, pedir información a las autoridades administrativas competentes por la materia, por lo que hubiese sido recomendable poder utilizar en casos justificados el periodo de ampliación a seis meses autorizado por la norma comunitaria.

§ 267. **La designación de la autoridad autonómica** para la gestión del canal externo de informaciones puede entenderse sobreentendida, en aquellas que han establecido agencia antifraude, por la definición de las funciones y competencias prevista en su estatuto legal. No obstante, la disparidad entre la descripción del ámbito material de aplicación de la Ley del Informante y la descripción de cada legislación autonómica, que se ha detallado anteriormente, hace necesaria una compleja labor hermenéutica para descifrar si cada asunto objeto de denuncia se encuentra dentro de ambos ámbitos de competencia. Así, por ejemplo, la Agencia Valenciana Antifraude (AVAFb, 2023) ha estimado que su competencia es plena sobre las denuncias referidas a su sector público territorial, pero que precisa de una atribución legislativa específica para actuar en el marco del sector privado valenciano.

Por lo tanto, resulta conveniente que las asambleas legislativas autonómicas aprueben las modificaciones legales oportunas para armonizar la descripción funcional de sus agencias antifraude con la norma estatal, a fin de dotar de seguridad jurídica al funcionamiento de los canales externos y a la protección de los denunciantes.

§ 268. **La convivencia con canales externos especializados**, es decir, entre los constituidos al amparo por la presente Ley y los mantenidos por las autoridades competentes en los diferentes sectores no debería resultar problemática. Las informaciones recibidas por el canal externo de la AIPI, A.A.I. serán tratadas por esta autoridad a efectos del análisis de su verosimilitud, dando traslado a las autoridades competentes, en su caso, para la correspondiente apertura del procedimiento inspector o sancionador. Si el informante opta por acudir directamente al canal o buzón de denuncias habilitado por la autoridad competente, será esta la encargada de tramitar la comunicación conforme establece su normativa específica. En este sentido, como ha resaltado la AVAF (2023a), esta confluencia ya se producía, sin graves distorsiones competenciales, con buzones actualmente existentes, como el canal de comunicaciones ("Infofraude") del SNCA dirigido a la protección de los intereses financieros de la Unión Europea gestionados por España.

§ 269. La convivencia con los canales externos de la sociedad civil resulta más problemática, pues las comunicaciones recibidas en estos buzones serían consideradas, a efectos de la ley, como un supuesto de revelación pública, por lo que el informante únicamente recibiría amparo si previamente ha agotado la vía oficial interna y externa. Como ha reflexionado Jiménez Franco (2022, 232):

> "Sin embargo, conviene poner el acento en una preocupación de la sociedad civil, al excluir el Proyecto de ley la posibilidad de que existan múltiples canales externos tanto oficiales como no oficiales, y dejar al propio informante la libertad de decidir cuál le aporta una mayor confianza, a efectos de que nadie esté amedrentado ante futuros perjuicios, incluso garantizando su anonimato. Si se valora debidamente su coraje en colaborar con la justicia, en convertirse en guardián de la legalidad, habrá que facilitarle los instrumentos de comunicación. Lo importante no es tanto si el canal externo está institucionalizado o no, sino los requisitos técnicos y tecnológicos mínimos exigidos a los mismos, para ello sí que debe existir un régimen sancionador implacable con las características de dichos canales en cuanto a anonimato y confidencialidad, y posteriormente ser aplicado de forma efectiva".

§ 270. La externalización del propio canal externo no se ha regulado en la ley, por lo que su virtualidad se regirá por las normas generales del Derecho Administrativo y, en particular, las relativas a los procedimientos de contratación pública (Parajó, 2022). No obstante, se deberá tener en cuenta que nunca se podrán derivar a entidades privadas las funciones que impliquen el ejercicio de potestades públicas, por lo que, al igual que en el canal interno, el procedimiento de gestión siempre debe ser tramitado por entidades públicas.

§ 271. Las facultades de la autoridad externa para la instrucción del procedimiento se encuentran escasamente reguladas en la ley, con referencia exclusiva al deber genérico de colaboración, la entrevista personal y la audiencia de la persona investigada (Parajó, 2022). A pesar de que la misión de la autoridad externa se limita a sustanciar la fase embrionaria de cualquier proceso de naturaleza inquisitiva y, por lo tanto, no hubiese sido plausible, bajo esta ajustada concepción, la concesión de poderes como la entrada en domicilio con autorización judicial o la realización de operaciones digitales forenses, si hubiese sido conveniente la atribución expresa de facultades como el acceso a bases de datos, que facilitaran y agilizaran las labores de obtención de información, aunque las mismas pueden considerarse integradas, desde una perspectiva amplia, en el genérico deber de colaboración.

Hay que recordar, que en el ejercicio de las potestades de naturaleza inspectora es especialmente rigurosa la aplicación del principio de reserva de ley, puesto que se trata de una actividad administrativa sumamente invasiva (Rivero, 1999) sobre la esfera privativa de los ciudadanos y las entidades sujetas a control. Muy tempranamente, el Tribunal Constitucional (STC 66/1985, de 23 de mayo) fijó doctrina sobre la estricta aplicación de los principios de subsidiariedad, proporcionalidad y respeto a la intimidad en el ejercicio de las facultades inspectoras atribuidas a las Administraciones Públicas por el ordenamiento jurídico, lo que hace más conveniente la recomendación de que las facultades investigadoras de la AIPI, A.I.I. se hubiesen legislado con un mayor grado de detalle.

§ 272. La *inimpugnabilidad* de las decisiones adoptadas en el procedimiento de gestión de las informaciones recibidas en el canal externo mantiene la regla general de nuestro ordenamiento jurídico de no ofrecer la vía de recurso a los informes emitidos por las autoridades de control. La doctrina jurisprudencial considera que estas resoluciones tienen la consideración de actos de trámite preliminares del procedimiento disciplinario o penal que posteriormente pueda sustanciarse contra el investigado. Por ello, estos informes no generan indefensión, en caso de vulneración de los derechos y garantías o por la emisión de un informe final erróneo, al no establecer derechos u obligaciones vinculantes frente a terceros pues estos argumentos se podrán esgrimir argumentos en la resolución del procedimiento principal.

En esta materia, es especialmente importante la jurisprudencia establecida por el Tribunal Supremo en relación con los informes de fiscalización de los tribunales de cuentas estatal y autonómicos. La STS de 18 de octubre de 1986 había declarado inicialmente que la función de fiscalización del Tribunal de Cuentas se encontraba sujeta a la revisión de la jurisdicción contencioso-administrativa. Posteriormente, el artículo 32.1 LFTCu de 1988 declaró expresamente la inaplicación del régimen de recursos previsto en la normativa de procedimiento administrativo. Las SSTS de 25 de abril de 2007 y 11 de julio de 2007 han ratificado la aplicación de este precepto a toda la actividad fiscalizadora de los tribunales de cuentas, con independencia de la posterior sujeción a la vía contencioso-administrativa de los actos que de la misma puedan derivarse.

En relación con los informes finales de la OLAF, la jurisprudencia comunitaria también ha declarado en varias sentencias (SSTPIUE de 6 de abril de 2006 —caso Camós Grau— y 4 de octubre de 2006 —caso Tillack—) que los informes finales de la OLAF no tenían naturaleza de actos jurídicos vinculantes y, por lo tanto, no podían ser objeto de recurso ante los tribunales. La razón principal es que estos informes no cambian el estado jurídico del operador económico, ni de los Estados Miembros, pues las recomendaciones emitidas no son de obligado cumplimiento. En el caso de que se hubiesen cometido irregularidades que incidiesen en el informe final, "sólo podrían ser esgrimidas en el caso de un recurso dirigido contra un acto posterior susceptible de recurso, en la medida en que hubiesen influenciado su contenido" (García Ureta, 2008, 343).

Finalmente, el ATGUE de 13 de julio de 2018 (caso TE) ha sentado la doctrina del órgano jurisdiccional comunitaria acerca de las vías de impugnación de los informes de la OLAF.

"Según jurisprudencia reiterada, la responsabilidad de la respuesta de las autoridades nacionales a la información que les transmite la OLAF es de su exclusiva responsabilidad y la responsabilidad de esas autoridades es verificar si tal información justifica o requiere que se inicien procesos penales. En consecuencia, la protección judicial contra tales procedimientos debe garantizarse a nivel nacional con todas las garantías previstas por la legislación nacional, incluidas las derivadas de los derechos fundamentales, y la posibilidad de que el tribunal se dirija al Tribunal de Justicia para que se dicte una decisión prejudicial con arreglo al artículo 267 TFUE [véase, en este sentido, resolución de 19 de abril de 2005, Tillack / Comisión, C 521/04 P (R), UE: C: 2005: 240, puntos 38 y 39 y la jurisprudencia citada]. Se aclaró además que *las autoridades nacionales, en el caso de que decidieran iniciar una investigación, apreciarían las consecuencias que se derivarían de las posibles ilegalidades cometidas por la OLAF y que esta evaluación podría ser impugnada ante el tribunal nacional.* En el caso de que los procedimientos penales no se inicien o se cierren por una sentencia de absolución, la apertura de una acción por daños y perjuicios ante el tribunal de la Unión Europea es suficiente para garantizar la protección de los intereses de la persona afectada al permitirle obtener una indemnización por cualquier daño resultante de la conducta ilegal de la OLAF (sentencia de 20 de julio de 2016, Oikonomopoulos / Comisión, T 483/13, UE: T: 2016: 421, párrafo 33)".

No obstante, el informe del Consejo General del Poder Judicial (2022) ha puesto de relieve, como se analizó anteriormente, que la proscripción del acceso al recurso judicial de las decisiones relativas a los procedimientos de investigación de los canales internos y externos no resulta congruente con el derecho a la tutela judicial efectiva del artículo 47 de la Carta de Derechos Fundamentales de la Unión Europea y, en concreto:

> "además, el artículo 20.5 no se cohonesta adecuadamente con la Disposición adicional primera que modifica el apartado 5 de la Disposición adicional cuarta de la Ley 29/1998, de 13 de julio, reguladora de la Jurisdicción Contencioso-Administrativa, incluyendo a la Autoridad Independiente para la Protección del Informante, y atribuyendo a la Audiencia Nacional la competencia para resolver los recursos frente a sus "actos y disposiciones", sin que se establezca por tanto en la ley procesal una distinción entre las decisiones relativas a la tramitación y las vinculadas a las sanciones, tal como sí se hace en el artículo 20.5".

Por estas razones, y atendiendo también a la declaración genérica del artículo 50.1 LPI que declara recurribles ante la jurisdicción contencioso-administrativa todos los actos y resoluciones de la presidencia de la AIPI, A.A.I., parte de la doctrina ha considerado, ante esta contradicción con el citado artículo 20.4 LPI, que debe prevalecer el derecho al recurso. De forma específica, Villegas (2022) ha argumentado, en favor de la recurribilidad, lo siguiente:

> "Téngase en cuenta, por ejemplo, que si se decide el archivo del procedimiento porque se concluya, como consecuencia de las actuaciones llevadas a cabo en fase de instrucción, que la información debía haber sido inadmitida, el informante no tendrá derecho a la protección prevista en la norma".

§ 273. Finalmente, debe reflexionarse sobre la importancia de los **principios de buena administración y buen gobierno** en el régimen jurídico de las denuncias, en tanto que vehículo de la transparencia y la participación ciudadana, como han expuesto detenidamente Ponce y Villoria (2021). Los principios de buen gobierno aplicables a los altos cargos de las Administraciones Públicas expresamente establecen la siguiente obligación en el artículo 26.2.b).3ª de la Ley 19/2013, de 9 de diciembre, de transparencia, acceso a la información pública y buen gobierno: "Pondrán en conocimiento de los órganos

competentes cualquier actuación irregular de la cual tengan conocimiento". Dentro de la esfera de una "Administración compartida",
estos principios de *good governance* han de ser considerados como
un bien común "que se haría efectivo, entre otras medidas, mediante
las denuncias para la protección del correcto funcionamiento político
y administrativo, del mercado y del Patrimonio de las AAPP y de la
Hacienda Pública" (Ponce y Villoria, 2021, 3).

Título IV
PUBLICIDAD DE LA INFORMACIÓN Y REGISTRO DE LAS COMUNICACIONES

Antecedentes de política legislativa y de Derecho comparado

§ 274. La **plena transparencia** es un elemento crítico para la efectividad de los canales de comunicación de irregularidades, por lo que se deberá garantizar la accesibilidad *ad extra* para los informantes y la accesibilidad *ad intra* para los investigadores.

a) La *accesibilidad ad extra* se consigue a través de la publicidad de los canales mediante cualquier medio de comunicación y singularmente asegurándoles un lugar privilegiado en los sitios web y sedes electrónicas institucionales. Además, la configuración abierta de estos instrumentos debe permitir a los posibles destinatarios obtener información pública suficiente y asequible sobre las condiciones y consecuencias de ejercer su derecho de colaboración.

b) La *accesibilidad ad intra* implica que los encargados de la tramitación de las informaciones tengan acceso abierto, de forma plena, ágil e incluso directa si las tecnologías lo permiten, y que se establezcan procedimientos de investigación conocidos públicamente.

§ 275. El **Informe Nolan de 1995** ya recogía estas inquietudes y resaltaba la importancia de "un sistema bien anunciado que informara al personal sobre con quién debería contactar si sospechasen la existencia de un fraude o una corrupción" y de la creación de "buenos procedimientos internos apoyados por una revisión externa" (Committe Nolan, 1996, 112). De esta forma, se conseguiría que los "empleados leales" expresaran sus preocupaciones por las conductas indebidas en el entorno de la propia organización, sin necesidad de acudir a los medios de comunicación como primera opción.

§ 276. La **Convención de las Naciones Unidas contra la Corrupción** resalta en su artículo 10 "Información pública" la importancia de la transparencia de las Administraciones Públicas y, en particular la relativa a los riesgos de corrupción. Además, a lo largo de su articulado establece prescripciones específicas para el fomento de la denuncia de actos de corrupción entre los funcionarios públicos (artículo 8), la participación social sobre la base del conocimiento y el acceso a canales de denuncia sobre asuntos de corrupción constitutivos de delito (artículo 13) o la incentivación de la denuncia de los operadores públicos y privados que tenga acceso a información sobre el blanqueo de capitales (artículo 14).

§ 277. La **Guía Técnica UNODC** (2010) establece un conjunto de recomendaciones vinculadas a estas obligaciones de transparencia y promoción de la participación social, entre las que cabe destacar las siguientes:

a) Los *sistemas de denuncia interna* deben tratar "de romper el ambiente de colusión y silencio", para lo cual "los Estados parte deberán considerar la posibilidad de promulgar leyes y procedimientos para que se sepa ante quién han de presentarse las denuncias, de qué forma (por ejemplo, por escrito, o anónimamente) y por qué medio (telefónicamente, correo electrónico o por carta), con salvaguardias para proteger la fuente, la forma de investigar las denuncias y los medios de evitar represalias o castigos".

b) Los *incentivos de transparencia* para promocionar las denuncias deben buscar establecer un clima de confianza entre las instituciones y los informantes. Entre los incentivos positivos se puede destacar la utilización de herramientas sencillas para facilitar la información, como, por ejemplo, "formularios fáciles de cumplimentar". Por su parte, los incentivos negativos tratan de evitar la aportación de comunicaciones inadecuadas, para lo cual es conveniente la divulgación de criterios sencillos y accesibles que permitan a los agentes sociales valorar la razonabilidad de su denuncia.

c) La *promoción de la participación social* debe abarcar también a los sectores más desfavorecidos, mediante campañas relativas a "qué es la corrupción, el daño que causa, los comportamientos prohibidos y las medidas necesarias para combatirlos".

d) La *información y educación públicas* deben poner a disposición de las entidades, sociedad civil, instituciones educativas y ciudadanía información sobre las medidas anticorrupción, "incluida información sobre la forma de denunciar la corrupción".

Fundamentos fenomenológicos y axiológicos

§ 278. En las pautas de **gobernanza o gobierno relacional**, la transparencia se ha consolidado como derecho de los ciudadanos y deber de las instituciones administrativas (Baena del Alcázar, 2000). El principal ejemplo de este nuevo modelo, en nuestro entorno, lo constituye el Libro Blanco de la Gobernanza Europea de 2001, el cual propone el principio de apertura, como medio para abrir el proceso de elaboración de las políticas de la Unión Europea a un mayor número de participantes, para mejorar la transparencia y responsabilidad.

§ 279. El término **transparencia** es objeto de análisis interdisciplinar y hace referencia a una actitud ética incardinada en la responsabilidad que puede definirse, siguiendo a Transparencia Internacional, como "la cualidad de un gobierno, empresa, organización o persona de ser abierta a la divulgación de información, normas, planes, procesos y acciones" (Lizcano, 2015, 65-66).

§ 280. Las **políticas proactivas** de transparencia sobre los canales y las medidas de protección son el primer instrumento para la eficacia de los sistemas de información constituidos por las entidades y las autoridades públicas. De esta forma, se cumplimenta el derecho de participación directa de los ciudadanos en los asuntos públicos (artículo 23.1 CE). La publicidad de esta información tendrá como principios generales el mayor grado posible de difusión (en formato electrónico y accesible en Internet) y la utilidad mediante la presentación en formatos que faciliten su análisis y estudio (incluyendo explicaciones metodológicas) (Fernández Llera, 2009).

§ 281. El denominado *e-government* impele en la actualidad al uso adecuado de las nuevas tecnologías para poner en conocimiento y facilitar el acceso a todos los *stakeholders* conocedores de irregularidades de los mecanismos y condiciones de uso para denunciar posibles defraudaciones en su entorno de trabajo. Como ha afirmado Royo (2008), debe tenerse en cuenta que el *e-government* implica "apoyar reformas orientadas a la transparencia, rendición de cuentas y buena gobernanza".

§ 282. Por otra parte, la **transparencia interna** ha sido tradicionalmente un elemento de la actividad material de las Administraciones Públicas que, partiendo del principio de escritura, ha exigido el registro, documentación y archivo de los expedientes administrativos (Rivero, 2007).

§ 283. Los **principios materiales de escritura y registro** son especialmente importantes en los sistemas de información de irregularidades para permitir, no sólo su adecuada gestión, sino también el acceso al expediente del investigado, el traslado de las evidencias a las autoridades competentes dotado de seguridad jurídica y la realización de análisis de los riesgos derivados de los asuntos conocidos.

§ 284. En definitiva, la **publicidad y el registro** es un elemento esencial del funcionamiento de los sistemas de información para posibilitar el conocimiento de todos los interesados y dejar constancia de las informaciones recibidas y las investigaciones practicadas (Parajó, 2022).

Marco jurídico de la Directiva de protección de las personas que informen sobre infracciones del Derecho de la Unión

§ 285. La **publicidad** de las condiciones de utilización de los canales de información es resaltada por la Directiva 2019/1937 para que el informante pueda adoptar una "decisión fundada sobre su conveniencia, y sobre cuándo y cómo hacerlo" (considerando 59). Desde este punto de vista, argumenta que:

> "Es esencial que esa información sea clara y fácilmente accesible incluso, en la mayor medida posible, para personas que no sean los trabajadores que estén en contacto con la entidad debido a sus actividades laborales, tales como prestadores de servicios, distribuidores, proveedores y socios comerciales. Por ejemplo, dicha información podría exponerse en un lugar visible que sea accesible a todas estas personas y en el sitio web de la entidad, y podría también incluirse en cursos y seminarios de formación sobre ética e integridad".

§ 286. El **registro** adecuado de las informaciones recibidas también resulta un punto crítico, con el fin de que "todas las ellas puedan ser consultadas y que la información facilitada en ellas pueda utilizarse como prueba si se procede a medidas de ejecución" (considerando 86 DPIUE).

§ 287. La **publicidad de los canales internos** debe aportar "información clara y fácilmente accesible sobre los procedimientos de denuncia externa ante las autoridades competentes de conformidad con el artículo 10 y, en su caso, ante las instituciones, órganos u organismos de la Unión" (artículo 19.1.g DPIUE).

§ 288. La **publicidad de los canales externos** implica que las autoridades competentes publiquen, en una sección separada, fácilmente identificable y accesible de sus sitios web, como mínimo la información siguiente (artículo 13 DPIUE):

> "a) las condiciones para poder acogerse a la protección en virtud de la presente Directiva;
>
> b) los datos de contacto para los canales de denuncia externa previstos en el artículo 12, en particular, las direcciones electrónica y postal y los números de teléfono para dichos canales, indicando si se graban las conversaciones telefónicas;
>
> c) los procedimientos aplicables a la denuncia de infracciones, incluida la manera en que la autoridad competente puede solicitar al denunciante aclaraciones sobre la información comunicada o proporcionar información adicional, el plazo para dar respuesta al denunciante y el tipo y contenido de dicha respuesta;
>
> d) el régimen de confidencialidad aplicable a las denuncias y, en particular, la información sobre el tratamiento de los datos de carácter personal de conformidad con lo dispuesto en el artículo 17 de la presente Directiva, los artículos 5 y 13 del Reglamento (UE) 2016/679, el artículo 13 de la Directiva (UE) 2016/680 y el artículo 15 del Reglamento (UE) 2018/1725, según corresponda;
>
> e) la naturaleza del seguimiento que deba darse a las denuncias;
>
> f) las vías de recurso y los procedimientos para la protección frente a represalias, y la disponibilidad de asesoramiento confidencial para las personas que contemplen denunciar;
>
> g) una declaración en la que se expliquen claramente las condiciones en las que las personas que denuncien ante la autoridad competente están protegidas de incurrir en responsabilidad por una infracción de confidencialidad con arreglo a lo dispuesto en el artículo 21, apartado 2, y

h) los datos de contacto del centro de información o de la autoridad administrativa única independiente prevista en el artículo 20, apartado 3, en su caso".

§ 289. El **registro** de las denuncias recibidas será obligatorio para todas las entidades y autoridades que mantengan canales internos o externos de información, para garantizar el deber de confidencialidad, y su conservación se ajustará "únicamente durante el período que sea necesario y proporcionado a efectos de cumplir con los requisitos impuestos por la presente Directiva, u otros requisitos impuestos por el Derecho de la Unión o nacional (artículo 18.1 DPIUE).

Régimen jurídico de la Ley de Protección del Informante

§ 290. Las **disposiciones comunes** a las comunicaciones internas y externas del título IV responden a las obligaciones del capítulo V de la Directiva 2019/1937 sobre publicidad y registro, pues "se regula la obligación de proporcionar información adecuada de forma clara y fácilmente accesible sobre los canales de comunicación interna y externa, como medio y garantía para un mejor conocimiento de los canales que establece esta ley" (preámbulo LPI). No obstante, el tratamiento de los datos personales, también recogido en este apartado de la norma comunitaria, se regula, de forma independiente, en el titulo VI LPI.

§ 291. La **publicidad de los canales internos** sobre el uso y principios generales de gestión corresponde a las entidades públicas o privadas obligadas a su constitución por la Ley del informante, la cual deberá ser proporcionada de forma clara y fácilmente accesible (artículo 25, párrafo primero LPI). Si la información constase en la página web institucional, se deberá situar en la página de inicio, en sección separada y fácilmente identificable (artículo 25, párrafo segundo LPI).

§ 292. La **publicidad de los canales externos** se realizará en su sede electrónica, "en sección separada, fácilmente identificable y accesible", y deberá contener, al menos, la siguiente información (artículo 25, párrafo segundo LPI).

"a) las condiciones para poder acogerse a la protección en virtud de esta ley;

b) los datos de contacto para los canales externos de información previstos en el título III, en particular, las direcciones electrónica y postal y los números de teléfono asociados a dichos canales, indicando si se graban las conversaciones telefónicas;

c) los procedimientos de gestión, incluida la manera en que la autoridad competente puede solicitar al informante aclaraciones sobre la información comunicada o que proporcione información adicional, el plazo para dar respuesta al informante, en su caso, y el tipo y contenido de dicha respuesta;

d) el régimen de confidencialidad aplicable a las comunicaciones y, en particular, la información sobre el tratamiento de los datos personales de conformidad con lo dispuesto en el Reglamento (UE) 2016/679 del Parlamento Europeo y del Consejo, de 27 de abril de 2016, en la Ley Orgánica 3/2018, de 5 de diciembre, y en el título VII de esta ley.

e) las vías de recurso y los procedimientos para la protección frente a represalias, y la disponibilidad de asesoramiento confidencial. En particular, se contemplarán las condiciones de exención de responsabilidad y de atenuación de la sanción a las que se refiere el artículo 40.

f) los datos de contacto de la Autoridad Independiente de Protección del Informante, A.A.I. o de la autoridad u organismo competente de que se trate".

§ 293. El **registro del canal interno** se llevará a través de un libro-registro de las informaciones recibidas y las investigaciones internas practicadas que no será público, salvo petición razonada de la autoridad judicial competente (artículo 26.1 LPI).

§ 294. Los **datos personales** anotados en el libro-registro solo se conservarán durante el "período que sea necesario y proporcionado a efectos de cumplir con esta ley", sin que pueda superarse el plazo de diez años y cumpliendo con las obligaciones de supresión de datos de los apartados 3 y 4 del artículo 32 (artículo 26.2 LPI).

Reflexión final y comentarios

§ 295. La aplicación del **principio de transparencia** para la divulgación y acceso a los canales de información, como han resaltado la Directiva 2019/1937 y la Ley del Informante, es un elemento clave para que se pueda instaurar un clima de confianza entre los informantes y las autoridades competentes, como primer pilar para construir una auténtica "cultura de la información sobre irregularidades". De forma agregada, la importancia de la publicidad y la accesibilidad de los canales de denuncia fue puesta de manifiesto tempranamente por el Informe Nolan (1996, 113) que resaltaba que "una mayor accesibilidad hace más difícil esconder la conducta indebida, y por tanto hace más peligroso perpetrarla".

§ 296. La **política de un solo clic** es la idónea para facilitar la localización y empleo de los canales de información, para lo cual en la página de inicio de los sitios web corporativos debe figurar un enlace bien visible de acceso directo a los mismos. Si las personas interesadas en colaborar con la comunicación de posibles irregularidades no encuentran con facilidad estos instrumentos o incluso, como en algunas ocasiones, la interposición de la denuncia se sujeta a algún requisito previo, como la necesidad de requerir a la entidad el envío de un formulario, la recepción de las mismas seguramente se verá sumamente reducida.

Este es el criterio establecido por el artículo 25 LPI para la ubicación de los canales internos de información, si bien para los canales externos hace una referencia a las "sedes electrónicas" que, según nuestra normativa administrativa es un concepto distinto y, en ocasiones, con políticas más restrictivas de acceso.

Hay que recordar que la LRJSP ha distinguido entre los conceptos de "portal de Internet" (artículo 39) y "sede electrónica" (artículo 38) de las Administraciones Públicas. Los portales de internet son los puntos de acceso electrónico de titularidad de una entidad pública que permiten el acceso a través de internet de la información publicada y, en su caso, a la sede electrónica. Por lo tanto, habitualmente los sitios o portales web son el primer acceso electrónico al que acceden los ciudadanos para después dirigirse, en su caso, a la sede electrónica, previa identificación personal, en donde realizarán la gestión de los correspondientes trámites administrativos. La localización del canal interno o externo en la página de inicio del sitio web corporativo facilitará su acceso a cualquier persona y, por el contrario, su emplazamiento en la sede electrónica no sólo resultará más opaco, sino que puede dificultar la consulta anónima, pues a priori se trata de un instrumento preparado para ser utilizado fundamentalmente con la debida autentificación.

§ 297. El **registro especial** de las informaciones es también un elemento crítico, pues no hay que olvidar que materialmente estamos ante una comunicación por la cual se ponen de manifiesto hechos constitutivos de presuntas infracciones administrativas (Bauzá, 2015). Por lo tanto, las entidades públicas y privadas deben establecer registros absolutamente separados de los registros administrativos generales, que permitan la recepción y conservación de las informaciones recibidas, adoptando las garantías necesarias para preservar la identidad del denunciante.

Por otra parte, si bien el registro de las comunicaciones escritas no presenta mayores problemas técnicos, sobre todo en el ámbito de las administraciones públicas, que se rigen en sus actuaciones mediante el principio de escritura, si se presentan mayores dificultades en el caso de las comunicaciones verbales. En este último caso, los canales internos o externos que, mandato legal o voluntad propia, admitan procedimientos verbales de comunicación deberán establecer cuidadosamente los elementos técnicos necesarios para su recepción, conservación y transcripción.

§ 298. Finalmente, conviene hacer referencia al **sistema de "ventanilla única"** propuesto por García-Moreno (2020, 85), al igual que las Administraciones Públicas han desarrollado con relación a trámites de otra naturaleza, para que los alertadores no sufran "las consecuencias de la dispersión de las diferentes administraciones y el complejo organigrama de cada una de ellas"- El legislador nacional no ha amparado explícitamente esta alternativa, pero no sería inviable su desarrollo, al menos con respecto a la posibilidad de creación de un portal único, gestionado por la AIPI, A.A.I., desde el que se pudiera acceder a todos los canales externos creados al amparo de la presente norma.

Título V
REVELACIÓN PÚBLICA

Antecedentes de política legislativa y de Derecho comparado

§ 299. El **caso Watergate** se erige de nuevo en el primer hito impulsor de la protección normativa a las personas implicadas en el proceso de denuncias, centradas en este caso en las revelaciones por fuentes internas de información que facilitan las investigaciones periodísticas. El papel fundamental del denominado *"Deep Throat"* como fundamento de las noticias publicadas en el Washington Post puso en el foco de la opinión pública la importancia de las informaciones, incluso anónimas, pues sin las mismas, junto con "la libertad del «cuarto poder» —los medios de comunicación—, los estadounidenses quizá no hubieran conocido jamás el escándalo Watergate" (García Mexía, 2001, 155).

§ 300. El **fundamento constitucional** se encuentra en el derecho a la libertad de expresión y de prensa que garantiza el artículo 20 CE, en su doble manifestación de emisión y recepción de informaciones (Parajó, 2022), lo que permite integrar en el ámbito de la investigación administrativa la jurisprudencia del Tribunal Europeo de Derechos Humanos sobre la materia.

§ 301. Desde esta visión, el **Consejo de Europa** (2014) ha resaltado la indudable vinculación de la denuncia con los derechos de libertad de expresión y de conciencia. En este caso, el ciudadano se encuentra protegido por el reconocimiento constitucional de la libertad de expresión e información y la protección de la identidad que puede ofrecerle el periodista escudándose en el secreto profesional (García Moreno, 2018).

§ 302. Por su parte, el **Tribunal Europeo de Derechos Humanos** ha entendido que en las denuncias públicas realizadas por empleados o funcionarios colisionan las libertades de expresión e información con el deber de confidencialidad, lealtad y buena fe ante la organización. Por esta razón, el TEDH ha exigido el triple requisito de veracidad e interés general de la información, buena fe entendida como falta de animosidad personal y el uso previo de las fuentes internas (SSTEDH de 12 de febrero de 2008 —caso Guja— y de 8 de enero de 2013 —caso Bucur y Toma—).

§ 303. Más recientemente, el **Tribunal Europeo de Derechos Humanos**, en la STEDH de la Gran Sala de 14 de febrero de2023 (caso Halet c. Luxemburgo), ha ampliado el derecho a la libertad de información, y exonerado al alertador del delito de revelación de secretos de empresa, ha supuestos en que la información recibida y publicada por los medios de comunicación se refiera a hechos lícitos, tanto cuando puedan ser calificados de represibles (al ser ilícitos aunque no ilegales), como cuando se haya realizado "una contribución esencial a un debate preexistente de importancia nacional y europea".

§ 304. El **Tribunal Supremo** también ha tenido ocasión de establecer los límites de estas libertades, en este caso referidas al ámbito militar, frente al derecho de denuncia en la STS de 14 de diciembre de 2016 (caso Teniente Segura) sobre los límites del derecho de denuncia y la libertad de expresión de los militares, pues "sólo cabe limitar el derecho de expresión de los militares cuando exista una «necesidad social imperiosa», lo que ocurrirá allí donde pueda tener lugar una amenaza real para la disciplina y la cohesión interna de las Fuerzas Armadas", y añade que la sentencia de 04.02.08 invocada matiza que:

> "las libertades del art. 20.1a) CE no protegen, según una reiterada doctrina del Tribunal Constitucional, los simples rumores, invenciones o insinuaciones carentes de fundamento, ni dan cobertura constitucional a expresiones injuriosas o innecesarias a la hora de emitir cualquier crítica, opinión o idea, en las que simplemente su emisor exterioriza su personal menosprecio o animosidad de ofendido".

§ 305. Con anterioridad, el **Tribunal Constitucional** declaró el despido radicalmente nulo de un trabajador que realizó en prensa unas declaraciones críticas con la empresa. La STC 57/1999 consideró vulnerado el derecho fundamental a la libertad de información y específicamente el derecho a comunicar información veraz, pues "no basta con la sola afirmación del interés empresarial para restringir los derechos fundamentales del trabajador".

§ 306. Finalmente, el **Tribunal Constitucional** ha tenido ocasión, más recientemente, de establecer los límites de la libertad de expresión al declarar nulo el despido de un trabajador que denunció ante el Ayuntamiento una serie de deficiencias en los servicios que su empresa prestaba en un centro municipal, ratificando en este sentido la sentencia en primera instancia del Juzgado de lo Social núm. 7 de Bilbao, de 16 de diciembre de 2015, y revocando la sentencia en sentido contrario de la Sala de lo Social del Tribunal Superior de Justicia del País Vasco, de 10 de mayo de 2016 (STC 146/2019, de 25 de noviembre de 2019). En el fundamento jurídico quinto de la sentencia, el Tribunal Constitucional otorga el amparo del trabajador en el legítimo derecho a la libertad de expresión, basándose en las siguientes consideraciones (Parajó, 2022):

> "(i) no se puede limitar la libertad de expresión únicamente al canal de la empresa.
>
> (ii) no aprecia vulneración de la buena fe ni de la lealtad porque primero se formuló la queja a la empleadora y sólo cuando fue desatendida se acudió al Ayuntamiento.
>
> (iii) también tiene en cuenta que se trata de la prestación de servicios sociales (la denuncia se refería a deficiencias con el material sanitario entre otras dificultades)".

Fundamentos fenomenológicos y axiológicos

§ 307. La **transcendencia social** de las revelaciones públicas, y en especial la realizada a través de los medios de comunicación social, ya se ha destacado como imprescindible en el control de las prácticas fraudulentas. Como reflexiona García Mexía (2001, 153), "en el desarrollo de esta tarea, los medios de comunicación sirven de vehículo para una opinión pública libre, pilar fundamental a su vez —como es sobradamente conocido— de la propia democracia".

§ 308. La **visión axiológica** de esta figura comienza con la faceta positiva del derecho ciudadano vinculado con la libertad de expresión, que permite expresar la opinión sobre cualquier asunto con repercusiones en la vida pública. Como contrapunto, el deber de confidencialidad, que exigen generalizadamente las entidades públicas y privadas a todos los sujetos vinculados por cualquier tipo de relación jurídica, permite ser invocado frente a quien públicamente expresa la existencia de malas prácticas corporativas.

Por lo tanto, el informante que se encuentre en un contexto laboral o profesional, como establece la ley, se encontrará siempre con un conflicto de valores en el ejercicio de la denuncia pública. Desde la visión positiva, el derecho democrático de manifestar públicamente la opinión reconocido constitucionalmente y avalado por el artículo 19 de la Declaración Universal de los Derechos Humanos, sin más cortapisas que las establecidas en las leyes. Desde el punto de vista restrictivo, se contrapone un conjunto de deberes morales y contractuales, como el deber de lealtad en las relaciones interpersonales y el principio romanista *pacta sunt servanda* aplicable a toda relación jurídica bilateral, que impele a cumplir con el deber de confidencialidad que impediría la difusión de la información que pudiera perjudicar a la respectiva corporación.

§ 309. Ante el **dilema axiológico**, conviene recordar que, los pactos no resultarán lícitos si suponen el incumplimiento de valores más fuertes y básicos (Méndez, 2015). En consecuencia, por una parte, el justo deber de confidencialidad laboral puede obviarse cuando se encuentre en juego el derecho humano más básico de la libertad de expresión como garantía de las reglas democráticas. En cambio, debe priorizarse la obligación de reserva o secreto cuando hayan de protegerse valores más primordiales que el derecho de opinión, como puede ser la salud o la seguridad. Como afirmaba Stuart Mill (1859) en su ensayo *Sobre la libertad*, "el único fin por el cual es justificable que la humanidad, individual o colectivamente, se entremeta en la libertad de acción de uno cualquiera de sus miembros es la propia protección".

§ 310. La **Directiva comunitaria** ha recogido estos argumentos axiológicos, y apela a la libertad de expresión y a la libertad y el pluralismo de los medios de comunicación, con una especial consideración del periodismo de investigación, basándose a las siguientes argumentaciones:

> "(45) La protección frente a represalias como medio de salvaguardar la libertad de expresión y la libertad y el pluralismo de los medios de comunicación debe otorgarse tanto a las personas que comunican información sobre actos u omisiones en una organización («denuncia interna») o a una autoridad externa («denuncia externa») como a las personas que ponen dicha información a disposición del público, por ejemplo, directamente a través de plataformas web o de redes sociales, o a medios de comunicación, cargos electos, organizaciones de la sociedad civil, sindicatos u organizaciones profesionales y empresariales.

(46) En especial, los denunciantes constituyen fuentes importantes para los periodistas de investigación. Ofrecer una protección efectiva a los denunciantes frente a represalias aumenta la seguridad jurídica de los denunciantes potenciales y de esta forma incentiva que se informe sobre infracciones también a través de los medios de comunicación. A este respecto, la protección de los denunciantes como fuente de informaciones periodísticas es crucial para salvaguardar la función de guardián que el periodismo de investigación desempeña en las sociedades democráticas".

§ 311. La **Ley del Informante**, por su parte, remarca la vinculación del ejercicio del derecho a la información sobre irregularidades bajo los citados principios de participación social y libertad de expresión, haciendo hincapié en el preámbulo LPI en la importancia de defender en las sociedades democráticas la actitud cívica del alertador y las fuentes de los periodistas:

"El título V se ocupa de la revelación pública. Los informantes que utilizan los cauces internos y externos cuentan con un régimen específico de protección frente a las represalias. La protección a quien realiza una revelación pública, con condiciones, se asienta, entre otras causas, en las garantías y protección que ofrece la opinión pública en su conjunto amparando a quien muestra una actitud cívica a la hora de advertir ante posibles infracciones penales o administrativas graves o vulneraciones del ordenamiento jurídico que dañan el interés general, así como en la protección de las fuentes que mantienen los periodistas".

§ 312. No obstante, los **límites de la libertad** para ejercer el derecho a la denuncia pública se encuentran muy delimitados tanto por la norma comunitaria como por la nacional, pues se considera digna de protección únicamente "cuando los cauces internos y externos no han funcionado o cuando se advierte una amenaza inminente para el interés general, tales como un vertido muy tóxico u otros riesgos contaminantes" (preámbulo III LPI), a salvo de los "sistemas de protección relativo a la libertad de expresión y de información" (artículo 15.2 DPIUE).

Marco jurídico de la Directiva de protección de las personas que informen sobre infracciones del Derecho de la Unión

§ 313. Por lo tanto, la **protección del denunciante** como derecho vinculado a la libertad de expresión no solo se reconoce por la Directiva 2019/1973 a quienes emplean los canales internos y externos, sino también "a las personas que ponen dicha información a disposición del público, por ejemplo, directamente a través de plataformas web o de redes sociales, o a medios de comunicación, cargos electos, organizaciones de la sociedad civil, sindicatos u organizaciones profesionales y empresariales" (considerando 45 DPIUE).

§ 314. El concepto de revelación publica implica "la puesta a disposición del público de información sobre infracciones" (artículo 5.6) DPIUE). El concepto de puesta disposición pública debe entenderse en sentido amplio, como se observa en los ejemplos relacionados en el citado considerando (45) DPIUE, es decir, no solo las declaraciones públicas en los medios de comunicación social, sino también comunicaciones a ONGs que ejerzan de vehículo de publicación o transmisión de la denuncia o sencillamente aportando la información en una red social abierta al público.

§ 315. Los **supuestos habilitantes** de la protección de los reveladores públicos se conciben de forma restrictiva en el artículo 15.1 DPIUE, basándose en alguna de las siguientes situaciones:

a) La *denuncia previa* ante los canales externos, incluso tras la utilización de los canales internos, sin que se hayan adoptado las medidas apropiadas en los plazos legalmente establecidos.

b) La *existencia de motivos razonables* para que el informante considere que existe peligro inminente o manifiesto para el interés público o que, en la denuncia externa, existen circunstancias particulares que permitan pensar que existe riesgo de represalia o pocas posibilidades de la efectividad de las medidas contra la infracción.

§ 316. La **revelación de información a la prensa** no exige estos supuestos habilitantes de la protección, cuando la misma se ha producido "con arreglo a disposiciones nacionales específicas por las que se establezca un sistema de protección relativo a la libertad de expresión y de información" (artículo 15.2 DPIUE).

Régimen jurídico de la Ley de Protección del Informante

§ 317. La **revelación pública**, en tanto que derecho a la libertad de expresión, también permite al informante acogerse a las medidas de protección, pero, como reflexiona el preámbulo LPI, más allá de las fuentes periodísticas, únicamente se habilitarán estas medidas "cuando los cauces internos y externos no han funcionado o cuando se advierte una amenaza inminente para el interés general, tales como un vertido muy tóxico u otros riesgos contaminantes".

§ 318. La **revelación pública** consiste en "la puesta a disposición del público de información sobre acciones u omisiones en los términos previstos en esta ley" (artículo 27.1 LPI). Como se ha señalado al analizar las prescripciones de la Directiva 2019/1937, el concepto de disposición pública debe entenderse en un sentido amplio, abarcando todo medio de comunicación no estrictamente privado, como las redes sociales o las organizaciones de la sociedad civil.

§ 319. El **régimen de protección al informante** se aplicará a quienes expongan públicamente la información, pero con las siguientes condiciones (artículo 25.1 LPI):

> "a) Que haya realizado la *comunicación primero por canales internos y externos, o directamente por canales externos,* de conformidad con los títulos II y III, sin que se hayan tomado medidas apropiadas al respecto en el plazo establecido.
>
> b) Que tenga *motivos razonables* para pensar que, o bien la infracción puede constituir un peligro inminente o manifiesto para el interés público, en particular cuando se da una situación de emergencia, o existe un riesgo de daños irreversibles, incluido un peligro para la integridad física de una persona; o bien, en caso de comunicación a través de canal externo de información, exista riesgo de represalias o haya pocas probabilidades de que se dé un tratamiento efectivo a la información debido a las circunstancias particulares del caso, tales como la ocultación o destrucción de pruebas, la connivencia de una autoridad con el autor de la infracción, o que esta esté implicada en la infracción".

§ 320. Al **revelador directamente a la prensa,** en línea con lo establecido en la Directiva 2019/1937, no le serán exigibles las condiciones anteriores, cuando se actúe "con arreglo al ejercicio de la libertad de expresión y de información veraz previstas constitucionalmente y en su legislación de desarrollo" (artículo 28.2 LPI).

Reflexión final y comentarios

§ 321. La **revelación pública** se concibe por la normativa como un derecho a la libertad de expresión limitado a efectos de protección del informante, salvo el caso de dirigirse directamente a la prensa, pues solo se ofrece el amparo en casos tasados, como la previa comunicación infructuosa ante los canales internos y externos o la existencia de situaciones de emergencia.

§ 322. La **fuerte controversia** sobre si el revelador público merece también la protección legal o si esta debe reservarse a quienes utilizan los canales previstos en la Ley del Informante se resuelve por la norma de forma ecléctica. Hay que tener en cuenta que la revelación pública como herramienta de formación de la opinión pública digna de recibir la protección propia de los informantes presenta casuísticamente un doble aspecto positivo y negativo que tanto la norma comunitaria como la norma nacional han solventado con la exigencia de condiciones adicionales. Como se ha señalado, será necesario acudir primero a los canales de comunicación de informaciones, salvo que existen motivos razonables para pensar que existe peligro manifiesto para el interés público, riesgo de represalias de las autoridades externas o escasas probabilidades de la denuncia presentada ante ellas.

§ 323. El **test de razonabilidad adicional** exigido al revelador público le coloca frente a una fuerte inseguridad jurídica, salvo si ha acudido anteriormente a los canales previstos en la ley, pues la ley le obliga a realizar una valoración ciertamente difícil para un ciudadano común: peligro inminente, temor a represalias, pocas probabilidades, etc. Se trata de condiciones externas a la persona que emite su opinión pública, pues se le exige tener conocimiento de la gravedad los daños que puede producir la infracción en el interés público o el grado de fiabilidad o eficacia de la autoridad externa.

Hay que recordar que al informante en los canales internos y externos únicamente se les exige la estimación personal razonable de la veracidad de la información, que apela su propia conciencia, así como la existencia de infracciones vinculadas al ámbito de protección de la ley, que constituye ya una capacidad de interpretación técnica. Aunque estos requisitos presentan también dificultades de valoración objetiva, en los canales internos y externos podrá contar con el asesoramiento oportuno, lo que no podrá hacer si realiza la revelación pública precisamente por no confiar en las citadas herramientas. Por lo tanto, las autoridades competentes debería aplicar de forma suficientemente amplia los criterios para otorgar la protección a los reveladores públicos.

§ 324. Al **revelador a la prensa** los legisladores han optado por no exigirle los citados criterios adicionales de razonabilidad, sino que siguen el mismo régimen general de todos los informadores. Como afirma Benítez (2019), en esta especial consideración seguramente se ha tenido en cuenta la importancia de la protección de las fuentes, sobre todo tras los asesinatos, en ciertos regímenes políticos, de periodistas dedicados a desvelar tramas corruptas ocultas.

Aunque en España no se ha regulado expresamente el derecho al secreto profesional de los periodistas, en desarrollo del artículo 20.1.d) CE, la jurisprudencia del TEDH, desde la STEDH de 23 de marzo de 1996 (caso Goodwin c. Reino Unido) y la Recomendación No. R (2000) 7 del Comité de Ministros a los Estados Miembros sobre el derecho de los periodistas a no revelar sus fuentes de información, adoptada el 8 de marzo de 2000, han ido desgranando los límites de este derecho (Lazcano, 2004 y Moretón, 2014), Durante la tramitación de la Ley del Informante, el Grupo Parlamentario Socialista propuso la introducción en dicho proyecto de varios preceptos relativos a la protección del secreto profesional del periodismo, pero la ponencia del Proyecto de Ley consideró que debían tramitarse estos aspectos mediante Ley Orgánica. Por lo tanto, se alcanzó el Acuerdo de la Mesa de la Cámara, de 14 de diciembre de 2022, para desglosar el Proyecto de Ley Orgánica de protección del secreto profesional del periodismo que no llegó finalmente a aprobarse.

Por otra parte, también debe considerarse en la delimitación de estos criterios los problemas de las campañas de desinformación que afectan a los Estados, como ha reflexionado Benítez (2019, 3):

"Estas definiciones marcan unos límites que será preciso comentar más adelante, en un entorno global de filtraciones más o menos interesadas, y de sospechas de intervención e injerencia en las políticas nacionales por parte de actores externos. Se trata de un fenómeno al que se está prestando especial atención, y que obliga a delimitar muy bien cuándo se está actuando en el marco del compromiso con la transparencia, la correcta gestión de los fondos públicos y el obligado respeto a las reglas legales, y cuándo se están utilizando los canales disponibles para interferir con vocación dañina en los grandes debates globales y nacionales".

Título VI
PROTECCIÓN DE DATOS PERSONALES

Antecedentes de política legislativa y de Derecho comparado

§ 325. La protección de las personas físicas en relación con el tratamiento de datos personales es un **derecho fundamental** reconocido en los artículos 18.4 CE, el artículo 8.1 de la Carta de los Derechos Fundamentales de la Unión Europea y el artículo 16.1 del Tratado de Funcionamiento de la Unión Europa.

§ 326. La **Constitución Española** garantiza el derecho al honor, a la intimidad y a la propia imagen en el artículo 18 CE y ha establecido en su apartado 4 el derecho fundamental a la protección de datos personales en el entorno digital: "La ley limitará el uso de la informática para garantizar el honor y la intimidad personal y familiar de los ciudadanos y el pleno ejercicio de sus derechos". Como contrapunto, el derecho a la libertad de expresión, de opinión y a comunicar y recibir libremente información del artículo 20 CE se sujeta las siguientes restricciones previstas en el apartado 4:

> "Estas libertades tienen su límite en el respeto a los derechos reconocidos en este Título, en los preceptos de las leyes que lo desarrollen y, especialmente, en el derecho al honor, a la intimidad, a la propia imagen y a la protección de la juventud y de la infancia".

§ 327. El **documento WP117** del Grupo de Trabajo creado por el artículo 29 de la Directiva 95/46/CE consideró, en la Opinión 1/2006, que los programas de denuncia de irregularidades suponían "un riesgo muy grave de estigmatización y vejación de dicha persona dentro de la organización a la que pertenece" y que la debida aplicación de las normas de protección de datos personales no solo contribuiría a paliar dichos riesgos, sino también a mejorar el funcionamiento de estos programas. Por ello, estableció las siguientes consideraciones en relación con el tratamiento de los programas de denuncias:

- "un equilibrio entre el interés legítimo exigido por el tratamiento de datos personales y los derechos fundamentales de los interesados. Este equilibrio de intereses deberá tener en cuenta la proporcionalidad, la subsidiariedad, la gravedad de los presuntos delitos que puedan denunciarse y las consecuencias para los interesados. A efectos del control del equilibrio de intereses, habrá que establecer las salvaguardias adecuadas".

– "Por esa razón, el programa debería informar al denunciante, en el momento de establecer el primer contacto con el programa, de que su identidad se mantendrá confidencial en todas las etapas del proceso y, en concreto, que no se divulgará a terceros, ni a la persona incriminada y a los mandos directivos del empleado. Si, a pesar de esa información, la persona que informa al programa sigue queriendo permanecer en el anonimato, el informe se aceptará en el programa. También es necesario informar a los denunciantes de que podría ser necesario divulgar su identidad a las personas pertinentes implicadas en cualquier investigación posterior o procedimiento judicial incoado como consecuencia de la investigación llevada a cabo por el programa de denuncia de irregularidades".

– "Los datos personales tratados por un programa de denuncia de irregularidades deberían eliminarse, inmediatamente, y normalmente en un plazo de dos meses desde la finalización de la investigación de los hechos alegados en el informe".

– "el empleado en cuestión deberá ser informado de: [1] la entidad responsable del programa de denuncia de irregularidades, [2] los hechos de los que se le acusa, [3] los departamentos y servicios que podrían recibir el informe dentro de su propia sociedad o en otras entidades o sociedades del grupo del que forma parte su sociedad, y [4] cómo ejercer sus derechos de acceso y rectificación. No obstante, cuando exista un riesgo importante de que dicha notificación pondría en peligro la capacidad de la sociedad para investigar de manera eficaz la alegación o recopilar las pruebas necesarias, la notificación a la persona incriminada podría retrasarse mientras exista dicho riesgo".

§ 328. La **Guía Denunciante UNODC** (2016, 17) recuerda la importancia de armonizar los ordenamientos jurídicos nacionales y, en especial, evitar la contradicción entre las leyes de protección de los denunciantes y las normas sobre protección de datos personales. Con ello se trata de evitar que:

> "Si no se tiene en cuenta el modo en que diferentes derechos y obligaciones se aplican a los denunciantes se corre el riesgo de que cualquier nueva medida resulte ineficaz. Si las personas no están seguras de las medidas de protección que tienen a su alcance y en qué circunstancias, lo más probable es que guarden silencio. La experiencia demuestra que los sistemas de denuncia, por muy buenos que sean, no se utilizan si entran en conflicto con las normas y obligaciones existentes".

§ 329. La **regla general del consentimiento** necesario del interesado prevista en la derogada Ley Orgánica 15/1999, de 13 de diciembre, de Protección de Datos de Carácter Personal, para el tratamiento de datos personales o su cesión a terceros, ya exceptuaba los supuestos relativos al ejercicio de las funciones de las Administración Públicas o las relaciones de naturaleza negocial, laboral o administrativa (artículo 6.2) o cuando la cesión estuviera autorizada por una Ley (artículo 11.2.a).

§ 330. No obstante, la **Resolución de 2007 de la AEPD** sobre la consulta de "Creación de sistemas de denuncias internas en las empresas (mecanismos de "*whistleblowing*") limitó la viabilidad de los sistemas de denuncias a "que el sistema se centrase en la denuncia de conductas que pudieran efectivamente afectar al mantenimiento o desarrollo de la relación contractual que vincula al denunciado y a la consultante […], "sin que sea suficiente su establecimiento en relación con cualesquiera 'comportamientos, acciones o hechos que puedan constituir violaciones tanto de las normas internas de la compañía como de las leyes, normativas o códigos éticos' aplicables a la consultante".

§ 331. El **Real Decreto Legislativo 4/2015, de 23 de octubre, por el que se aprueba el texto refundido de la Ley del Mercado de Valores** ha reconocido expresamente la licitud del acceso, tratamiento y cesión de los datos personales recabados por la CNMV en el ejercicio de sus funciones de inspección y supervisión (artículo 234.12), y ofrece plenas garantías de confidencialidad sobre los datos personales de los comunicantes de infracciones sobre estas materias (artículo 276 quater)

§ 332. El **artículo 24 LOPDGDD de 2018**, que derogó la norma de 1999, se decantó definitivamente por declarar la licitud de la creación y mantenimiento de sistemas de información de denuncias, incluso anónimas, con las debidas garantías de confidencialidad de la identidad del denunciante, y el establecimiento de las restricciones del acceso a los encargados del control interno y de cumplimiento o las designadas para su tratamiento, o, en su caso, al personal encargado de los procedimientos disciplinarios o penales (Fortuny y Vilà, 2022).

§ 333. El nuevo artículo 24 LOPDGDD de 2023, modificado por la disposición final 7 LPI, reitera la licitud de los tratamientos de datos personales necesarios para garantizar la protección de las personas que informen sobre infracciones normativas y, a su vez, establece que estos tratamientos "se regirán por lo dispuesto en el Reglamento (UE) 2016/679, del Parlamento Europeo y del Consejo, de 27 de abril de 2016, en esta ley orgánica y en la Ley reguladora de la protección de las personas que informen sobre infracciones normativas y de lucha contra la corrupción".

Fundamentos fenomenológicos y axiológicos

§ 334. El **valor de la discreción** es la base del deber de confidencialidad de los datos personales para proteger el derecho al honor, la intimidad y a la propia imagen de todas las personas, tanto físicas como jurídicas, involucradas en el caso: el informante, el revelador, el facilitador, los posibles terceros represaliados y la persona afectada. Dentro de los valores humanos, la discreción es un deber moral derivado de la obligación de practicar la sobriedad, que trata de encauzar el instinto o la pasión tendente a llamar la atención ajena, pues, como afirma Méndez (1985, 585):

> "Lo que nos impulsa a hablar no es el deseo fisiológico de mover los labios, sino el de captar la atención ajena y cautivarla. Lo que buscamos sobre todo no es tanto hablar como ser escuchados. La atención ajena es el bien externo que ambicionamos poseer".

§ 335. La **protección sobre la identidad del informante** constituye una "medida *ex ante*" para protegerle frente a posibles represalias, por lo que debe instaurarse en todas las unidades responsables que mantengan canales de denuncia una cultura de plena reserva sobre los mismos. De la misma forma, el resto de las personas del entorno de la entidad afectada por los hechos denunciados deben respetar esta reserva, sin intentar bajo ningún medio acceder al conocimiento de quien ha puesto de manifiesto la posible infracción.

§ 336. **La protección de la identidad de la persona física o jurídica afectada** por las informaciones también debe encontrarse protegida por la más estricta confidencialidad en la gestión de los canales y procedimientos de estas comunicaciones, pues el conocimiento público de su apertura y tramitación puede causar un grave daño reputacional. En este sentido, debe aplicarse el principio *need to know*, como equivalente al secreto del sumario en el proceso penal, para evitar tanto daños reputacionales a la empresa o la persona investigada como dañar el factor sorpresa que puede convenir a la investigación (Espín, 2017).

§ 337. El **deber de profesionalidad** debe priorizarse en todas las personas que participen en la gestión de las comunicaciones internas y externa, para lo cual será imprescindible la formación en materia de protección de datos personales para evitar la fuga de información fuera de este ámbito. Las políticas formación y sensibilización antifraude es una pieza clave en los sistemas antifraude (Arias, 2023a) y entre sus objetivos debe incluirse expresamente el conocimiento de los riesgos y las obligaciones de todos los participantes en la gestión de los canales de información en relación con la protección de los datos personales.

§ 338. En este sentido, el **Código de Buena Administración** del Sistema de Integridad de la Administración General del Estado (MHFP, 2023) declara, en su apartado 2.3.7, que:

"La confidencialidad comporta guardar la debida discreción, tanto sobre las materias o asuntos cuya difusión esté prohibida legalmente, como sobre cualesquiera que conozcan por razón de su puesto de trabajo y no puedan divulgar atendiendo a la afectación de intereses públicos.

Supone:

a) Conocer las disposiciones y procedimientos aplicables a las distintas categorías de información que se manejen, así como las previsiones aplicables en materia de protección de datos.

b) Cuidar, mediante el deber de sigilo, la protección de los intereses públicos afectados en cada caso.

c) Evitar hacer uso de la información obtenida para beneficio propio o de terceros o en perjuicio del interés general".

Marco jurídico de la Directiva de protección de las personas que informen sobre infracciones del Derecho de la Unión

§ 339. El **ámbito subjetivo** de protección de los datos personales en el tratamiento de las denuncias se dirige a todas las personas mencionadas en la misma, por lo que "dichos procedimientos deben garantizar la protección de la identidad de cada denunciante, cada persona afectada y cada tercero que se mencione en la denuncia, por ejemplo, testigos o compañeros de trabajo, en todas las fases del procedimiento" (considerando 76 DPIUE).

§ 340. Las **personas con derecho de acceso a la denuncia** deben cumplir "el deber de secreto profesional y confidencialidad a la hora de transmitir los datos, tanto dentro como fuera de la autoridad competente, y también cuando una autoridad competente abra una investigación o una investigación interna o lleve a cabo acciones relacionadas con la denuncia" (considerando 77 DPIUE).

§ 341. La **normativa aplicable** al tratamiento de datos personales en materia de prevención de la corrupción será la siguiente (considerando 83 DPIUE):

– *Reglamento (UE) 2016/679* del Parlamento Europeo y del Consejo, de 27 de abril de 2016, relativo a la protección de las personas físicas en lo que respecta al tratamiento de datos personales y a la libre circulación de estos datos y por el que se deroga la Directiva 95/46/CE (Reglamento general de protección de datos)

– *Directiva (UE) 2016/680* del Parlamento Europeo y del Consejo, de 27 de abril de 2016, relativa a la protección de las personas físicas en lo que respecta al tratamiento de datos personales por parte de las autoridades competentes para fines de prevención, investigación, detección o enjuiciamiento de infracciones penales o de ejecución de sanciones penales, y a la libre circulación de dichos datos y por la que se deroga la Decisión Marco 2008/977/JAI del Consejo

– *Reglamento (UE) 2018/1725* del Parlamento Europeo y del Consejo, de 23 de octubre de 2018, relativo a la protección de las personas físicas en lo que respecta al tratamiento de datos personales por las instituciones, órganos y organismos de la Unión, y a la libre circulación de esos datos, y por el que se derogan el Reglamento (CE) n.o 45/2001 y la Decisión n.o 1247/2002/CE.

§ 342. Los principios relativos al tratamiento de datos personales se establecen en el artículo 5 del Reglamento (UE) 2016/679, el artículo 4 de la Directiva (UE) 2016/680 y el artículo 4 del Reglamento (UE) 2018/1725, y pueden desglosarse en los siguientes (AEPD, 2022b):

- *Principio de "licitud, transparencia y lealtad"*, por el que los datos deben ser tratados de manera lícita, leal y transparente para el interesado.

- *Principio de "finalidad"* que implica, por una parte, la obligación de que los datos sean tratados con una o varias finalidades determinadas, explícitas y legítimas y, por otra, que se prohíbe que los datos recogidos con unos fines determinados, explícitos y legítimos sean tratados posteriormente de una manera incompatible con esos fines.

- *Principio de "minimización de datos"*, es decir, aplicar medidas técnicas y organizativas para garantizar que sean objeto de tratamiento los datos que únicamente sean precisos para cada uno de los fines específicos del tratamiento, reduciendo la extensión del tratamiento y limitando a lo necesario el plazo de conservación y su accesibilidad.

- *Principio de "exactitud"*, que obliga a los responsables a disponer de medidas razonables para que los datos se encuentren actualizados, así como que se supriman o modifiquen sin dilación cuando sean inexactos con respecto a los fines para los que se tratan.

- *Principio de "limitación del plazo de conservación"*, que constituye una de las materializaciones del principio de minimización. La conservación de esos datos debe limitarse en el tiempo al logro de los fines que persigue el tratamiento. Una vez que esas finalidades se han alcanzado, los datos deben ser borrados, bloqueados o, en su defecto, anonimizados, es decir, desprovistos de todo elemento que permita identificar a los interesados.

- *Principio de "seguridad"*, que impone a quienes tratan datos el necesario análisis de riesgos orientado a determinar las medidas técnicas y organizativas necesarias para garantizar la integridad, la disponibilidad y la confidencialidad de los datos personales que traten.

 – *Principio de "responsabilidad activa" o "responsabilidad de-mostrada"*, que obliga a los responsables a mantener diligencia debida de manera permanente para proteger y garantizar los derechos y libertades de las personas físicas cuyos datos son tratados en base a un análisis de los riesgos que el tratamiento representa para esos derechos y libertades, de modo que el responsable pueda, tanto garantizar como estar en condiciones de demostrar que el tratamiento se ajusta a las previsiones del RGPD y la LOPDGDD.

§ 343. **El principio de protección de datos desde el diseño y por defecto** contemplado en el artículo 25 del Reglamento (UE) 2016/679, el artículo 20 de la Directiva (UE) 2016/680 y los artículos 27 y 85 del Reglamento (UE) 2018/1725 deberá ser especialmente tenido en cuenta en el tratamiento de datos personales (considerando 83 DPIUE). Este principio puede definirse de la siguiente forma, conforme a lo expresado por la AEPD (2022b):

 – "El *principio de la protección de datos* desde el diseño tiene por objetivo aplicar los principios de protección de datos en los procesos de diseño de los sistemas y procedimientos de la organización sobre los que se apoya el tratamiento de los datos, con un fin eminentemente preventivo y orientado tanto a evitar posibles daños a las personas físicas como, de manera colateral, los perjuicios que para la organización podría suponer la modificación o el rediseño de los sistemas en los que se llevan a cabo los tratamientos, una vez desarrollados e implantados, como consecuencia de la identificación de errores de diseño que pudieran suponer daños o perjuicios a los interesados y a sus derechos y libertades" (AEPD, 2022c).

 – "El *principio de protección de datos por defecto* supone la puesta en práctica del principio de minimización de datos mediante las medidas técnicas y organizativas que garanticen, por defecto, que únicamente sean objeto de tratamiento los datos necesarios para los fines del mismo y que hubieran sido definidos en la etapa de diseño inicial" (AEPD, 2021).

§ 344. Las **restricciones** a los derechos a la protección de datos de las personas afectadas por los procedimientos relativos a las denuncias podrán establecerse legislativamente por los Estados Miembros (considerando 84 DPIUE), pues contribuyen a importantes objetivos de interés general, pues los incumplimientos pueden causar graves perjuicios al interés público (artículo 23.1 Reglamento 2016/679). No obstante, se debe asegurar que estas limitaciones "respeten en lo esencial los derechos y libertades fundamentales y sea una medida necesaria y proporcionada en una sociedad democrática para salvaguarda" y "la protección del interesado o de los derechos y libertades de otros" (artículo 23.1.i) Reglamento 2016/679). Además, la legislación de estas materias sujeta a limitaciones de los derechos de tratamiento de datos personales deberá establecer, como mínimo, las siguientes disposiciones específicas" (artículo 23.2 Reglamento 2016/679):

"a) la finalidad del tratamiento o de las categorías de tratamiento;

b) las categorías de datos personales de que se trate;

c) el alcance de las limitaciones establecidas;

d) las garantías para evitar accesos o transferencias ilícitos o abusivos;

e) la determinación del responsable o de categorías de responsables;

f) los plazos de conservación y las garantías aplicables habida cuenta de la naturaleza alcance y objetivos del tratamiento o las categorías de tratamiento;

g) los riesgos para los derechos y libertades de los interesados, y

h) el derecho de los interesados a ser informados sobre la limitación, salvo si puede ser perjudicial a los fines de esta".

§ 345. Las **autoridades competentes en materia penal**, conforme a la definición del artículo 3.7 Directiva 2016/680, podrán restringir, según establezca la legislación nacional, los siguientes derechos de protección de datos de las personas afectadas, en la medida y durante el tiempo que sea necesario a fin de evitar y abordar los intentos de obstaculizar las denuncias o de impedir, frustrar o ralentizar su seguimiento, en particular las investigaciones, o los intentos de averiguar la identidad del denunciante (considerando 85 DPIUE):

- La *información que debe ponerse a disposición del interesado* o que se le debe proporcionar, conforme a los criterios establecidos en los apartados a) y e) del artículo 13.3 Directiva 2016/680.

- Las *limitaciones del derecho de acceso del interesado*, conforme a los criterios establecidos en los apartados a) y e) del artículo 15.1 Directiva 2016/680.

- El *derecho de rectificación o supresión de datos personales y limitación de su tratamiento*, conforme a los criterios establecidos en los apartados a) y e) del artículo 16.4 Directiva 2016/680.

- *La comunicación de una violación de la seguridad de los datos personales al interesado*, conforme a los criterios establecidos en el artículo 31.5 Directiva 2016/680.

§ 346. Por la **naturaleza** de los datos personales propia de los procedimientos de denuncia se establece que "no se recopilarán datos personales cuya pertinencia no resulte manifiesta para tratar una denuncia específica o, si se recopilan por accidente, se eliminarán sin dilación indebida" (artículo 17.2 DPIUE).

Régimen jurídico de la Ley de Protección del Informante

§ 347. El **título habilitante** para la licitud del tratamiento de los datos personales sobre infracciones normativas, que hasta la promulgación de la Ley del Informante se encontraba en el artículo 24 LOPDGDD con referencia a los sistemas de información internos, se ha traslado, con mayor detalle, al artículo 30.1 LPI para los diferentes tipos de canales y naturaleza de datos:

a) En las *comunicaciones internas* se entenderá lícito en virtud de lo que disponen el artículo 6.1.c) del Reglamento (UE) 2016/679, el artículo 8 de la Ley Orgánica 3/2018 y el artículo 11 de la Ley Orgánica 7/2021, cuando el sistema de información interno sea obligatorio a efectos de esta ley. Si no fuese obligatorio, el tratamiento se presumirá amparado en el artículo 6.1.e) del citado reglamento (artículo 30.2 LPI).

b) En las *comunicaciones externas* se entenderá lícito en virtud de lo que disponen el artículo 6.1.c) del Reglamento (UE) 2016/679, articulo 8 de la Ley Orgánica 3/2018 y el artículo 11 de la Ley Orgánica 7/2021 (artículo 30.3 LPI).

c) En las *revelaciones públicas* se presumirá amparado en lo dispuesto en el artículo 6.1.e) del Reglamento (UE) 2016/679 y el artículo 11 de la Ley Orgánica 7/2021, de 26 de mayo. (artículo 30.4 LPI).

d) El tratamiento de las *categorías especiales de datos personales* por razones de un interés público esencial se podrá realizar conforme a lo previsto en el artículo 9.2.g) del Reglamento (UE) 2016/679.

§ 348. El **régimen jurídico** del tratamiento de datos personales vinculados a la Ley del Informante se atendrá a las especificaciones previstas en el título VI LPI y, en lo no previsto, por las siguientes normas:

– Reglamento (UE) 2016/679 del Parlamento Europeo y del Consejo, de 27 de abril de 2016.

– Ley Orgánica 3/2018, de 5 de diciembre, de Protección de Datos Personales y garantía de los derechos digitales.

– Ley Orgánica 7/2021, de 26 de mayo, de protección de datos personales tratados para fines de prevención, detección, investigación y enjuiciamiento de infracciones penales y de ejecución de sanciones penales.

§ 349. El **principio de "minimización de datos"** obligará a que los datos personales recopilados que no resulten manifiestamente pertinentes para tratar la información recibida "se eliminarán sin dilación indebida" (artículo 29, segundo párrafo LPI).

§ 350. El **derecho de información** sobre la protección de datos personales y ejercicio se ajustará a las siguientes prescripciones (artículo 31 LPI):

– Los *interesados que faciliten sus datos personales* recibirán la información prevista en el artículo 13 del Reglamento (UE) 2016/679, a través de los medios y condiciones previstos en el artículo 11 de la Ley Orgánica 3/2018.

– Los *informantes y los reveladores públicos* serán advertidos, además, expresamente que su identidad será reservada frente a terceros.

– La *persona afectada* no será informada de la identidad del informante o revelador. Además, se la informará del tratamiento de sus datos personales en la primera comunicación que reciba, según establece el artículo 19.2 LPI.

- Los *interesados* podrán ejercer los derechos acceso, rectificación, supresión, oposición y limitación de las decisiones individuales automatizadas previstos en los artículos 15 a 22 del Reglamento (UE) 2016/679.

- No obstante, en el *ejercicio del derecho de oposición* por parte de la persona afectada "se presumirá que, salvo prueba en contrario, existen motivos legítimos imperiosos que legitiman el tratamiento de sus datos personales". Por lo tanto, en estos supuestos se invierte la carga de la prueba que el artículo 21 del Reglamento (UE) 216/679 impone al responsable de tratamiento.

§ 351. En los **sistemas internos de información** el tratamiento de datos personales se atenderá a las siguientes prescripciones (artículo 32 LPI):

- El *acceso de los datos personales* del Sistema únicamente corresponde, según sus competencias y funciones, al Responsable del Sistema y al gestor directo del mismo, al responsable de recursos humanos u órgano designado al efecto para la adopción de medidas disciplinarias, al responsable de los servicios jurídicos si fuese necesario la adopción de medidas legales, a los encargados del tratamiento designados y el delegado de protección de datos.

- El *tratamiento de los datos por otras personas o su comunicación a terceros* será lícito para la adopción de medidas correctoras o la tramitación de procedimientos sancionadores o penales.

- El *tratamiento de los datos que no correspondan* a supuestos incluidos en la Ley del Informante se suprimirá de inmediato y si se trata de las categorías especiales de datos ni siquiera serán objeto de registro. Las categorías especiales de datos relativos a asuntos especialmente sensibles, como los tendentes a evitar discriminaciones o los de naturaleza penal, se detallan en los artículos 9 y 10 de la Ley Orgánica 3/2018.

- La *conservación de los datos personales* únicamente se mantendrá "el tiempo imprescindible para decidir sobre la procedencia de iniciar una investigación sobre los hechos informados" y si la información se acreditara como "no veraz" se suprimirá inmediatamente o el tiempo necesario para tramitar un procedimiento judicial si pudiera constituir un ilícito penal.

– El *plazo máximo* para la supresión será de tres meses desde la recepción de la comunicación, cuando no se hubiese iniciado una investigación, si bien se podrán conservar anonimizadas las comunicaciones para permitir evidenciar el funcionamiento del sistema, sin que sea necesaria la obligación de bloqueo prevista en el artículo 32 de la Ley Orgánica 3/2018.

– Los *empleados y terceros* vinculados a la entidad deben ser informados sobre el tratamiento de datos personales de los Sistemas de Información.

§ 352. El **derecho a la confidencialidad** implica la preservación de la identidad del informante, revelador o persona afectada y se garantiza legalmente mediante las siguientes condiciones especiales (artículo 33 LPI):

– El *derecho* de los informantes y reveladores "a que su identidad no sea revelada a terceras personas".

– La *obligación* de que los sistemas de información internos y externos o los receptores de revelaciones públicas no obtengan datos del informante y de establecer medidas técnicas y organizativas para preservar la confidencialidad sobre las personas afectadas o terceros.

– La *excepción* del deber de confidencialidad en favor de la autoridad judicial, fiscal o administrativa competente para realizar investigaciones penales, disciplinarias o sancionadoras. En estos casos, además de las salvaguardas previstas en cada normativa, se informará con anterioridad de la solicitud recibida al informante, salvo que perjudique la investigación judicial y, de la misma forma, se informará por la autoridad competente al informante de los motivos de la ruptura de la confidencialidad en la primera comunicación que le realice.

§ 353. El nombramiento de **Delegado de protección de datos** es imperativo para la Autoridad Independiente de Protección del Informante, A.A.I. y para las autoridades competentes conforme al artículo 37.1.a) del Reglamento (UE) 2016/679 (artículo 34 LPI). En este caso, la Autoridad Independiente de Protección del Informante "ostentará la condición de responsable de los tratamientos de datos personales que realice" (AEPD, 2022a, 15-16).

§ 354. En los **Sistemas internos de información**, el tratamiento de datos personales estará sujeto a las siguientes especialidades estableci-das por la ley, que ha tenido en cuenta las recomendaciones del Infor-me de la AEPD (2022a) sobre el Anteproyecto de Ley del Informante:

– El *Responsable* será el órgano de administración o de gobierno de cada entidad (artículo 5.1 LPI).

– La *corresponsabilidad* por la gestión del sistema por un tercero externo requerirá la previa suscripción del acuerdo de determi-nación de responsabilidades regulado en el artículo 26 RGPD (artículo 6.2 LPI).

– El *tercero externo* del sistema tendrá la condición de encargado del tratamiento, el cual se atenderá a lo previsto en el acto o contrato que el vincule con el responsable, conforme al artículo 28.3 RGPD (artículo 6.4 LPI).

– Al *informante* se le deberá advertir que la comunicación se-rá grabada y que será tratada conforme al Reglamento (UE) 2016/679 (artículo 7.2 LPI).

– A *todos los intervinientes* se les informará del régimen de con-fidencialidad aplicable a las comunicaciones y, en particular, sobre el tratamiento de los datos personales de conformidad con lo dispuesto en el RGPD, en la Ley Orgánica 3/2018 y en el título VII de la ley.

§ 355. En los **canales externos de información**, el tratamiento de datos personales estará sujetos a las siguientes especialidades:

– Al *informante* se le deberá advertir que la comunicación se-rá grabada y que será tratada conforme al Reglamento (UE) 2016/679 (artículo 17.2 LPI) y podrá ejercer ante la autoridad competente los derechos que le confiere la legislación de protec-ción de datos de carácter personal (artículo 21.7º LPI).

– A la *persona afectada* se le informará en la instrucción del tra-tamiento de sus datos personales, si bien "esta información po-drá efectuarse en el trámite de audiencia si se considerara que su aportación con anterioridad pudiera facilitar la ocultación, destrucción o alteración de las pruebas" (artículo 19.2 LPI).

- A *todos los intervinientes* se le informará del régimen de confidencialidad aplicable a las comunicaciones y, en particular, la información sobre el tratamiento de los datos personales de conformidad con lo dispuesto en el RGPD, en la Ley Orgánica 3/2018 y en el título VII de LA ley.

§ 356. En el **registro de informaciones**, "los datos personales relativos a las informaciones recibidas y a las investigaciones internas a que se refiere el apartado anterior solo se conservarán durante el período que sea necesario y proporcionado a efectos de cumplir con esta ley. En particular, se tendrá en cuenta lo previsto en los apartados 3 y 4 del artículo 32. En ningún caso podrán conservarse los datos por un período superior a diez años" (artículo 26.2 LPI).

Reflexión final y comentarios

§ 357. La **autorización** del tratamiento de datos personales en el marco de la Ley del Informante se ampara en el interés público superior de combatir las infracciones incluidas en el ámbito material de aplicación. Por lo tanto, no será necesario ni la información ni el consentimiento de los interesados, singularmente los empleados, para establecer canales de denuncias, como, en tal sentido, se ha definido la Agencia Española de Protección de Datos (Espín, 2017). No obstante, se deberá tener en cuenta la necesidad de que el órgano de administración u órgano de gobierno de cada entidad u organismo consulte previamente a la representación legal de las personas trabajadoras (artículo 5.1 LPI).

§ 358. La preceptiva **declaración legal de la licitud** del tratamiento de los datos personales es distinta en los diferentes supuestos, conforme reconoce el artículo 30 LPI. En principio, la licitud del tratamiento de datos en los sistemas denuncias internas se encontraba avalada por la autorización genérica del artículo 6.1.e) RGPD, tal y como indicó el Dictamen 757/2017, Consejo de Estado, sobre el Anteproyecto de Ley Orgánica de Protección de Datos de Carácter Personal. No obstante, el Informe de la AEPD (2022a) consideraba, que tras la entrada en vigor de la Directiva 2019/1937, la habilitación legal se producía con base en artículo 6.1.c) RGPD, por ser necesario el tratamiento para el cumplimiento de una obligación legal. Como recordaba la AEPD (2022a, 22):

> "A este respecto, debe indicarse la trascendencia de que la legitimación venga determinada por uno u otro supuesto, en la medida en que el derecho de oposición previsto en el artículo 21 del RGPD, al que posteriormente nos referiremos, se reconoce respecto de los tratamientos basados en la letra e), pero no respecto de los amparados por la letra c)".

§ 359. El principio *need to know* (necesidad de saber) debe ser aplicado con rigurosidad en el diseño de los canales de denuncias para evitar "fugas" inadvertidas de datos, por lo que, como ha recomendado la AEPD (2019, 19), la privacidad debe ser la configuración predeterminada. Por lo tanto, los accesos a los sistemas que contienen los datos personales de las comunicaciones deben sujetarse a criterios restrictivos "tanto en espacio (detalle y tipo de datos accedidos) como en tiempo (etapas del tratamiento)".

§ 360. En el **diseño e implementación** de los sistemas de información internos y externos deben seguirse la recomendación de la AEPD (2022a) de aplicar las siguientes medidas de responsabilidad proactivas previstas en el RGPD;

- El análisis de riesgos (artículo 24 RGPD).
- La necesidad de preservar la privacidad desde el diseño y por defecto (artículo 25 RGPD).
- La realización de la evaluación de impacto en la protección de datos del artículo 35 y las medidas de seguridad (artículo 32 RGPD).

§ 361. La **formación** en materia de protección de datos del personal de los sistemas internos de información y de las autoridades independientes encargadas de recibir y tramitar comunicaciones resulta una obligación necesaria para su adecuada gestión, según ha resaltado la AEPD (2022a).

§ 362. La **externalización** del canal de denuncias internas puede ser en ocasiones un buen instrumento para garantizar el tratamiento de los datos personales, pues la instrumentación del sistema se realiza por empresas especializadas en estos procesos. En particular, la gestión del canal por una persona ajena a la organización puede dotar de una mayor apariencia de imparcialidad y confidencialidad al denunciante y, por otra parte, la limitación del acceso exclusivamente a las personas encargadas de la gestión de las denuncias en un canal internalizado puede resultar compleja desde el punto de vista de seguridad informática (Fortuny y Vilà, 2022).

§ 363. **El responsable** del sistema interno de información no tiene atribuida específicamente funciones en materia de tratamiento de datos personales, sino que, como ha analizado la AEPD (2022a, 15), "en el supuesto en que tenga que acceder a los datos personales, el mismo no tendrá la consideración de encargado, sino que accederá en el ejercicio de sus funciones y en su condición de personal del propio responsable".

§ 364. **El derecho al olvido** reconocido en el artículo 17 RGPD debe reconocerse de forma estricta en los sistemas de información de irregularidades, por lo que debe borrarse todo rastro de las comunicaciones inadmitidas y los procedimientos de investigación terminados en los plazos marcados por la ley. Al respecto, debe recordarse las fuertes limitaciones impuestas al mantenimiento de datos personales en las hemerotecas digitales por la STC 58/2018, de 4 de junio-

§ 365. **La regla de la triple A** (*anonimización*, automatización y atención) debe ser la rectora de la política de tratamiento de datos en los canales de información, con el siguiente contenido:

a) *Anonimización* de los datos desde el registro y en todo el proceso de gestión, para que los agentes encargados del proceso puedan trabajar minimizando los riesgos de provocar la vulneración del deber de confidencialidad inadvertidamente. Para ello, es conveniente conservar la documentación original que contenga los datos personales de personas involucradas en la investigación en lugar de acceso seguro y específico, mientras que el expediente electrónico de gestión ordinaria expone únicamente información anonimizada.

b) *Automatización* de todos los trámites que permitan los avances tecnológicos, como envío de acuses de recibo y otras notificaciones, que evitarán fugar inadvertidas de datos.

c) *Atención máxima* en todas las gestiones externas realizadas por las unidades de investigación, como solicitudes de información a terceros o traslados de informaciones a otras autoridades, pues se trata de trámites críticos en los que pueden producirse la ruptura de la confidencialidad prometida al informante y debida al investigado.

§ 366. Por otra parte, la **voz** también debe considerarse como un dato personal si puede permitir la identificación (AEPD, 2022), pues, conforme ha indicado la STS 1771/2020, de 18 de junio de 2020: "la grabación de la voz asociada a otros datos como el número de teléfono o su puesta a disposición de otras personas que pueden identificar a quien pertenece ha de considerarse un dato de carácter personal sujeto a la normativa de protección del tratamiento automatizado de los mismos".

§ 367. Las **personas jurídicas** no son sujetos de protección de los datos personales, como ha tenido ocasión de reiterar la STS 547/2023, de 4 de mayo, por lo que cabe plantearse la pregunta de "si denuncia una empresa ¿tendrá derecho el denunciado a saber cuál es?" (Chaves, 2023). En principio, cabe responder que la Ley del Informante no resulta aplicable a las personas jurídicas informantes, pero si la presentación material de la denuncia se ha realizado por un representante de la empresa, debería protegerse también la identidad de la persona jurídica para impedir que indirectamente la persona investigada pueda deducir el autor material.

§ 368. Finalmente, a priori, en la **comunicación anónima** no sería aplicable la protección de datos del informante, pero, como ha recordado la AEPD (2022), la exclusión requiere que la información no pueda asociarse a una persona física identificable, por lo que no se aplicaría cuando se puede obtener de forma indirecta, "como puede ser la dirección IP o el número de teléfono". Además, hay que recordar que deberá seguir manteniéndose la protección para los datos personales de las personas afectadas o terceros que resulten mencionados en la comunicación. Como ha señalado Rivero (2023), la *anonimización* plena se ha tornado mucho más difícil en un entorno con múltiples dispositivos invasivos de la privacidad y el alcance de la inteligencia artificial.

Título VII
MEDIDAS DE PROTECCIÓN

Antecedentes de política legislativa y de Derecho comparado

§ 369. El **estatus jurídico** de protección del informante, que le dota de un conjunto de garantías jurídicas y sociales, es la respuesta de política pública frente al fracaso de los ordenamientos jurídicos por evitar y sancionar adecuadamente las represalias, impropias en un sistema democrático, que son ejercidas con demasiada frecuencia por las personas afectadas y su entorno.

§ 370. Las **Naciones Unidas** se ha mostrado partidaria de ofrecer garantías a todos los participantes en los sistemas de denuncia, estableciendo protección "contra todo trato injustificado a las personas que denuncien ante las autoridades competentes, de buena fe y con motivos razonables, cualesquiera hechos relacionados con delitos tipificados con arreglo a la presente Convención" (artículo 33 CNUCC).

§ 371. En la **Guía Técnica UNODC** (2010, 114-115) se han realizado las siguientes recomendaciones sobre los requisitos y las medidas del estatus de protección del denunciante, si bien, en este último aspecto, se ha centrado exclusivamente en el ámbito laboral:

a) *Requisitos para acceder al estatus de denunciante protegido*:

– La *buena fe* se deberá presumir, pero ante la denuncia falsa implicará la reacción del ordenamiento jurídico penal. Por lo tanto, "se debe informar claramente a los denunciantes de que estas reglas se les aplicarán si no presentan sus acusaciones de buena fe, pero no debe recaer sobre ellos la carga de la prueba".

– Los *motivos razonables* deben reconocerse *ex ante*, para comprobar que el denunciante tenía motivos para pensar que "existía información que corroborase la veracidad de su denuncia", siendo recomendable no denegar la protección únicamente porque la "denuncia haya resultado equívoca".

b) *Medidas de protección del denunciante*:

- Las *represalias laborales*, como la pérdida de empleo o la discriminación profesional, deberán implicar prohibiciones judiciales o indemnizaciones apropiadas por daños y perjuicios: "en los casos en que los empleadores puedan despedir a sus empleados sin razón, es posible que la debida protección de los denunciantes exija excepciones".

§ 372. La **Guía Legislativa UNODC** (2012, 132) ha resaltado la importancia de adoptar las siguientes medidas de naturaleza psico-laboral:

> "A este respecto son importantes medidas como la protección de la carrera profesional, el apoyo psicológico, el reconocimiento institucional de la denuncia, el traslado dentro de la misma organización y la reubicación en otra organización".

§ 373. La **Guía Denunciantes UNODC** (2016, 50-53) justifica la importancia de proteger a los denunciantes y allegados contra todo tipo de amenaza, incluidos los casos más graves de acoso físico, y establece el siguiente catálogo de medidas, no exhaustivo, de protección:

a) *Tipos de represalias o formas de trato injusto*:

- Coerción, intimidación o acoso del denunciante o de sus familiares.

- Discriminación, trato desfavorable o injusto.

- Lesiones corporales u otro delito capital.

- Daño a los bienes.

- Amenazas de sufrir represalias.

- Suspensión, despido o destitución.

- Descenso de categoría o pérdida de oportunidades de ascenso.

- Transferencia de responsabilidades, cambio de lugar de trabajo, reducción de salario o cambio de horario de trabajo.

- Imposición o ejecución de sanciones disciplinarias, amonestación o penas de otra índole (incluidas de carácter financiero).

- Inclusión en listas negras (un acuerdo, oficial u oficioso, a nivel sectorial o industrial, que impide a una persona encontrar otro empleo).
- Enjuiciamiento civil o penal por haber transgredido leyes que protegen el secreto, o leyes que penan las injurias y la difamación.

b) *Medidas de protección del denunciante*:
- Un marco legislativo e institucional claro.
- Conductos alternativos de denuncia.
- Acceso a información y a asesoramiento imparcial.
- Aceptación de denuncias anónimas.
- Garantía de confidencialidad.
- Reconocimiento o beneficio público.
- Protección física.
- Protección contra responsabilidad civil o penal.

c) *Medidas correctivas de los actos de represalia*:
- Cambio de supervisor o reasignación de responsabilidades laborales dentro del lugar de trabajo para garantizar seguridad y bienestar.
- Traslado temporal o permanente a un puesto de igual responsabilidad y remuneración.
- Libre acceso a asesoramiento o a otro servicio sanitario o de bienestar social.
- Reposición en el puesto anterior.
- Reactivación de un permiso, licencia o contrato cancelados.
- Sanción, traslado o remoción de toda persona responsable de un trato injusto o de actos de represalia.
- Presunción de buena fe.
- Presunción de desventaja (por ejemplo, invertir la carga de la prueba).
- Indemnización jurídicamente exigible por actos de represalia.

- Indemnización por pérdidas financieras y de expectativas de carrera.
- Indemnización por daños y perjuicios por el sufrimiento o dolor causados.

§ 374. Desde el ámbito de la sociedad civil, **Transparencia Internacional** propuso en 2009 los siguientes principios o recomendaciones para la protección de los denunciantes, que posteriormente desarrollaría en su documento de "*A best practice guide for whistleblowing legislation*" (Transparency International, 2018):

> "12. *Protección de la identidad*: la ley garantizará que la identidad del denunciante no pueda ser divulgada sin el consentimiento del individuo, y deberá prever la divulgación anónima.
>
> 13. *Protección contra represalias*: la ley protegerá al denunciante contra cualquier desventaja sufrida como resultado de la denuncia de irregularidades. Esto se extenderá a toda clase de daños, incluyendo despido, sanciones laborales, transferencias punitivas, acoso, pérdida de estatus y beneficios, y similares.
>
> 14. *Inversión de la carga de la prueba*: corresponderá al empleador establecer que las medidas adoptadas en perjuicio de un denunciante estuvieron motivadas por razones distintas a la revelación de este último. Esta responsabilidad puede revertirse después de que haya transcurrido un período de tiempo suficiente.
>
> 15. *Exención de responsabilidad*: cualquier divulgación hecha dentro del alcance de la ley gozará de inmunidad de procedimientos disciplinarios y responsabilidad en virtud de las leyes penales, civiles y administrativas, incluidas difamación, leyes de calumnias y actos de secretos (oficiales).
>
> 16. *No se impondrán sanciones por informes erróneos*: la ley protegerá cualquier divulgación que se haga por un error honesto.
>
> 17. *Derecho a negarse*: la ley permitirá que el denunciante se rehúse a participar en sospechas de irregularidades sin ninguna sanción o desventaja como resultado.
>
> 18. *No elusión*: la ley invalidará cualquier regla o acuerdo privado en la medida en que obstruye los efectos de la legislación sobre denunciantes".

§ 375. Por otra parte, **Transparencia Internacional España**, tras analizar la realidad de nuestro país, propuso en 2017 la adopción de 15 medidas de protección de los denunciantes que incluían aspectos tan concretos como la garantía de representación legal al denunciante, la garantía de mantenimiento de prestaciones de la Seguridad Social o seguro médico durante la sustanciación de la denuncia y hasta la completa finalización de las actuaciones relativas a la misma, admisión de denuncias sin necesidad de mayor aportación de documentación que la sustente, el refuerzo de la imparcialidad en el ejercicio de la función pública, restringiendo la libre designación para puestos funcionariales y protegiendo al personal laboral del despido por denuncias de corrupción o fraude, o la posibilidad de designar como autoridad canalizadora de las denuncias recibidas al Defensor del Pueblo. En 2019, Transparencia Internacional España ha actualizado su listado de recomendaciones, solicitando que la legislación española adoptara una amplia protección de los denunciantes, más allá del mínimo exigido por la Directiva 2019/1937, resumiendo su planteamiento en las siguientes 5 propuestas:

- "1. Armonizar y elaborar una legislación nacional transversal: coherencia entre las normas existentes".
- "2. Considerar los conceptos y el lenguaje".
- "3. Protección más allá del ámbito laboral".
- "4. Denuncias anónimas".
- "5. Comunicación constante con el denunciante".
- "6. Velar por la existencia de una autoridad independiente en la materia".

§ 376. En el **régimen de Derecho comparado**, numerosas legislaciones nacionales han establecido importantes medidas de protección de los informantes sobre asuntos de corrupción, como, por ejemplo, los siguientes casos destacados por Campanón (2020):

- El *caso de Irlanda* que ha impuesto importantes sanciones pecuniarias a las entidades que han tratado injustamente a los trabajadores que han denunciado infracciones normativas.
- El *caso de Islandia* que, tras la crisis económica de 2008, protege a las fuentes anónimas y concede inmunidad a los proveedores de comunicaciones.
- El *caso de Japón* que, a partir de 2006, ha creado una oficina de ayuda al denunciante en el Ministerio de Justicia y ha prohibido la adopción de represalias laborales.

§ 377. El **Consejo de Europa** (2014, 6) ha recomendado que "los Estados miembros cuenten con un marco normativo, institucional y judicial para proteger a las personas que, en el contexto de su relación laboral, informen o divulguen información sobre amenazas o daños al interés público". Además de medidas *anti-represalias* o la inversión de la carga de la prueba, propone que puedan adoptarse medidas cautelares, mientras se sustancian los procedimientos judiciales no penales, en favor de las personas represaliadas con la pérdida del empleo, hasta conocer el resultado de los procesos civiles.

§ 378. La **Resolución del Parlamento Europeo**, de 14 de febrero de 2017, sobre la función de los denunciantes en la protección de los intereses financieros de la Unión plantea un doble nivel de protección, que extiende a denunciantes, familiares, colaboradores e incluso periodistas:

a) Las *medidas de protección* contra la libertad de expresión, los despidos laborales, las amenazas a la integridad física, moral y social o la interposición de procedimientos judiciales.

b) Las *medidas de acompañamiento* cuando sea preciso prestar asistencia en caso de riesgos penales, psicológicos, sociales, económicos o jurídicos.

§ 379. La **jurisprudencia comunitaria** ha tenido ocasión de pronunciarse sobre la aplicación de los motivos de razonabilidad y buena fe exigidos por artículo 22 bis del Estatuto, a partir del 1 de mayo de 2004, a todos los funcionarios de la Unión Europea que denuncian incumplimientos graves para aplicar la cláusula *anti-represalia* ("ningún funcionario podrá verse perjudicado en forma alguna por la institución"), con estableciendo los siguientes criterios de interpretación:

– En la *STGUE de 8 de octubre de 2014* (caso Bermejo) establece, como punto preliminar, que "la cuestión de si un funcionario actuó de buena fe no puede evaluarse en abstracto y requiere tener en cuenta todos los elementos del contexto en el que el funcionario transmitió información denunciando ciertos hechos a sus superiores".

– En la *STGUE de 4 de abril de 2019* (caso Rodríguez) se matiza que la protección conferida al funcionario, que le protege frente a los perjuicios que pudiera causarle la institución, "no puede tener por objeto evitar investigaciones destinadas a determinar si, y en qué medida, dicho funcionario estaba él mismo implicado en las irregularidades que denuncia. A lo sumo, la iniciativa tomada por el funcionario de denunciar tales irregularidades puede constituir, si las investigaciones confirman su participación en los hechos denunciados, una circunstancia atenuante en el marco de eventuales procedimientos sancionadores".

§ 380. La **jurisprudencia sobre derechos humanos** (STEDH de 12 de febrero de 2002, Guja v. Moldava) ha establecido los siguientes criterios para decidir sobre la procedencia de la protección al denunciante (Parajó, 2022, 48): (i) el interés público de la información revelada, (ii) su veracidad, (iii) el respeto de preferencia de los canales internos de denuncia, de manera que sólo deben hacer públicas las informaciones si los canales internos no responden, (iv) la buena fe y la motivación desinteresada del alertador, (v) la ponderación entre el daño sufrido por la entidad empleadora y el interés público en la obtención de la información, y (vi) la gravedad de las consecuencias sobre la persona denunciante.

§ 381. La **legislación penal española** ya estableció una regulación específica de protección sobre ciertas categorías de informadores y colaboradores con la Justicia (García Mexía, 2008), mediante la Ley Orgánica 19/1994, de 23 de diciembre, de protección a testigos y peritos en causas criminales. No obstante, estas medidas se han demostrado claramente insuficientes (Villegas, 2022), pues se encuentran vinculadas a la protección de la identidad, sin que afecten a las represalias de naturaleza laboral o funcionarial. En este campo, el Informe del CGPJ (2022, 19) ha advertido sobre la despreocupación del legislador en esta materia que "hasta la fecha no se ha procedido al desarrollo reglamentario de esta Ley, tal y como se determina en su disposición adicional segunda, cuestión que este órgano constitucional viene poniendo reiteradamente de manifiesto".

§ 382. La **Circular de la Fiscalía 1/2016**, sobre la configuración de la responsabilidad de las personas jurídicas, reconocía que "la existencia de unos canales de denuncia de incumplimientos internos o de actividades ilícitas de la empresa es uno de los elementos clave de los modelos de prevención. Ahora bien, para que la obligación impuesta pueda ser exigida a los empleados resulta imprescindible que la entidad cuente con una regulación protectora específica del denunciante (*whistleblower*), que permita informar sobre incumplimientos varios, facilitando la confidencialidad mediante sistemas que la garanticen en las comunicaciones (llamadas telefónicas, correos electrónicos…) sin riesgo a sufrir represalias".

§ 383. Los **tribunales españoles** se han manifestado expresamente sobre las consecuencias de la revelación de secretos (artículo 278 CP), considerado que no existe delito alguno cuando la información que da a conocer el denunciante está centrada en el fraude denunciado y en sus responsables. El Informe del CGPJ (2022, 20) ha destacado que "el Auto de 28 de mayo de 2013 de la Audiencia Nacional que denegó la extradición a Suiza del informante Hervé Falciani, por considerar que aquella persona que defrauda al fisco no puede tener una expectativa legítima de que su conducta no sea conocida por terceros, por lo que quien denuncia dicha conducta no está revelando secreto alguno que merezca protección penal".

§ 384. La **legislación autonómica** ha sido pionera en introducir en España medidas de protección de los informantes al hilo de la creación de agencias antifraude y sistemas de denuncias (Amoedo, 2017b):

– La *legislación catalana* estableció la obligación de la Oficina Antifraude de Cataluña de garantizar la confidencialidad del denunciante, sin dar el paso de establecer un estatuto específico de protección en la Ley 14/2008, de 5 de noviembre, de la Oficina Antifraude de Cataluña. No obstante, la disposición adicional 7ª de la Ley 3/2023, de medidas fiscales, financieras, administrativas y del sector público para 2023 ha designado a la Oficina Antifraude de Cataluña como autoridad Independiente de Protección del Informante, por lo que ejercerá las medidas de protección previstas en la Ley del Informante.

– La *legislación castellanoleonesa*, actualmente derogada, desarrolló un incipiente estatuto mínimo del denunciante en materia de lucha antifraude en la Ley 2/2016, de 11 de noviembre, por la que se regulan las actuaciones para dar curso a las informaciones que reciba la Administración Autonómica sobre hechos relacionados con delitos contra la Administración Pública y se establecen las garantías de los informantes.

– La *legislación valenciana* regula el estatuto del denunciante en el artículo 14 de la Ley 11/2016, de 28 de noviembre, de la Agencia de Prevención y Lucha contra el Fraude y la Corrupción de la Comunitat Valenciana que garantiza la protección en el ámbito laboral, salvo información falsa, tergiversada u obtenida de manera ilícita.

- La *legislación balear* dispone en el artículo 15.4 de la Ley 16/2016, de 9 de diciembre, de creación de la Oficina de Prevención y Lucha contra la Corrupción en las Illes Balears la aprobación de un protocolo, lo que se ha materializado con la Resolución 1/2021, de 12 de febrero de 2021, por la que se aprueba el protocolo de actuación para la protección y la salvaguarda de los derechos de las personas denunciantes o alertadoras

- La *legislación navarra* dedica el artículo 24 de la Ley Foral 7/2018, de 17 de mayo, de creación de la Oficina de Buenas Prácticas y Anticorrupción de la Comunidad Foral de Navarra a la protección del denunciante, que reconoce el derecho del denunciante a no sufrir represalias laborales, profesionales, económicas, morales o discriminatorias y a obtener el asesoramiento y el ejercicio de acciones correctoras oportunas de la Oficina, salvo que se "proporcione información falsa, tergiversada u obtenida de manera ilícita".

- La *legislación aragonesa* establece el estatuto del denunciante en la Sección 3ª del Capítulo V de la Ley 5/2017, de 1 de junio, de Integridad y Ética Públicas, que limita su ámbito a los empleados de su sector público, al asesoramiento legal y el derecho de confidencialidad, a las medidas de represalias sufridas en este entorno y al derecho a la indemnización de los daños y perjuicios sufridos, todo ello salvo que "la denuncia se formule de mala fe, proporcionando información falsa, tergiversada u obtenida de manera ilícita".

- La *legislación asturiana* regula el estatuto del denunciante en el artículo 60 de la Ley 8/2018, de 14 de septiembre, de Transparencia, Buen Gobierno y Grupos de Interés, que le reconoce los derechos a la confidencialidad y a la indemnidad frente a cualquier represalia de las Administraciones Públicas, declarando nulos los actos administrativos de esta naturaleza.

- La *legislación andaluza* dedica un título II de la Ley 2/2021, de 18 de junio, de lucha contra el fraude y la corrupción en

Andalucía y protección de la persona denunciante y las personas de su entorno familiar y laboral a la protección del denunciante que actué por motivos razonables y de veracidad para pensar que la revelación es necesaria para poner de manifiesto la existencia del acto ilegal, lo que le garantiza la ausencia de responsabilidades por el acceso a la información, salvo que sea constitutivo de delito. Con esta finalidad se establece un catálogo de derechos de las personas denunciantes, que incluye el derecho a ser indemnizados por los perjuicios injustificados que sufran, y medidas de protección contra represalias en el ámbito de los empleados públicos.

§ 385. Por último, la **legislación sectorial** también ha tenido ocasión de establecer un estatus de protección de los denunciantes (Villegas, 2022), sobre todo por interpelación de la normativa comunitaria, como la Ley 10/2010, de 28 de abril, de prevención del blanqueo de capitales y de la financiación del terrorismo; la Ley 10/2014, de 26 de junio de ordenación, supervisión y solvencia de entidades de crédito; la Ley Orgánica 3/2018, de 5 de diciembre, de Protección de Datos Personales y Garantía de los Derechos Digitales; y la Ley 1/2019, de 20 de febrero, de Secretos Empresariales.

Fundamentos fenomenológicos y axiológicos

§ 386. La **decisión axiológica** de afrontar el reto de advertir sobre posibles irregularidades, más en asuntos de tanta envergadura como la corrupción, no es fácil de adoptar para ningún informante. El dilema moral se encuentra inmerso en un conflicto de valores entre el imperativo deber de solidaridad social de dar noticia de los asuntos dañosos para los intereses públicos y los mandatos éticos fuertemente enraizados en la sociedad como la lealtad hacia instituciones, compañeros y amistades, o la propia defensa de la integridad económica e incluso física del denunciante y su entorno (Fernández Ajenjo, 2019b). Ante este drama ético de difícil resolución, las instituciones públicas deben coadyuvar a adoptar la decisión de denunciar estableciendo garantías jurídicas e instrumentos eficaces de protección frente a las amenazas y daños que puedan acarrearse. El fin último será conseguir que aquellos que ejercen sus derechos a la libertad de expresión y de participación en los asuntos públicos puedan actuar bajo la disposición de la templanza, sin incurrir en excesos impulsados por la osadía irreflexiva o la venganza fruto de los daños sufridos.

§ 387. La **relación de ciudadanos-héroes** que han sufrido graves consecuencias por su decisión de romper el muro de opacidad en que se envuelven las prácticas corruptas es extensa en el ámbito internacional y también es conocida en nuestro país. Ejemplos como D. Alonso Puerta, expulsado del partido político y cesado del puesto de concejal en 1981 tras revelar públicamente una trama de donaciones ilícitas por los contratistas municipales; Dª. Ana Garrido Ramos, que tuvo que afrontar en 2007 un duro acoso laboral e importantes daños personales tras denunciar prácticas irregulares; o Dª. Iztiar González Virós, que finalmente abandonó el acta de concejal de urbanismo tras serias amenazas por desvelar intereses espurios; dan buena cuenta, entre otros muchos casos que podrían citarse, del riesgo de exponerse a las represalias por ejercer de buen ciudadano (Fernández Ajenjo, 2019c).

§ 388. Las **investigaciones académicas** han demostrado como el temor a denunciar y la tendencia a la represalia se encuentra fuertemente enraizada en las dinámicas de los grupos sociales. Un buen ejemplo son los resultados de la investigación universitaria expuestos en la Guía Denunciantes UNODC (2016,51):

> "Como parte de una investigación realizada en la Escuela de Administración de la Universidad de Columbia, se analizaron datos empíricos de un experimento de laboratorio sobre la disposición a denunciar mentiras y las consecuencias de este acto. Se llegó a la conclusión de que, mientras los grupos mantuvieron una composición fija, había bastantes personas dispuestas a denunciar mentiras de manera que mentir no redundaba en beneficio alguno. Sin embargo, una vez que los grupos pudieron elegir a sus miembros, la situación cambió. Los que denunciaban mentiras eran objeto de rechazo, incluso en los grupos donde nadie mentía. Los investigadores observaron que: [/] Se trata de una conclusión importante porque implica que la denuncia de acciones deshonestas tiene un costo muy alto, ya que a los denunciantes se les hace el vacío incluso en las organizaciones donde no se miente. Este dato contribuye a explicar la pésima trayectoria profesional de los empleados denunciantes y exige cautela en lo relativo a las políticas que revelan su identidad. Como ya se ha señalado, evitar a los denunciantes es compatible con la actitud de las personas [reacias a la mentira] que, en general, son honestas pero que entienden que podrían verse tentadas a mentir. Las personas honestas preferirían quizá renunciar

antes que denunciar a terceros, o ser despedidas antes de tener la oportunidad de denunciarlos, y así aumentaría la deshonestidad" (Miceli, M. P. y J. P. Near, "*What makes whistleblowers effective?*", Human Relations, 2002, vol. 55 (4); US National Business Ethics Survey, "*Retaliation: The cost to your company and its employees*", 2009).

§ 389. La **buena fe** del denunciante, es decir, la comunicación de actividades irregulares motivada por el sentimiento de un deber cívico propio del buen ciudadano aristotélico ha sido durante mucho tiempo un requisito para recibir el apoyo social y la atención jurídica. Asuntos como el caso Falciani, que ha tenido repercusiones a nivel internacional, han suscitado en la opinión pública el debate sobre si deben aceptarse informaciones posiblemente conseguidas mediante prácticas ilícitas o con intenciones arteras.

Desde la perspectiva moral, hay que reflexionar que las conductas movidas por la mala fe se encuentran viciadas, pues se apoyan en pulsiones claramente *antivaliosas*, como la ira, la venganza o simplemente el deseo de notoriedad, que son contrarias al deber de autodominio que debe regir las actuaciones humanas. En la conocida alegoría del auriga de Platón, el ser humano que dirige el carro impulsado por las pasiones del *appetitus concupiscibilis* y el *appetitus irascibilis* debe de enderezar su dirección hacia fines calificados de virtuosos y no dejarse llevar irreflexivamente por los turbios impulsos.

Por otra parte, la información veraz, con independencia de las intenciones del denunciante, también posee una carga moralmente valiosa en tanto que sirve para erradicar conductas contrarias a las leyes. Esta doble y contradictoria valoración ética de la "denuncia de mala fe, pero veraz" construye un conflicto de valores en la opinión pública que, cuando el bien público es importante, como el caso de prácticas fraudulentas y corruptas, nos obliga, por razones de justicia, a priorizar la aportación valiosa hacia el bien común. Como he tenido ocasión de manifestar en trabajos anteriores, debe distinguirse la importancia moral de luchar contra las prácticas fraudulentas y la consideración social positiva o negativa del denunciante que nos traslada al plano superior de los valores espirituales (Fernández Ajenjo, 2020b, 250):

> "Sin duda, el *fearless speech* al que hace referencia Foucault (2001), en correlato con el concepto de parresia griego de actuar con franqueza

y sin miedo, alcanza la más alta dignidad en el mundo de los valores. Sin embargo, la consideración de héroe o buen ejemplo social ya no remite al terreno de la ética, sino a un escalón superior, que abandona el deber ser obligatorio, y que es propio de los valores espirituales de la nobleza o la abnegación. La atribución al denunciante malicioso de la condición de héroe o villano será un debate social en el que cada ciudadano tomará partido crítico, sin olvidar nunca los valores formales de la prudencia y la templanza".

§ 390. La **denuncia de mala fe y falsa**, es decir, la propagada por quien divulga informaciones a sabiendas de que no son ciertas, debe recibir, en todo caso, la reprimenda social y la reacción del derecho sancionador, incluso en vía penal. El denunciante difamador atenta contra todos los estadios de los valores éticos, pues vulnera el respeto al honor de las personas e instituciones, atenta contra la equidad y la justicia al dañar a las relaciones jurídicas, y pierde el autodominio de sus pasiones al actuar bajo desvalores como, por ejemplo, la ira o la codicia. En estos supuestos, la respuesta social y jurídica debe apoyar a la persona denunciada, que habrá sido víctima de un daño reputacional sin fundamento. En definitiva, como afirma Garrido (2019, 14) es necesario "comprender que el rechazo se dirige sobre todo hacia las denuncias falsas y no contra aquellos que obran de manera convincente, aunque actúen impulsados por la aversión que sienten hacia la persona a la que va dirigida la denuncia".

§ 391. Las medidas de protección constituyen un **doble escudo axiológico** (Fernández Ajenjo, 2020b) que dota de legitimidad social al comportamiento del denunciante. Por un parte, el *escudo jurídico*, que trata de expulsar del ordenamiento jurídico, con la mayor rapidez posible, las represalias laborales o administrativas, así como otorgarle un estatus procesal privilegiado en los procesos judiciales. Por otra parte, la atribución de un *escudo económico* tendente a dotar de apoyo y asistencia jurídica, financiera o incluso psicológica a los colaboradores en la protección de los intereses públicos.

§ 392. Finalmente, conviene recordar la **larga tradición histórica** sobre la valoración social del denunciante, en tanto que contribuyente al cumplimiento de la ley y la persecución del delito (FGE, 2022, 11):

"Así, ya en las Leyes de Platón se elogiaba a aquel que denunciaba los delitos cometidos por otros: «Por otra parte, merece honor, ciertamente, el que en nada ha delinquido, pero al que además no permite delinquir a los delincuentes, a ese le corresponde un honor más de dos veces mayor que el de aquel; porque el primero vale como uno, pero el segundo, al denunciar ante los gobernantes la maldad de los demás, se hace igual en méritos a muchos ".

Marco jurídico de la Directiva de protección de las personas que informen sobre infracciones del Derecho de la Unión

§ 393. La equidad jurídica entre el amparo al informante y a la persona denunciada se desequilibra claramente en favor del primero en la Directiva 2019/1937, al considerarlo la parte débil de la relación, pues recibe un amplio catálogo de medidas en su favor, como la prohibición de represalias o las medidas de apoyo y protección. No obstante, la normativa comunitaria también ha velado por los derechos de las personas afectadas, lo que incluye garantías de la tutela judicial efectiva, la protección de su identidad durante la investigación y el establecimiento de sanciones contra las denuncias conscientemente falsas.

§ 394. Los fundamentos de las medidas protectoras del denunciante se encuentran explicitados en los considerandos 87 a 99 DPIUE, que establecen las siguientes apreciaciones:

– La *prohibición de todo tipo de represalia*, tanto del empresario, directivos o compañeros como de terceros ajenos a la organización (clientes, usuarios de servicios y otras organizaciones) (considerando 87 DPIUE).

– La *responsabilidad personal*, incluyendo sanciones, de los *represaliadores* (considerando 88 DPIUE).

– El *asesoramiento* confidencial, imparcial, individual y gratuito a los potenciales denunciantes y la protección de las entidades de la sociedad civil que presten esta clase de asesoramientos (considerando 89 DPIUE).

– La *acreditación del denunciante protegido*, para que pueda hacerse valer ante otras autoridades (considerando 90 DPIUE).

– La *ausencia de responsabilidad* civil, penal, administrativa o laboral del denunciante, salvo que se haya presentado información superflua sin motivos fundados (considerando 91 DPIUE).

- La *responsabilidad penal* del denunciante, conforme al Derecho nacional, cuando haya obtenido la información mediante un delito de intromisión física o informática, no debiendo entenderse por tales supuestos como la revelación del contenido de documentos a los que ha accedido lícitamente o de los que obtenga copia o los retire de los lugares de trabajo, o el acceso a mensajes de correo electrónico de compañeros, la consulta de documentos no vinculados a su trabajo, la fotografía de los locales corporativos o la entrada en lugares que no tiene acceso habitual (considerando 92 DPIUE).

- La *inversión de la carga de la prueba* hacia la persona denunciada en los conflictos jurídicos que se susciten después de presentada la denuncia (considerando 93 DPIUE).

- El *acceso a las vías de recurso* para revertir la represalia y a indemnización por daños y perjuicios presentes y futuros, incluyendo los daños morales (considerando 94 DPIUE).

- La *reparación o indemnización* debe ser real, efectiva, proporcionada y disuasoria para evitar, por ejemplo, que los despidos injustificados se sustancien con una indemnización que disuada a denunciantes futuros (considerando 95 DPIUE).

- La *adopción de medidas provisionales* que eviten que continue la represalia mientras se resuelven los procedimientos judiciales (considerando 96 DPIUE).

- La *atribución de la carga de la prueba* sobre el incumplimiento de las condiciones para la protección del denunciante, a la persona denunciada que ejercite contra los mismos procedimientos como los de difamación, violación de derechos de autor, secretos comerciales, confidencialidad y protección de datos personales (considerando 97 DPIUE).

- La *falta de responsabilidad por la revelación de secretos comerciales*, cuando se cumplan las condiciones de la Directiva (considerando 98 DPIUE).

- El *derecho a asistencia jurídica* en los procedimientos legales penales o asistencia económica, con carácter general, en el ejercicio de los derechos de protección, en determinados supuestos que se determinen legalmente (considerando 99 DPIUE).

§ 395. Por su parte, los **fundamentos de la protección a la persona afectada** se detallan en los considerandos 100 y 101 DPIUE, con los siguientes argumentos:

- El *respeto del derecho a la confidencialidad y del derecho de defensa*, incluido el acceso al expediente, a ser oído, a las vías de recurso y a una tutela judicial efectiva (considerando 100 DPIUE).

- El *derecho a indemnización* frente a las informaciones inexactas o engañosas que hayan sido efectuadas de forma deliberada y consciente (considerando 101 DPIUE).

§ 396. El **estatus de denunciante protegido** requerirá el cumplimiento de la doble condición de razonabilidad y seguimiento del procedimiento debido (artículo 6 DPIUE):

a) La *razonabilidad* se sustenta, asimismo, en la doble condición de que se tengan motivos razonables para pensar que la información es veraz y que se encuentra dentro del ámbito de aplicación de la Directiva.

b) El *procedimiento* será debido cuando se denuncie en los canales internos o externos, incluidos los existentes en cualquier órgano de la Unión, o se haya realizado una revelación pública conforme a las condiciones establecidas en la Directiva.

§ 397. La **prohibición absoluta de represalias** se centra en el ámbito laboral, pues se define como "toda acción u omisión, directa o indirecta, que tenga lugar en un contexto laboral, que esté motivada por una denuncia interna o externa o por una revelación pública y que cause o pueda causar perjuicios injustificados al denunciante" (apartado 11 del artículo 5 DPIUE). En particular, se relacionan, de forma ejemplificativa, los siguientes supuestos (artículo 19 DPIUE):

"a) suspensión, despido, destitución o medidas equivalentes;

b) degradación o denegación de ascensos;

c) cambio de puesto de trabajo, cambio de ubicación del lugar de trabajo, reducción salarial o cambio del horario de trabajo;

d) denegación de formación;

e) evaluación o referencias negativas con respecto a sus resultados laborales;

f) imposición de cualquier medida disciplinaria, amonestación u otra sanción, incluidas las sanciones pecuniarias;

g) coacciones, intimidaciones, acoso u ostracismo;

h) discriminación, o trato desfavorable o injusto;

i) no conversión de un contrato de trabajo temporal en uno indefinido, en caso de que el trabajador tuviera expectativas legítimas de que se le ofrecería un trabajo indefinido;

j) no renovación o terminación anticipada de un contrato de trabajo temporal;

k) daños, incluidos a su reputación, en especial en los medios sociales, o pérdidas económicas, incluidas la pérdida de negocio y de ingresos;

l) inclusión en listas negras sobre la base de un acuerdo sectorial, informal o formal, que pueda implicar que en el futuro la persona no vaya a encontrar empleo en dicho sector;

m) terminación anticipada o anulación de contratos de bienes o servicios;

n) anulación de una licencia o permiso;

o) referencias médicas o psiquiátricas".

§ 398. Las **medidas de apoyo** serán prestadas por la autoridad administrativa única e independiente o el centro de información designado por el Estado Miembros y deberán incluir las siguientes (artículo 20 DPIUE):

a) La información y asesoramiento completos, independientes y gratuitos.

b) La asistencia efectiva por parte de las autoridades competentes frente a represalias.

c) La asistencia y asesoramiento jurídico, en especial la asistencia jurídica en los procesos penales y en los procesos civiles transfronterizos de conformidad con la Directiva (UE) 2016/1919 y la Directiva 2008/52/CE del Parlamento Europeo y del Consejo.

d) La asistencia financiera, apoyo psicológico y otras medidas de apoyo en el marco de un proceso judicial.

§ 399. Las **medidas de protección frente a represalias** se dirigen a eximir de responsabilidad a los denunciantes y personas vinculadas, así como dotarles de garantías procesales contra las represalias que puedan recibir, entre las que se incluirán las siguientes (artículo 21 DPIUE):

a) *Medidas de exención de la responsabilidad*:
   - Las restricciones de revelación de información, si existe motivación razonable de la necesidad de la comunicación.
   - Las infracciones por adquisición de la información, salvo que constituya delito.

b) *Medidas de garantías procesales*:
   - La presunción de que la medida perjudicial ha sido como represalia, en los procedimientos judiciales o de otra naturaleza.
   - La adopción de medidas correctoras frente a represalias, incluidas medidas provisionales.
   - La alegación de descargo en los procesos judiciales de haber presentado denuncia o revelación pública, si existe motivación razonable de la necesidad de la comunicación.
   - El acceso a vías de recurso e indemnización íntegra de los daños y perjuicios sufridos.

§ 400. El **estatus de protección de la persona afectada** surge por razones de equidad y por imperativo del derecho de defensa, por lo que la Directiva 2019/1937 les confiere los siguientes derechos a los sujetos pasivos de la denuncia:

a) El *derecho de defensa*, para garantizar que "las personas afectadas gocen plenamente de su derecho a la tutela judicial efectiva y a un juez imparcial, así como a la presunción de inocencia y al derecho de defensa, incluido el derecho a ser oídos y el derecho a acceder a su expediente" (artículo 22, párrafo 1 DPIUE).

b) El *derecho a la confidencialidad*, por el que "las autoridades competentes velarán, de conformidad con el Derecho nacional, porque la identidad de las personas afectadas esté protegida mientras cualquier investigación desencadenada por la denuncia o la revelación pública esté en curso" (artículo 22, párrafo 2 DPIUE).

c) El *derecho a indemnidad* mediante la sanción de los denunciantes que aporten información falsa a sabiendas y, en su caso, la indemnización de daños y perjuicios al denunciado (artículo 23.2 DPIUE).

§ 401. No obstante, hay que recordar las **limitaciones del derecho de defensa**, por su efecto informador, establecidas para el proceso penal en la Directiva 2012/13/UE del Parlamento Europeo y del Consejo, de 22 de mayo de 2012, relativa al derecho a la información en los procesos penales para denegar el acceso a los materiales del expediente al inculpado y su abogado (artículo 7.4):

> "Cuando ello no suponga un perjuicio para el derecho a un juicio equitativo, podrá *denegarse el acceso a determinados materiales* si ello puede dar lugar a una amenaza grave para la vida o los derechos fundamentales de otra persona o si la denegación es estrictamente necesaria para defender un interés público importante, como en los casos en que se corre el riesgo de perjudicar una investigación en curso, o cuando se puede menoscabar gravemente la seguridad nacional del Estado miembro en el que tiene lugar el proceso penal. Los Estados miembros garantizarán que, de conformidad con los procedimientos previstos por la legislación nacional, sea un tribunal quien adopte la decisión de denegar el acceso a determinados materiales con arreglo al presente apartado o, por lo menos, que dicha decisión se someta a control judicial".

§ 402. La **prohibición de disposición** de los derechos de los denunciantes actúa como garantía de cierre del sistema para evitar que la posición de fuerza de la persona denunciada y sus coadyuvantes pueda, en la práctica, dejar sin efecto la aplicación de las medidas de protección. Por esta razón, el artículo 24 DPIUE establece que "los Estados miembros velarán por que no puedan limitarse los derechos y vías de recurso previstos por la presente Directiva, ni se pueda renunciar a ellos, por medio de ningún acuerdo, política, forma de empleo o condiciones de trabajo, incluida cualquier cláusula de sometimiento a arbitraje".

Régimen jurídico de la Ley de Protección del Informante

§ 403. El **preámbulo LPI** declara expresamente que el 'eje de la ley' son "las medidas de protección para amparar a aquellas personas que mantienen una actitud cívica y de respeto democrático al alertar sobre infracciones graves que dañan el interés general", sin olvidar, por ello, los derechos de las personas afectadas por las informaciones. Con esta finalidad, se abordan las siguientes cuestiones:

– La *prohibición y declaración de nulidad de las represalias* adoptadas hasta dos años después de finalizar las investigaciones, que puede ser ampliable en casos excepcionales.

– La *inadmisión de cláusulas o disposiciones contractuales* que restrinjan el derecho a informar.

– El *apoyo de la Autoridad Independiente de Protección del Informante, A.A.I.* para la efectividad de las medidas.

– La *protección de las personas afectadas,* cuando la información ha sido manipulada, sean falsas o "responda a motivaciones que el Derecho no puede amparar".

§ 404. Los **requisitos de acceso** al estatus de protección del informante o revelador requieren un requisito material y otro formal (artículo 35.1 LPI):

a) El *requisito material* de la motivación razonable obliga al informante a valorar dos condiciones:

   – La veracidad de la información, aun cuando no aporten pruebas concluyentes.

   – La inserción de la información en el ámbito material de aplicación de la ley.

b) El *requisito formal* de que la comunicación o revelación han cumplido los requerimientos exigidos por la ley.

§ 405. Las **condiciones de exclusión** de protección del informante o revelador serán los siguientes (artículo 35.2 LPI):

a) *Informaciones contenidas en comunicaciones que hayan sido inadmitidas* por algún canal interno de información o por alguna de las causas previstas en el artículo 18.2.a).

b) *Informaciones vinculadas a reclamaciones sobre conflictos interpersonales* o que afecten únicamente al informante y a las personas a las que se refiera la comunicación o revelación.

c) *Informaciones que ya estén completamente disponibles para el público o que constituyan meros rumores.*

d) *Informaciones que se refieran a acciones u omisiones no comprendidas en el ámbito de aplicación material de la ley.*

§ 406. El **informante o revelador anónimo,** de quien se desvele posteriormente su identidad y que cumpla las condiciones previstas en la

Ley, tendrá derecho a acogerse a las medidas de protección (artículo 35.3 LPI).

§ 407. **El informante ante las instituciones de la Unión Europea,** que cumplan las condiciones previstas en la Ley, tendrá igualmente derecho a acogerse a las medidas de protección como si hubiera utilizado los canales externos (artículo 35.4 LPI).

§ 408. **La prohibición de represalia** abarca cualquier grado de ejecución, tanto a los actos constitutivos de represalia como a las amenazas de represalia y las tentativas de represalia (artículo 36.1 LPI).

§ 409. **La definición de represalia** se extiende a "cualesquiera actos u omisiones que estén prohibidos por la ley, o que, de forma directa o indirecta, supongan un trato desfavorable que sitúe a las personas que las sufren en desventaja particular con respecto a otra en el contexto laboral o profesional, solo por su condición de informantes, o por haber realizado una revelación pública" (artículo 36.2 LPI).

§ 410. **El catálogo enunciativo de represalias,** es decir, "conductas intolerables hacia los informantes" como señala el preámbulo de la ley, incluye las siguientes acciones (artículo 36.3 LPI):

"a) Suspensión del contrato de trabajo, despido o extinción de la relación laboral o estatutaria, incluyendo la no renovación o la terminación anticipada de un contrato de trabajo temporal una vez superado el período de prueba, o terminación anticipada o anulación de contratos de bienes o servicios, imposición de cualquier medida disciplinaria, degradación o denegación de ascensos y cualquier otra modificación sustancial de las condiciones de trabajo y la no conversión de un contrato de trabajo temporal en uno indefinido, en caso de que el trabajador tuviera expectativas legítimas de que se le ofrecería un trabajo indefinido; salvo que estas medidas se llevaran a cabo dentro del ejercicio regular del poder de dirección al amparo de la legislación laboral o reguladora del estatuto del empleado público correspondiente, por circunstancias, hechos o infracciones acreditadas, y ajenas a la presentación de la comunicación.

b) Daños, incluidos los de carácter reputacional, o pérdidas económicas, coacciones, intimidaciones, acoso u ostracismo.

c) Evaluación o referencias negativas respecto al desempeño laboral o profesional.

d) Inclusión en listas negras o difusión de información en un determinado ámbito sectorial, que dificulten o impidan el acceso al empleo o la contratación de obras o servicios.

e) Denegación o anulación de una licencia o permiso.

f) Denegación de formación.

g) Discriminación, o trato desfavorable o injusto."

§ 411. El **plazo de protección** frente a la prohibición de las represalias que dañe los derechos del informante se extiende durante dos años, si bien se podrá solicitar la extensión del período de protección, que podrá ser autorizada por la autoridad competente, de forma excepcional y justificada, cuando el comunicante sufra represalias con posterioridad, previa audiencia de la persona o los órganos que pudieran verse afectados (artículo 36.4 LPI). A pesar de que la fórmula del cómputo de este periodo no se deduce de la norma finalmente aprobada, deberá entenderse que se computa desde el final de las investigaciones por así indicarse en el preámbulo LPI.

§ 412. En la esfera pública, se declara la **nulidad de pleno de derecho** de los actos administrativos tendentes a impedir o dificultar las comunicaciones de esta ley o que constituyan represalia o discriminación "y darán lugar, en su caso, a medidas correctoras disciplinarias o de responsabilidad, pudiendo incluir la correspondiente indemnización de daños y perjuicios al perjudicado" (artículo 36.5 LPI).

§ 413. La **adopción de las medidas provisionales** en el marco de los procedimientos sancionadores por la autoridad competente, conforme a lo previsto en el artículo 56 LPAC (artículo 36.6 LPI).

§ 414. Las **medidas de apoyo** a las que pueden acceder los informantes y reveladores amparados por esta ley son las siguientes (artículo 37 LPI):

– *Información y asesoramiento*: "Información y asesoramiento completos e independientes, que sean fácilmente accesibles para el público y gratuitos, sobre los procedimientos y recursos disponibles, protección frente a represalias y derechos de la persona afectada".

– *Asistencia de la autoridad competente*: "Asistencia efectiva por parte de las autoridades competentes ante cualquier autoridad pertinente implicada en su protección frente a represalias, incluida la certificación de que pueden acogerse a protección al amparo de la presente ley".

– *Asistencia jurídica*: "Asistencia jurídica en los procesos penales y en los procesos civiles transfronterizos de conformidad con la normativa comunitaria".

– *Asistencia financiera y psicológica*: "Apoyo financiero y psicológico, de forma excepcional, si así lo decidiese la Autoridad Independiente de Protección del Informante, A.A.I. tras la valoración de las circunstancias derivadas de la presentación de la comunicación".

– *Asistencia jurídica gratuita*: "Al amparo de la Ley 1/1996, de 10 de enero, de asistencia jurídica gratuita, para la representación y defensa en procedimientos judiciales derivados de la presentación de la comunicación o revelación pública".

§ 415. A efectos de efectos de la **asistencia jurídica gratuita**, la disposición final primera LPI ha modificado el artículo 2 de la Ley 1/1996, para reconocer este derecho exclusivamente a los informantes en canales externos que reúnan las condiciones de protección de la ley, "siempre que cuenten con unos recursos e ingresos económicos brutos, computados anualmente por todos los conceptos y por unidad familiar, inferiores a cuatro veces el indicador público de renta de efectos múltiples vigente en el momento de comunicar la información" (disposición final primera LPI).

§ 416. Las **medidas de protección** frente a represalias a las que pueden acceder los informantes y reveladores amparados por esta ley son las siguientes (artículo 38 LPI):

– La *exención de responsabilidad por la infracción de la revelación de información, salvo las responsabilidades de naturaleza penal*, "siempre que tuvieran motivos razonables para pensar que la comunicación o revelación pública de dicha información era necesaria para revelar una acción u omisión en virtud de esta ley", Esta medida se aplicará también a los representantes de las personas trabajadoras.

– La *exención de responsabilidad por la adquisición o acceso a la información, siempre que no constituya delito*.

– La *presunción en los procedimientos de reclamación de perjuicios de que se han producido por causa de la comunicación*. La persona que haya tomado la medida perjudicial deberá demostrar que se realizó por "motivos debidamente justificados no vinculados a la comunicación o revelación pública".

- La *exención de responsabilidad en todos los procedimientos judiciales*, pudiendo alegar en su descargo la comunicación realizada a la autoridad competente, "siempre que tuvieran motivos razonables para pensar que la comunicación o revelación pública era necesaria para poner de manifiesto una infracción en virtud de esta ley". Esta exención será aplicable, en todo caso, a los procedimientos judiciales relativos a "difamación, violación de derechos de autor, vulneración de secreto, infracción de las normas de protección de datos, revelación de secretos empresariales, o a solicitudes de indemnización basadas en el derecho laboral o estatutario".

§ 417. Las **medidas de protección de las personas afectadas**, basadas en el derecho de defensa y la confidencialidad, serán las siguientes (artículo 39 LPI):

- "derecho a la presunción de inocencia, al derecho de defensa y al derecho de acceso al expediente en los términos regulados en esta ley",

- "La misma protección establecida para los informantes, preservándose su identidad y garantizándose la confidencialidad de los hechos y datos del procedimiento".

§ 418. El **periodo transitorio de aplicación** de las medidas de protección se extenderá a las comunicaciones recibidas desde la entrada en vigor de la Directiva 2019/1937 (disposición adicional sexta LPI). La entrada en vigor de la citada Directiva se produjo a los veinte días su publicación en el Diario Oficial de la Unión Europea (artículo 28 DPIUE), cuyo hecho aconteció el 26 de noviembre de 2019, por lo que su vigencia comenzó el 17 de diciembre de 2019.

§ 419. Los **programas de clemencia** permiten a las personas incursas en una infracción administrativa objeto de información ser exoneradas total o parcialmente de las sanciones que pudieran recibir, cuando aporten información con las condiciones previstas en el artículo 40 LPI.

§ 420. La **exoneración total** parte del requisito esencial de que la presentación de la información se realice antes de ser notificada a la persona afectada la incoación del procedimiento de investigación o sancionador, a los que habrá que agregar los siguientes extremos (artículo 40.1 LPI):

"a) *Haber cesado en la comisión de la infracción* en el momento de presentación de la comunicación o revelación e identificado, en su caso, al resto de las personas que hayan participado o favorecido aquella.

b) *Haber cooperado plena, continua y diligentemente* a lo largo de todo el procedimiento de investigación.

c) *Haber facilitado información veraz y relevante, medios de prueba o datos significativos* para la acreditación de los hechos investigados, sin que haya procedido a la destrucción de estos o a su ocultación, ni haya revelado a terceros, directa o indirectamente su contenido.

d) *Haber procedido a la reparación del daño causado* que le sea imputable".

§ 421. La **exoneración parcial del infractor-colaborador** se podrá aplicar cuando no se cumplan los requisitos de exención totalmente, teniendo en cuenta los siguientes criterios (artículo 40.2 LPI):

a) "valoración del grado de contribución a la resolución del expediente".

b) "el informante o autor de la revelación no haya sido sancionado anteriormente por hechos de la misma naturaleza que dieron origen al inicio del procedimiento".

§ 422. La **exoneración parcial del resto de infractores-colaboradores** se aplicará en "función del grado de colaboración activa en el esclarecimiento de los hechos, identificación de otros participantes y reparación o minoración del daño causado, apreciado por el órgano encargado de la resolución" (artículo 40.3 LPI).

§ 423. Los **programas de clemencia en materia de competencia** se regirán por lo previsto en Ley 15/2007, de 3 de julio, de Defensa de la Competencia (artículo 40.4 LPI).

§ 424. Las **autoridades competentes** para la prestación de las medidas de apoyo serán las siguientes (artículo 41, párrafo 1 LPI y disposiciones adicionales primera y cuarta LPI):

– La *Autoridad Independiente de Protección del Informante, A.A.I.* para las infracciones cometidas en el ámbito del sector privado o en sector público estatal. Además, podrá asumir estas funciones en las comunidades autónomas y ciudades con Es-

tatuto de Autonomía que lo decidan y suscriban el correspondiente convenio, sufragando los correspondientes gastos.

– Las *autoridades competentes de las CCAA* para las infracciones
cometidas en el ámbito del sector privado dentro de su ámbito
territorial o en su sector público autonómico o local.

– La *autoridad competente de la Administración de los Territorios Históricos del País Vasco* designada por las instituciones
competentes en los términos que disponga la normativa autonómica.

§ 425. Las **entidades del sector público y privado** podrán ofrecer
complementariamente a los informantes y reveladores medidas de
apoyo y asistencia específicas (artículo 41, párrafo 2 LPI).

§ 426. La **autoridad competente en materia de defensa de la competencia** para la adopción de las medidas de protección, cuando las
comunicaciones se presenten a través del canal externo de la Dirección de Competencia de la CNMC será la Autoridad Independiente
de Protección del Informante, A.A.I. A estos efectos, se ha introducido
una nueva disposición adicional duodécima en la Ley 15/2007, de 3
de julio, de Defensa de la Competencia (disposición final tercera LPI).

§ 427. La **autoridad competente en materia de blanqueo de capitales y financiación del terrorismo** para la protección de los informantes
sobre actividades relacionadas con estas cuestiones será la Autoridad
Independiente de Protección del Informante, A.A.I. A estos efectos,
se ha modificado el artículo 65.5 de la Ley 10/2010, de 28 de abril,
de prevención del blanqueo de capitales y de la financiación del terrorismo, que anteriormente hacía referencia al Servicio Ejecutivo de
la Comisión de Prevención del Blanqueo de Capitales e Infracciones
Monetarias (disposición final cuarta LPI).

§ 428. La **autoridad competente en materia de supervisión de entidades de crédito** para la protección de los informantes sobre actividades relaciones con estas cuestiones será la Autoridad Independiente
de Protección del Informante, A.A.I., cuando las comunicaciones presentadas ante el Banco de España se encuentren dentro del ámbito
de aplicación de la Ley del Informante. A estos efectos se ha añadido
un nuevo apartado 3 en el artículo 122 de la Ley 10/2014, de 26 de
junio, de ordenación, supervisión y solvencia de entidades de crédito,

puesto que, hasta el momento, correspondía al Banco de España la protección al comunicante prevista en la citada ley.

Reflexión final y comentarios

§ 429. El régimen de protección de los informantes es una **respuesta jurídica necesaria** para que los Estados de Derecho puedan garantizar, de manera efectiva, a quienes ejercitan el derecho a la libertad de expresión y a la participación ciudadana, que no recibirán impunemente represalias ya prohibidas y desde hace tiempo castigadas, aunque sin gran repercusión práctica, como la inseguridad económica y profesional causada por los despidos fraudulentos, la incertidumbre jurídica como consecuencia de demandas y querellas infundadas e incluso el daño personal que suponen las coacciones físicas y morales. En definitiva, como ha reflexionado el Consejo de Europa (2014), las medidas de protección legalmente reconocidas deben contribuir a facilitar la difícil decisión, aun en los entornos democráticos más desarrollados, sobre si mantener el silencio o transmitir a las autoridades competentes los hechos ilícitos que se han conocido frente a la reticencia de los países que identifican la denuncia con graves oprobios de pasados dictatoriales o simplemente con una práctica contraria a la lealtad corporativa,

§ 430. La **doctrina jurídica especializada** ha puesto de manifiesto el desequilibrio de medios entre el informante y las personas afectadas por sus comunicaciones (García Mexía, 2008), ya que este último parte casi siempre de una posición dominante en binomios como el de empleador/trabajador, jefe/subordinado o autoridad/ciudadano. Por lo tanto, "sería un gran error dotarse de procedimientos y canales para la formulación de denuncias, y renunciar a articular un procedimiento para la concesión del estatuto de la persona denunciante" (Garrido, 2019, 137).

§ 431. El **debate sobre la buena o mala fe** ha trasladado el punto de observación desde el escrutinio de las intenciones espurias o benéficas del denunciante, en favor de los intereses públicos protegidos, pues, como expresa el preámbulo LPI, "la conciencia honesta de que se han producido o pueden producirse hechos graves perjudiciales constituye un requisito indispensable para la protección del informante". Como ha advertido Bachmaier (2019), el deslinde de la motivación no resulta siempre fácil, pues muy posiblemente se presente interconectadas las razones altruistas e interesadas. Por esta razón, el Consejo de Europa (2014) ha excluido de forma expresa el requisito de la buena fe en sus recomendaciones, de tal forma que el Principio 22 no lo recoge como condición para otorgar la protección:

> "22. La protección no debe perderse únicamente sobre la base de que la persona que hizo el informe o la divulgación se equivocó en cuanto a su importancia o que la amenaza percibida para el interés público no se ha materializado, siempre que tenga motivos razonables para creer en su exactitud".

§ 432. La reacción jurídica contra el **denunciante de mala fe** únicamente se reserva ante la aportación consciente de pruebas falsas u obtenidas mediante la comisión de un delito. En este sentido, el preámbulo LPI manifiesta expresamente la necesidad de excluir de la protección a "la remisión de informaciones falsas o tergiversadas, así como aquellas que se han obtenido de manera ilícita". De esta forma, se ha seguido la recomendación del Consejo de Europa (2014) en favor de la persona afectada difamada, que recoge en el Principio 10:

> "El Principio 10 protege la posición de cualquier persona que sufra pérdidas o lesiones como resultado de alguien que deliberadamente y con conocimiento informe o divulgue información falsa. Además, una persona que hace tales informes o divulgaciones no debe estar protegida por la ley".

§ 433. No obstante, el **fenómeno de la desinformación**, entendida como "la información verificablemente falsa o engañosa que se crea, presenta y divulga con fines lucrativos o para inducir a error deliberadamente a la población, y que puede causar un daño público" (Comisión Europea, 2018b, 1), puede conducir a renovar el debate sobre las sanas o insanas intenciones del denunciante sobre hechos que revisten a priori indicios de verosimilitud. En este sentido, la desinformación es una actividad consciente basada en la falsedad y el engaño, utilizando como herramientas no solo la mentira, sino también técnicas como las falacias o la sobreinformación. Como ha advertido Benítez (2019), la aplicación de la Directiva 2019/1937 debe tener en cuenta que se está actuando en un entorno global donde las denuncias de mala fe pueden interferir en el debate político de forma espuria.

§ 434. Las **causas de exclusión** de la protección previstas expresamente en la Ley del Informante difieren de las previsiones del artículo 6.1 DPIUE, que únicamente establece, de forma positiva, las condiciones para el acceso al citado estatus. Esta discordancia ha creado un "laberinto" que generará fuertes dudas en los informantes (Sierra, 2022, 91), por lo que hubiera resultado conveniente que el preámbulo LPI justificara razonablemente la introducción de estos motivos de exclusión. No obstante, el Informe del CGPJ (2022) y el Informe del Consejo de Estado (2022) han avalado, con carácter general, las causas de exclusión del artículo 35.2 LPI, por lo que conviene realizar las siguientes consideraciones:

– Las *informaciones que han sido inadmitidas por los canales internos o en las que concurren las causas de inadmisión del artículo 18.2.a) LPI de los canales externos* no deberían quedar automáticamente excluidas del estatus de protección, pues, a pesar de estas circunstancias, el informante puede haber presentado la denuncia con motivos razonables de veracidad, aplicabilidad de la ley y ajustándose a la normativa de los canales. En este sentido, el considerando (79) DPIUE reconoce como supuesto específico de protección, las revelaciones públicas realizadas, tras la denuncia interna o externa, cuando "la infracción siga sin ser atendida, por ejemplo, cuando la infracción no se ha evaluado o investigado adecuadamente o no se han adoptado medidas correctoras adecuadas". En este aspecto, disentimos de la valoración realizada por el parágrafo 187 del Informe CGPJ (2022, 71) que considera que estas exclusiones están "en línea de coherencia con la caracterización como seguimiento adecuado en los términos de la Directiva objeto de trasposición que el Considerando 79 de la misma otorga a las decisiones de archivo de los procedimientos de investigación de denuncias que puedan adoptar las autoridades nacionales". Por otra parte, como ya se señaló en el análisis del artículo 18 LPI, la Guía Técnica UNODC (2010) recomienda que el reconocimiento del estatus de denunciante se otorgue *ex ante*, con independencia, salvo falsedad, del resultado final de la investigación.

– Las *informaciones vinculadas a motivos interpersonales* (artículo 35.1.b LPI) se encontrarían bajo el amparo del considerando (22) DPIUE que señala que "Los Estados miembros podrían decidir que las denuncias relativas a reclamaciones interpersonales que afecten exclusivamente al denunciante, a saber, reclamaciones sobre conflictos interpersonales entre el denunciante y otro trabajador, puedan ser canalizadas hacia otros procedimientos", queden excluidas de la competencia de los canales internos o externos. No obstante, como ha advertido el propio CGPJ (2022), el artículo 7.4 LPI permite que los canales internos sean habilitados para recibir otro tipo de comunicaciones, sin bien estas informaciones quedarían fuera del ámbito de protección de la ley. En estos supuestos, la exclusión de la protección quedaría sujeta al cumplimiento de los motivos razonables sobre la aplicabilidad de la ley, pues "los denunciantes deben tener derecho a protección en virtud de la presente Directiva si tienen motivos razonables para creer que la información comunicada entra dentro de su ámbito de aplicación" (considerando 32 DPIUE).

– Las *informaciones ya conocidas públicamente o basadas en rumores (artículo 35.2.c) LPI)* encuentren su tenor casi literal en el considerando (43) DPIUE: "Al mismo tiempo, no debe protegerse a personas que comuniquen información que ya esté completamente disponible para el público, o rumores y habladurías no confirmados". De manera rotunda, el Consejo de Estado ha manifestado que "los meros rumores y las informaciones ya disponibles no podrían ser calificadas como informaciones en el sentido del artículo 2". No obstante, si la noticia sobre la irregularidad ha sido publicada en medios de comunicación de escasa difusión, en redes sociales o en actos públicos sin gran cobertura informativa, el informante puede tener motivos razonables para dudar si ha sido lo suficientemente pública para ser conocida por los órganos de inspección en la materia y, en su caso, ponerla en conocimiento de la autoridad competente. En este sentido, consideramos que habría sido más ajustado al espíritu y a la letra de la ley seguir la redacción del considerando (91) DPIUE que únicamente considera que "dicha protección no debe hacerse extensiva a la información superflua que la persona hubiera revelado sin tener dichos motivos fundados".

– Las *informaciones fuera del ámbito de aplicación de la ley establecido en el artículo 2 LPI (artículo 35.2.d) LPI)*. En este supuesto, la redacción taxativa de la Ley del Informante se debería haber modulado, y entendemos que en tal sentido se debe realizar su aplicación práctica, con la referencia general a la existencia de motivación razonable sobre el ámbito material de aplicación, por consideración, como en el apartado a), del considerando (32) DPIUE señala con rotundidad, como ya se ha indicado, que el derecho a la protección surge cuando el denunciante tiene "motivos razonables para creer que la información comunicada entra dentro de su ámbito de aplicación".

En favor de la interpretación menos restrictiva y más favorable hacia los informantes que proponemos, pueden citarse las siguientes consideraciones de la Guía Denunciantes UNODC (2016, 27) que, con el fin de facilitar las denuncias y proteger a los denunciantes, únicamente determina como causa de exclusión de la protección la comunicación a sabiendas de información falsa:

> "Conforme al artículo 33 de la Convención contra la Corrupción, se considerará la posibilidad de proporcionar protección contra todo trato injustificado a las personas que denuncien ante las autoridades competentes, de buena fe y con motivos razonables. Por lo tanto, si una persona tiene motivos razonables para creer que la información indica la existencia de irregularidades o prácticas ilícitas, y que es razonable que alguien en su posición lo crea sobre la base de la información a su disposición, entonces es necesario otorgar protección a esa persona. En estas circunstancias, aun si el denunciante se ha equivocado en cuanto al sentido de la información que ha comunicado y no se ha encontrado corrupción o irregularidad alguna, esa persona estará protegida por haber hecho la denuncia. Sin embargo, si una persona comunica información a sabiendas de que es falsa, es evidente que en ese caso deberían aplicarse salvaguardias, es decir que esa persona no estaría en condiciones de acogerse a la protección de la ley y podría ser sancionada si ocurriera un daño".

§ 435. La protección extensiva únicamente a los informantes ante las instituciones de la UE, y no ante las autoridades nacionales, produce una asimetría entre la defensa del ordenamiento jurídico comunitario y español que no parece justificada jurídicamente y puede presentar serios inconvenientes en su aplicación práctica. Por ejemplo, el informante sobre irregularidades en la ejecución de fondos europeos puede ser amparado por la AIPI, A.A.I. si presenta su comunicación ante la Oficina Europea de Lucha contra el Fraude (OLAF) y excluido de protección si la presenta en los buzones y canales habilitados por

las autoridades nacionales de gestión de los mismos y, específicamente, por el Servicio Nacional de Coordinación Antifraude (Fernández
Ajenjo, 2019a).

§ 436. Las **críticas a la definición y el catálogo de represalias prohibidas** de los apartados 1, 2 y 3 del artículo 36 LPI, en la fase de informe del anteproyecto de ley, por parte del CGPJ (2022) y el Consejo
de Estado (2022), se centraron en que la redacción normativa se apar-
taba, en algunos aspectos, del tenor literal de los artículos 5.11 y 19
DPIUE. Con carácter general, las observaciones realizadas por estas
instituciones se han tenido en cuenta en el texto finalmente aprobado
y, aunque se mantiene la referencia "al trato desfavorable o desventaja particular" en lugar de los "perjuicios injustificados", esta redacción puede considerar, a juicio del Consejo de Estado, un concepto
más amplio que el previsto en la Directiva 2019/1937.

§ 437. El **plazo temporal** de aplicación de la prohibición de represalias, que en el anteproyecto de ley se limitaba a dos años, ha sido
modificado para establecer un periodo de ampliación excepcional y
sin plazo limitativo. De esta forma, se ha atendido la advertencia del
Informe del CGPJ (2022,72-73) sobre que "la definición propuesta
por el prelegislador introduce, por tanto, una limitación temporal
que restringe o acota de manera relevante el número de acciones u
omisiones que pueden catalogarse como represalias a los efectos de
la aplicación de la norma sin que la Directiva objeto de trasposición
avale tal limitación o restricción". De la misma forma, el Consejo
de Estado (2022) consideraba que la Directiva 2019/1937 prohibía
cualquier represalia, aunque se produjera años después de finalizar el
procedimiento indagatorio, a pesar de la alegación del prelegislador
de que se trataba de "una opción de política legislativa motivada por
motivos presupuestarios, pues no puede establecerse un sistema in-
demnizatorio o de ayudas con carácter indefinido".

§ 438. El **derecho a la asistencia jurídica gratuita,** mediante un
régimen específico introducido en una nueva letra k) al artículo 2 de
la Ley 1/1996, de 10 de enero, de asistencia jurídica gratuita, se limitará por un umbral económico ("cuatro veces el indicador público de
renta de efectos múltiples"), que es superior al previsto con carácter
general (entre dos veces y el triple del indicador). No obstante, no se
ha aplicado a los informantes el pleno reconocimiento del derecho

sin sujeción a la insuficiencia de medios económicos para colectivos como las víctimas de violencia de género, de terrorismo y de trata de seres humanos o las asociaciones que tengan como fin la promoción y defensa de los derechos de las víctimas del terrorismo.

§ 439. La **limitación del derecho de asistencia jurídica gratuita** únicamente a los informantes ante "la Autoridad Independiente de Protección del Informante, A.A.I., o a las autoridades autonómicas respectivas", conforme a la redacción del artículo 2.k) Ley 1/1996, supone una exclusión legal de esta medida de apoyo en favor de los informantes de los canales internos y los reveladores públicos. Esta diferencia del estatus de protección se contradice con lo establecido en el artículo 37.2 LPI, que, como se puede observar, si reconoce la existencia del derecho a la asistencia jurídica gratuita a todo comunicante y a los reveladores públicos:

> "Todo ello, con independencia de la asistencia que pudiera corresponder al amparo de la Ley 1/1996, de 10 de enero, de asistencia jurídica gratuita, para la representación y defensa en procedimientos judiciales derivados de la presentación de la comunicación o revelación pública".

§ 440. La **asistencia jurídica gratuita del empleado público** debe entenderse como complementaria del principio general de indemnidad de los empleados públicos que obliga a las Administraciones Públicas a protegerlo frente a cualquier amenaza y resarcirlos de los gastos ante cualquier orden jurisdiccional, según el derecho a la defensa jurídica previsto en el artículo 14.f) TRLEBEP y, para los funcionarios locales, en el artículo 141.2 Real Decreto Legislativo 781/1986, de 18 de abril, por el que se aprueba el texto refundido de las disposiciones legales vigentes en materia de Régimen Local.

La cobertura de la defensa jurídica por las represalias sufridas por el empleado público que informe de las irregularidades a las que está obligado en el ejercicio de su cargo se encontrarían amparadas en estos supuestos, Por lo tanto, se trata de un deber estatutario de las Administraciones Públicas y no de un supuesto de responsabilidad patrimonial por el mal funcionamiento de los servicios que, como ha tenido ocasión de aclarar la STS 347/2023, 6 de febrero, en concordancia con la STS de 4 de febrero de 2002, requerirá la iniciativa del servidor público que podrá optar por la asistencia de los servicios jurídicos públicos y si existiese conflicto de intereses, y previa solicitud a su entidad, el coste de los servicios privados.

§ 441. Las **medidas correctoras** de protección frente la represalias (artículo 21.6 DPIUE), en tanto que se resuelve el correspondiente procedimiento judicial, únicamente han sido previstas en relación con la nulidad de los actos administrativos (artículo 36.5 LPI) o la adopción de medidas provisionales en el procedimiento sancionador (artículo 36.6 LPI). Aunque la Directiva 2019/1937 remite al marco del Derecho nacional la regulación de estas medidas correctoras, no se han tenido en cuenta, entre otras, la adopción de medidas en el ámbito laboral que propone el considerando (96) DPIUE:

> "De especial importancia para los denunciantes son las medidas pro-
> visionales a la espera de la resolución del proceso judicial, que puede pro-
> longarse. En particular, los denunciantes deben poder acogerse a medidas
> provisionales tal como se establezcan en Derecho nacional, para poner fin
> a amenazas, tentativas o actos continuados de represalia, como el acoso, o
> para prevenir formas de represalia como el despido, que puede ser difícil
> de revertir una vez transcurrido un largo período y arruinar económica-
> mente a una persona, una perspectiva que puede disuadir eficazmente a
> denunciantes potenciales".

Por lo tanto, hubiese sido conveniente que el legislador profundi-zara en la regulación de las medidas provisionales para poder revertir rápidamente las represalias adoptadas, pues "en una visión global y de modo similar a como sucede respecto a su capacidad para inves-tigar las alertas, faltaría una mayor cobertura legal para actuar de manera inmediata y contundente ante las peticiones de auxilio de los alertadores" (Sierra, 2022, 91). A modo de ejemplo, se recoge un ca-tálogo de medidas correctoras en favor de denunciantes o víctimas de delitos adoptadas legislativamente en el marco de diversas políticas públicas:

– La *suspensión de la disposición, acto o resolución administrati-va* dictada por la jurisdicción contencioso-administrativa en el procedimiento para la garantía de la unidad de mercado, a so-licitud de la Comisión Nacional de los Mercados y la Competen-cia (artículo 127 quater Ley 29/1998, de 13 de julio, reguladora de la Jurisdicción Contencioso-administrativa).

- La *legitimación para impugnar actos y normas reglamentarias* en materia de competencia de mercados (artículo 5.4 Ley 3/2013, de 4 de junio, de creación de la Comisión Nacional de los Mercados y la Competencia).

- La *movibilidad por razón de violencia de género, violencia sexual y violencia terrorista* (artículo 82 Real Decreto Legislativo 5/2015, de 30 de octubre, por el que se aprueba el texto refundido de la Ley del Estatuto Básico del Empleado Público).

- El *derecho a la reducción o a la reordenación de su tiempo de trabajo y a la movilidad geográfica* de los empleados públicos a las víctimas del terrorismo y sus cónyuges (artículo 35 Ley 29/2011, de 22 de septiembre, de Reconocimiento y Protección Integral a las Víctimas del Terrorismo).

- Las *ayudas de pago único* reconocidas, en ciertas condiciones, a las víctimas de violencia de género (artículo 27 Ley Orgánica 1/2004, de 28 de diciembre, de Medidas de Protección Integral contra la Violencia de Género).

- El *abono de la responsabilidad civil* en virtud de sentencia firme por terrorismo por parte de la Administración, con ciertos límites cuantitativos (artículo 29 Ley 29/2011, de Protección de las Víctimas del Terrorismo).

§ 442. La **exoneración de responsabilidad por la comunicación de la información** es un elemento clave para que la "cultura de la información" pueda cuajar en el conjunto de la comunidad política. Los denunciantes se encuentran expuestos con carácter muy recurrente, como se ha analizado, a constantes demandas judiciales y reclamaciones contractuales que generan graves perjuicios personales y profesionales y una fuerte sensación de inseguridad jurídica. Por lo tanto, la Directiva 2019/1937 se propone, como objetivo prioritario, evitar cualquier tipo de responsabilidad a quienes han actuado en favor del bien común y ha declarado que, en su considerando (91), los denunciantes deben tener la tranquilidad de no incurrir en "responsabilidad alguna, ya sea civil, penal, administrativa o laboral sin han actuado con motivos razonables" y únicamente deben temer posibles consecuencias negativas cuando han realizado la revelación "sin tener dichos motivos fundados".

Esta rotunda exención de responsabilidad se recoge expresamente en el artículo 21.2 DPIUE, si bien se exceptúan los casos vinculados a materias como la defensa, la seguridad, los secretos oficiales o de ciertas profesiones o las prescripciones del enjuiciamiento criminal (artículo 3.2 y 3 DPIUE). La transposición realizada en el artículo 38.1 LPI, tras recoger casi literalmente el tenor del artículo 21.2 DPIUE, ha agregado *ex novo* la siguiente proscripción: "Esta medida no afectará a las responsabilidades de carácter penal". En nuestra opinión, esta cláusula adicional es contraria a las exigencias de la Directiva 2019/1937, que únicamente admite las excepciones anteriormente relacionadas.

§ 443. **La exoneración de responsabilidad por la adquisición o acceso de la información** tampoco debe causar a priori intranquilidad a los informantes, pues habitualmente habrán adquirido la información en el trascurso ordinario de su actividad laboral o profesional. Por ejemplo, al examinar un expediente o en una reunión de trabajo, por lo que, en estos casos, no pueden ser acusados de haber obtenido la información de forma artera y antijurídica. También permite la norma comunitaria que, en ocasiones, el informante adopte una posición más proactiva y, tras el conocimiento de que se esta producción una vulneración contra el interés público, realiza actuaciones para obtener evidencias que puedan acreditarlo, como realizar copias de documentos o fotografías de los lugares de trabajo. En estos supuestos, la Directiva estima, en el considerando (92), que la adquisición y acceso a la información o documentación también "debe gozar de inmunidad frente a dicha responsabilidad".

No obstante, esta exención no es aplicable con carácter universal, pues funciona como límite la comisión de delitos, lo que puede ocurrir si se emplea métodos violentos para obtener la información o se vulnera el derecho del secreto de las comunicaciones de otras personas de la entidad. De esta forma, se regula en el artículo 21.2 DPIUE: "Los denunciantes no incurrirán en responsabilidad respecto de la adquisición o el acceso a la información que es comunicada o revelada públicamente, siempre que dicha adquisición o acceso no constituya de por sí un delito. En el caso de que la adquisición o el acceso constituya de por sí un delito, la responsabilidad penal seguirá rigiéndose por el Derecho nacional aplicable". De forma similar, esta restricción se recoge en el artículo 38.4 LPI.

§ 444. No obstante, las **dudas sobre el alcance de la exoneración de la responsabilidad** se plantean por la cláusula eximente incluida en el artículo 21.7 DPIUE, que declara la indemnidad del informante frente a las responsabilidades demandadas en cualquier tipo de procedimiento judicial, sin excluir, las jurídico-penales. A estos efectos, debe tenerse en cuenta que el citado apartado excluye expresamente de responsabilidad jurídica a conductas que, en muchos ordenamientos, se encuentran castigadas como delitos, como pueden ser "los relativos a difamación, violación de derechos de autor, vulneración de secreto, infracción de las normas de protección de datos, revelación de secretos comerciales". Esta exención absoluta de responsabilidad judicial se reitera, como el mismo tenor, en el artículo 38.2 LPI, pero, como se ha analizado, en el artículo 38.1 LPI el legislador ha introducido, en sentido contrario, la aplicación, en todo caso, de la responsabilidad penal deriva de la comunicación de información. Esta importante contradicción sobre la responsabilidad penal derivada de la comunicación de la información produce un serio hándicap, en nuestra opinión, en el objetivo declarado de conseguir dotar de seguridad jurídica a los denunciantes.

A pesar de ello, en principio, y siguiendo el trabajo de Richarte (2020), cabría estimar que la aplicación directa del artículo 21.8 DPIUE implica la introducción de normas modificativas de la responsabilidad criminal en los siguientes supuestos delictivos:

a) El *delito de difamación*, entendiendo por tales los tipos penales de injurias (artículos 208, 491, 496 y 504 CP) y calumnias (artículos 205 y 490 CP).

b) El *delito violación de derechos de autor*, que encuentra amparo en nuestro ordenamiento en los delitos contra la propiedad intelectual e industrial (artículos 270 a 277 CP)

c) El *delito de vulneración de secreto*, que incluiría el delito de descubrimiento y revelación de secretos (artículos 197 a 201 CP), de secretos empresariales (artículo 278 CP) y violación de secretos por autoridades y funcionarios (artículo 415 CP y concordante).

d) La *infracción de las normas de protección de datos*, tanto las previstas en el RGPD como las sancionadas penalmente por descubrimiento de secretos (artículos 197, 197 bis, 197 ter y 200, CP).

e) La *revelación de secretos comerciales*, que se encuentra prevista en los delitos contra la propiedad industrial (artículos 273 a 277 CP).

A favor de esta interpretación cabe argüir que el Anteproyecto de Ley presentado a información pública y el Proyecto de Ley remitido a las Cortes Generales limitaba la exoneración del artículo 38.2 LPI a los "procesos judiciales civiles o laborales", lo que motivo severas críticas de colectivos como la plataforma XNet y la Plataforma en Defensa de la Libertad de Información (https://www.elsaltodiario.com/libertad-informacion/ley-proteccion-filtradores-no-protege-destapa-do-principales-casos-corrupcion) que estimaban que, de esta forma, no se evitaban condenas judiciales sobre los denunciantes, tal y como ocurrió en casos como "el de Roberto Macias -condenado a dos años de cárcel por revelación de secretos por destapar la corrupción en UGT a pesar de que, incumplido el plazo de transposición, se le debería aplicar directamente la directiva europea-, Ana Garrido -imputada por infidelidad en la custodia de documentos como represalia a raíz de su denuncia del caso Gürtel- o Germán Galera -condenado por filtrar a medios de comunicación, entre ellos, información sobre casos de evasión fiscal usando la Ley de Amnistía del ministro popular Cristóbal Montoro-".

El texto legal aprobado por el Congreso de los Diputados, en su sesión del día 22 de diciembre de 2022, contenía una nueva redacción al artículo 38.5 LPI, haciendo referencia exclusivamente a los "procesos judiciales", sin agregar su vinculación a los de naturaleza civil o laboral, por lo que debe entenderse que la pretensión del legislador, con esta enmienda, ha sido exonerar de todo tipo de responsabilidades, incluidas las penales. A pesar de esta enmienda, que finalmente se consagró en la promulgación de la ley, desde la sociedad civil se ha seguido advirtiendo de la inseguridad que producía el texto normativo que fue finalmente promulgado acerca de la responsabilidad penal en que podían incurrir los informantes (vid. https://xnet-x.net/es/xnet-enmendar-anteproyecto-ley-proteccion-informantes-ministe-rio-justicia/ y https://xnet-x.net/es/pedimos-senado-enmiende-ley-de-fensa-informantes-alertadores/). A nuestro entender, si la voluntad legislativa trataba de exonerar total o parcialmente de responsabilidad penal al informante, revelador o cualquier otra persona vinculada con las comunicaciones de prácticas ilícitas sería conveniente que, además de preverlo expresamente en la Ley del Informante, se establecieran por Ley Orgánica las correspondientes cláusulas modificativas de la responsabilidad en el propio Código Penal. En el mismo sentido se ha pronunciado Sierra (2023, 75), que ha estudiado con detenimiento esta cuestión:

> "Esto nos origina más incógnitas que certidumbre, porque la Ley no viene acompañada de una modificación del Código Penal (CP) que nos aclare si hay o no responsabilidad penal de los alertadores ante la posible comisión de delitos relacionados con la revelación de secretos. Al respecto, entiendo que, para la exención o atenuación de la responsabilidad penal, hubiera sido necesaria una modificación del Código Penal y no una mera declaración de intenciones como parece formular este apartado 5 del artículo 38. Por ello, existirá información excluida de la protección en términos de responsabilidad penal cuando su mera comunicación constituya un delito, como tampoco la hay si la información ha sido obtenida mediante la comisión de un delito (ex art. 38.2). Si la intención del legislador hubiera sido otra, se debería haber operado una modificación del Código Penal".

§ 445. La exoneración de las "cláusulas mordaza" si han recibido el reconocimiento normativo para las "solicitudes de indemnización basadas en el Derecho laboral privado, público o colectivo", conforme al supuesto incluido en el artículo 21.8 DPIUE) o, en la relación de la norma nacional, que juzgamos asimilable, las "solicitudes de indemnización basadas en el derecho laboral o estatutario", por la transcripción del artículo 38.5 LPI. Por lo tanto, la normativa impide la aplicación de cláusulas o condiciones que imponen contractualmente fuertes penalidades por la ruptura del deber de confidencialidad en las relaciones de naturaleza laboral, en línea con la exigencia mayoritaria de los organismos internacionales y de la doctrina, y como ya tuvo ocasión de reflexionar de manera acertada el Informe Nolan (1996, 112):

> "Hay una preocupación pública por las «cláusulas amordazadoras» en los contratos laborales de los funcionarios, que les impiden expresar su preocupación acerca de las infracciones de las normas de conducta. Cuando un empleado leal está preocupado por una conducta indebida, es poco probable que las alegaciones a los medios de comunicación sean su primer

recurso. No obstante, si no tiene otro medio de expresar su preocupación, y sin la seguridad de que se la van a tomar en serio y de que se tomarán medidas si es necesario, puede que crea que no tiene otra opción. Estamos de acuerdo con la opinión de Robert Sheldon, Diputado y Presidente del Comité para las Cuentas Públicas, en que el dinero público no puede permitir las «cláusulas amordazadoras». De otra parte, no queremos animar las quejas vejatorias o irresponsables que minan la confianza pública en las instituciones sin una justificación debida. Creemos que la mejor manera de conseguir este equilibrio es creando buenos procedimientos internos apoyados por una revisión externa".

§ 446. La exoneración de responsabilidades por secretos comerciales se regirá por las condiciones previstas en artículo 3, apartado 2, de la Directiva (UE) 2016/943 (segundo párrafo del artículo 21.8 DPIUE), que remite expresamente a lo previsto en la normativa nacional. Como tuvo ocasión de resaltar el Informe del Consejo General del Poder Judicial (2022):

"la Ley 1/2019, de 20 de febrero, de Secretos Empresariales -que supuso la transposición al derecho nacional de la Directiva Europea 2016/94-, en la medida en que permite excepcionar las medidas de protección en ella previstas cuando los actos de obtención, utilización o revelación de un secreto empresarial hayan tenido lugar con la finalidad de descubrir, en defensa del interés general, alguna falta, irregularidad o actividad ilegal que guarden relación directa con dicho secreto empresarial (artículo 2, apartado 3.2)".

§ 447. Las resoluciones jurisprudenciales previas ya habían generado dudas sobre los riesgos penales que pueden afrontar los informantes, las cuales, como ha analizado con detenimiento en su tesis doctoral García-Moreno (2018, 208-215), pueden reconducirse a los siguientes supuestos:

a) La *obtención ilícita de la información revelada a las autoridades*, que sancionaría no la revelación sino la adquisición vulnerando el derecho a la intimidad, por ejemplo, accediendo a correos electrónicos o datos personales médicos o bancarios. Por una parte, el Auto de la Audiencia Nacional 19/2013 (caso Falciani), de 8 de mayo, consideraba que no queda sujeta a la obligación de secreto, aunque la información se hubiese obtenido con "el objetivo convertir en dinero estas informaciones", cuando "la información que consta ha sido y está siendo revelada sí habría sido seleccionada y se refiere a actividades sospechosas de ilegalidad, incluso constitutivas de infracciones penales (defraudación tributaria, blanqueo de dinero, posible financiación del terrorismo), lo que necesariamente nos lleva a considerar que sería una información de ninguna manera susceptible de legítima protección, como secreto, a través de la protección que establece el indicado precepto penal". Por el contrario, la STS 778/2013 (caso Corporación Dermoestética), de 22 de octubre, que examina la denuncia por estafa en la utilización del material sanitario implantado a los pacientes, considera que "el deber de denunciar delitos que alcanza a los profesionales sanitarios ex. Art. 262 LECrim legitima el acto de revelación a las autoridades, pero no el apoderamiento de información que llevó a cabo de material sanitario distinto".

b) La *revelación de datos protegidos por secreto, indirectamente relacionados con las prácticas irregulares*, que, en la Sentencia de la Audiencia Provincial de Ciudad Real, núm. 40/2012 de 8 de marzo, estima la comisión de este delito por excederse en la adquisición de la información "en cuanto son gratuitos, es decir, van más allá de tal pretensión de acreditación del ilícito administrativo".

§ 448. El debate sobre la aplicación directa de las medidas de protección tras la entrada en vigor de la Directiva 2019/1397, el 17 de diciembre de 2019, ha quedado resuelto por el reconocimiento expreso, por la disposición adicional sexta LPI, de la extensión de estas medidas a las comunicaciones realizadas desde la citada fecha. En opinión de Fernández Ramos (2023), "En el caso de las infracciones del Derecho UE esta extensión temporal era obligada, pero no lo era para las infracciones adicionales del ordenamiento español. Sin embargo, debe valorarse positivamente esta extensión, pues no se trata aplicar de forma retroactiva una norma sancionadora, sino protectora. Es decir, la aplicación retroactiva no afecta a los posibles infractores, sino exclusivamente en beneficio de los informantes".

§ 449. La protección de las personas afectadas queda amparada expresamente en la norma, como medida de equidad, pues pueden producirse fuertes daños reputacionales y económicos por denuncias infundadas y publicitadas. El establecimiento de "un sistema de protección a los informantes no puede ser óbice para que se respete el derecho a un juicio justo y demás garantías del investigado" (Rodríguez-Medel, 2019, 231), por lo que la protección de los afectados no puede tratarse como una cuestión secundaria, cuando "su protección, legitimidad y credibilidad es tan importante como la de los informantes" (Benítez, 2019, 7).

Por su parte, la expresión del artículo 39 LPI que parece asimilar las medidas de protección del denunciante y el denunciado ("así como a la misma protección establecida para los informantes") debe entenderse, de forma más limitada (Villegas, 2022):

> "en relación con los derechos a la preservación de su identidad y de la confidencialidad de sus datos. Puesto que, lógicamente, las personas afectadas por la información, que es la denominación que la norma utiliza para referirse a los denunciados, no pueden gozar de las mismas medidas de protección que el informante".

§ 450. Los **programas de clemencia o lenidad** se han reconocido plenamente en el artículo 40 LPI, que establece supuestos de exención y atenuación de la sanción aplicables a cualquier ámbito de aplicación de la ley, salvo la defensa de la competencia que se regirá por su propia normativa. Hay resaltar que en el texto definitivo no se hace referencia expresa a la denominación de "programas de clemencia", pues el Consejo de Estado (2022) estimó contraria a nuestra tradición normativa el empleo de esta terminología.

El legislador se ha remitido a razones de efectividad para acoger estos beneficios al "infractor arrepentido", pues "las ventajas y eficacia que han demostrado los programas de clemencia en ciertos ámbitos sectoriales han llevado a incluir una regulación en la que se precisan las concretas condiciones para su correcta aplicación" (preámbulo LPI). Por lo tanto, se ha soslayado el largo debate moral sobre las razones de inequidad con respecto al resto de infractores, al priorizar valores económicos de carácter utilitario.

No obstante, es cierto que, en materias de mayor gravedad, como el Derecho penal, ya se valora positivamente el arrepentimiento espontáneo y existe un amplio catálogo de excusas absolutorias y atenuantes para el autor que aporte información a la Justicia (Ortiz, 2017). Aunque, de todas formas, la legislación procesal penal española no ha dado el paso a otorgar rotundamente la inmunidad a los denunciantes (Villegas, 2022).

En el Derecho comparado, a estas previsiones parecen acompañarle los resultados prácticos en forma de un incremento notable de las denuncias y los asuntos que terminan en infracción y con recuperación de parte de los importes defraudados. A este respecto es interesante el ejemplo recogido por Villegas (2022), sobre la reflexión realizada en el Reino Unido sobre este debate:

> "En definitiva, y siguiendo las consideraciones que realiza la Fiscalía británica sobre la sección 71 de la *Serious Organised Crime and Police Act* 2005, que prevé este tipo de inmunidades para ciertos testigos, se trata de concluir qué tiene más valor para el interés de la Justicia; tener a la persona sospechosa como testigo de la Corona o como posible imputado. Porque, como también resalta la Fiscalía, en determinados supuestos, a la vista de la naturaleza y gravedad de la actividad criminal de que se trate, la obtención de la información es más importante que la posible condena de un individuo".

§ 451. Por el contrario, la **denuncia premiada** no ha sido finalmente acogida por la Ley del Informante, a pesar de que el prelegislador sometió a debate esta cuestión en la consulta pública previa al anteproyecto de ley. A este respecto, como afirma Mercadé (2020), el asunto se ha descartado porque, aunque sirviera para lograr un incremento significativo de las denuncias, en cambio también podría ser empleado para estigmatizar al denunciante a consecuencia del beneficio económico que pudiera corresponderle. La Directiva 2019/1937 también se había declarado expresamente partidaria, en el considerando (30), de su no aplicación a las personas a quienes resulten aplicable compensación o recompensa, pues considera que las mismas deben seguir rigiendo conforme a su normativa específica, ya que "dicha información se comunica de conformidad con procedimientos específicos que tienen como objetivo garantizar el anonimato de esas personas para proteger su integridad física, y que son distintos de los canales de denuncia que establece la presente Directiva".

No obstante, hay que recordar, como oportunamente ha señalado Jiménez Franco (2022), que la denuncia premiada ya ha sido acogida en otros sectores administrativos, como es el caso de la legislación patrimonial, que establece un premio del diez por ciento del valor de los bienes o derechos que logren ser incorporados al Patrimonio del Estado como consecuencia de la denuncia, conforme establece el artículo 48 de la Ley 33/2003, de 3 de noviembre, del Patrimonio de las Administraciones Públicas y el artículo 7.2 del Real Decreto 1373/2009, de 28 de agosto, que regula su reglamento.

§ 452. Una cuestión distinta son los **reconocimientos institucionales** que pudieran establecerse en favor de los informantes, pues si los infractores son responsables de sus actos y penados como marquen las leyes, "también hay responsabilidad e imputabilidad por hacer el bien y se merece una recompensa" (Méndez, 2023). La labor de informar a las autoridades es una tarea que muy pocos están dispuestos a aceptar y, por lo tanto, el fomento de la cultura cívica de la información requiere que las autoridades públicas reconozcan a quienes han tenido el arrojo de actuar, sobre todo cuando las represalias han dañado su entorno personal o profesional.

Con independencia de que pudiera establecerse la creación de reconocimientos específicos, consideremos que podría aplicarse a la conducta de ciertos informantes los méritos exigidos por el artículo 6 de la Real Decreto 2396/1998, de 6 de noviembre, por el que se aprueba el Reglamento de la Orden del Mérito Civil:

"a) La prestación de relevantes servicios, de carácter civil, al Estado.

b) La realización de trabajos extraordinarios de indudable mérito.

c) La laboriosidad o la capacidad extraordinaria, puestas de manifiesto en bien del interés general.

d) Las grandes iniciativas de influencia nacional y, en general, los hechos ejemplares que, redundando en beneficio del país, deban premiarse y estimularse".

§ 453. Finalmente, hay que destacar el reconocimiento normativo a la **capacidad de las entidades del sector público y privado para establecer medidas de apoyo y asistencia complementarias,** lo que abre la puerta para que, en el marco de los sistemas internos de información, se puedan establecer disposiciones no solo de índole paliativa de la represalia, sino también premios, honores, recompensas o cualquier otro tipo de ventaja en favor del informante.

Título VIII
AUTORIDAD INDEPENDIENTE DE PROTECCIÓN DEL INFORMANTE, A.A.I.

Antecedentes de política legislativa y de Derecho comparado

§ 454. A nivel internacional, en los últimos años se ha consolidado la creación de las Agencias Anticorrupción (ACAs) o Antifraude como órganos especializados de naturaleza administrativa que, dentro de su heterogeneidad, tienen como misión principal "proporcionar un liderazgo centralizado en una o más de las áreas centrales de la actividad anticorrupción" (Meagher, 2004).

§ 455. Las Agencias Anticorrupción pioneras asumían tanto funciones administrativas de naturaleza preventiva como funciones *cuasipoliciales* de carácter represivo, al constituirse en el entorno de regímenes políticos que no se ajustaban estrictamente al principio de separación de poderes, como la *Corrupt Practices Investigation Bureau* (CIPB) de Singapur y la *Independent Commission Against Corruption* (ICAC) de Hong Kong. El caso paradigmático es la Oficina de Investigación de Actos Ilícitos de Singapur (CIPB), que se constituyó en los años 50 con facultades especiales para obtener información financiera y patrimonial de los funcionarios y sus familias y que ha logrado colocar a este país en el grupo de excelencia de los ránquines relativos a la lucha contra la corrupción (Klitgaard, 1994).

§ 456. Las Naciones Unidas, recogiendo la realidad de la evolución institucional y las recomendaciones de las autoridades científicas, ha reconocido la importancia de establecer organismos o unidades especializadas en la lucha contra la corrupción en el articulado de la CNUCC:

> "*Artículo 6. Órgano u órganos de prevención de la corrupción.*
>
> 1. Cada Estado Parte, de conformidad con los principios fundamentales de su ordenamiento jurídico, garantizará la existencia de *un órgano u órganos, según proceda, encargados de prevenir la corrupción* con medidas tales como:

a) La aplicación de las políticas a que se hace alusión en el artículo 5 de la presente Convención y, cuando proceda, la supervisión y coordinación de la puesta en práctica de esas políticas;

b) El aumento y la difusión de los conocimientos en materia de prevención de la corrupción.

2. Cada Estado Parte otorgará al órgano o a los órganos mencionados en el párrafo 1 del presente artículo la independencia necesaria, de conformidad con los principios fundamentales de su ordenamiento jurídico, para que puedan desempeñar sus funciones de manera eficaz y sin ninguna influencia indebida. Deben proporcionárseles los recursos materiales y el personal especializado que sean necesarios, así como la capacitación que dicho personal pueda requerir para el desempeño de sus funciones.

3. Cada Estado Parte comunicará al Secretario General de las Naciones Unidas el nombre y la dirección de la autoridad o las autoridades que puedan ayudar a otros Estados Parte a formular y aplicar medidas concretas de prevención de la corrupción".

§ 457. La traslación a **Europa** de este acuerdo internacional ha supuesto la creación de agencias especializadas en la prevención de la corrupción, deslindadas claramente, como es propio de las democracias liberales, del ámbito represivo y penal. Así, por ejemplo, la Agencia Francesa Anticorrupción (AFA), creada por la *LOI n° 2016-1691 du 9 décembre 2016 relative à la transparence, à la lutte contre la corruption et à la modernisation de la vie économique*, que es un órgano dependiente del Ministerio de Justicia y el Ministerio del Presupuesto, que ha recibido entre sus funciones preventivas la elaboración del plan anticorrupción plurianual y coordinar la acción administrativa de lucha contra la corrupción (Villoria, 2022). Por su parte, la Autoridad Nacional Anticorrupción (ANAC) de Italia, creada por *Legge 6 novembre 2012, n. 190 "Disposizioni per la prevenzione e la repressione della corruzione e dell'illegalità nella pubblica amministrazione"*, ha ido incrementando paulatinamente sus funciones preventivas, entre las que destaca la aprobación del Plan Nacional Anticorrupción y la supervisión de la efectivas de los planes anticorrupción de las entidades públicas (Villoria, 2022).

§ 458. Las **instituciones de auditoría pública** han sido llamadas en algunos casos a asumir total o parcialmente funciones especiales en prevención contra la corrupción. A nivel de control externo pueden citarse los casos de la *U.S. General Accountability Office*, que ha asumido en 2004 entre sus funciones la lucha contra las actividades ilegales e impropias (Jiménez, 2007), o el Tribunal de Cuentas de Portugal, bajo cuya adscripción se ha establecido en 2008 un Consejo de Prevención de la Corrupción encargado de evaluar los planes y medidas en esta materia (Arias, 2016). Entre los órganos de control interno hay que recurrir al ejemplo iberoamericano de la Controlaría General de la Unión de Brasil (actual Ministério da Transparência, Fiscalização e Controladoria-Geral da União) que ha asumido desde 2003 funciones en la prevención y lucha contra la corrupción.

§ 459. La **Unión Europea** ha optado por establecer una institución especializada, mediante la Decisión de la Comisión, de 28 de abril de 1999, por la que se crea la Oficina Europea de Lucha contra el Fraude (OLAF). Se trata de una ACA de naturaleza preventiva, que se diferencia de los órganos de control ordinario en que no actúa de forma sistemática, sino reactiva ante la existencia de sospechas de fraude (García Ureta, 2008). Para el desarrollo de su misión se le atribuye absoluta independencia funcional y ejerce las funciones de investigación que corresponden a la Comisión sobre las siguientes materias:

a) Las *investigaciones externas* "con el fin de reforzar la lucha contra el fraude, la corrupción y cualquier otra actividad ilegal que vaya en detrimento de los intereses financieros de las Comunidades, así como a efectos de la lucha contra el fraude referente a cualquier otro hecho o actividad por parte de operadores que constituya una infracción de las disposiciones comunitarias" (artículo 2.1., párrafo 1 DOLAF 1999).

b) Las *investigaciones internas* relativas a los hechos graves, de naturaleza disciplinaria o penal, cometidos, en el ejercicio profesional, por los funcionarios y agentes de la UE; o hechos análogos realizados por los miembros de las instituciones y órganos de la UE no sometidos expresamente al Estatuto de los funcionarios comunitarios (artículo 2.1.párrafo 2 DOLAF 1999).

§ 460. Los **Servicios de Coordinación Antifraude** (AFCOS) son agencias antifraude constituidas en todos los Estados Miembros para velar por la protección de los intereses financieros comunitarios, en apoyo del ejercicio de las funciones de la OLAF. La previsión legal se impone por el artículo 3.4 del Reglamento (UE, Euratom) 883/2013 del Parlamento Europeo y del Consejo, de 11 de septiembre de 2013

(ROLAF), con el fin de facilitar "la coordinación efectiva y el inter-cambio de información con la Oficina, incluyendo información de carácter operativo". Como destaca el considerando (10) ROLAF, "la eficiencia operativa de la Oficina depende en gran medida de la coo-peración con los Estados miembros, que deben determinar sus servi-cios competentes para ofrecer a la Oficina la ayuda necesaria en el ejercicio de sus tareas".

Los AFCOS, inicialmente denominados "*Central or Single Contact Point*", habían empezado a crearse desde 2000 como una exigencia de la Comisión hacia los países candidatos a entrar en la Unión Eu-ropea (OLAF, 2013). Tras su generalización por el ROLAF de 2013, estos nuevos organismos se han constituido en cada Estado Miembro dependiendo habitualmente del Poder Ejecutivo y mayoritariamente de los departamentos de Hacienda. No obstante, también se ha opta-do por adscribirlos a los Ministerios de Justicia o Interior (Bulgaria, Grecia, Reino Unido, Suecia y Lituania) o como un organismo guber-namental independiente (Malta, Rumanía, Italia y Eslovaquia).

§ 461. El **Servicio Nacional de Coordinación Antifraude** (SNCA) ha asumido las funciones de AFCOS español y, por lo tanto, consti-tuye una agencia anticorrupción especializada de apoyo de la lucha antifraude de la Unión Europea. De acuerdo con la regla general de otros Estados Miembros, España se ha decantado por crear un ór-gano directivo dependiente de la Intervención General de la Admi-nistración del Estado (IGAE), mediante la reforma del artículo 11.1 del Real Decreto 256/2012, de 27 de enero, por el que se desarrolla la estructura orgánica básica del Ministerio de Hacienda y Adminis-traciones Públicas, realizada por el Real Decreto 802/2014, de 19 de septiembre. Actualmente, la inserción orgánica del SNCA se mantiene dentro de la estructura de la IGAE, conforme al artículo 19.10°.h) del Real Decreto 682/2021, de 3 de agosto.

La configuración del SNCA como AFCOS español recibió el re-frendo legal mediante la Ley 40/2015, de 1 de octubre, de Régimen Jurídico del Sector Público, que agregó la disposición adicional vigé-simo quinta a la Ley 38/2003, de 17 de noviembre, General de Sub-venciones, mediante reforma aprobada por la Ley 40/2015, de 1 de octubre, de Régimen Jurídico del Sector Público:

"*Disposición adicional vigésima quinta. Servicio Nacional de Coordinación Antifraude para la protección de los intereses financieros de la Unión Europea.*

1. El Servicio Nacional de Coordinación Antifraude, integrado en la Intervención General de la Administración del Estado, coordinará las acciones encaminadas a proteger los intereses financieros de la Unión Europea contra el fraude y dar cumplimiento al artículo 325 del Tratado de Funcionamiento de la Unión Europea y al artículo 3.4 del Reglamento (UE, Euratom) n.º 883/2013, del Parlamento Europeo y del Consejo relativo a las investigaciones efectuadas por la Oficina Europea de Lucha contra el Fraude (OLAF).

2. Corresponde al Servicio Nacional de Coordinación Antifraude:

a) Dirigir la creación y puesta en marcha de las estrategias nacionales y promover los cambios legislativos y administrativos necesarios para proteger los intereses financieros de la Unión Europea.

b) Identificar las posibles deficiencias de los sistemas nacionales para la gestión de fondos de la Unión Europea.

c) Establecer los cauces de coordinación e información sobre irregularidades y sospechas de fraude entre las diferentes instituciones nacionales y la OLAF.

d) Promover la formación para la prevención y lucha contra el fraude.

3. El Servicio Nacional de Coordinación Antifraude ejercerá sus competencias con plena independencia y deberá ser dotado con los medios adecuados para atender los contenidos y requerimientos establecidos por la OLAF.

4. El Servicio Nacional de Coordinación Antifraude estará asistido por un Consejo Asesor presidido por el Interventor General de la Administración del Estado e integrado por representantes de los ministerios, organismos y demás instituciones nacionales que tengan competencias en la gestión, control, prevención y lucha contra el fraude en relación con los intereses financieros de la Unión Europea. Su composición y funcionamiento se determinarán por Real Decreto.

5. Las autoridades, los titulares de los órganos del Estado, de las Comunidades Autónomas y de las Entidades Locales, así como los jefes o directores de oficinas públicas, organismos y otros entes públicos y quienes, en general, ejerzan funciones públicas o desarrollen su trabajo en dichas entidades deberán prestar la debida colaboración y apoyo al Servicio. El Servicio tendrá las mismas facultades que la OLAF para acceder a la información pertinente en relación con los hechos que se estén investigando.

6. El Servicio podrá concertar convenios con la OLAF para la transmisión de la información y para la realización de investigaciones".

§ 462. El Consejo Asesor de Prevención y Lucha contra el Fraude a los intereses financieros de la Unión Europea, constituido mediante Real Decreto 91/2019, de 1 de marzo, por el que se regula la composición y funcionamiento, se define como un órgano colegiado de carácter consultivo, de asesoramiento y de apoyo del Servicio Nacional de Coordinación Antifraude. De esta forma, se cumple con los patrones de gobernanza impuestos por el artículo 6 CNUCC, que exige la cooperación efectiva de todos los actores implicados en el denominado ciclo antifraude (prevención, detección, investigación y corrección). Entre sus miembros se encuentran, no solo representantes de la Administración General del Estado, sino también representantes de los entes autonómicos y locales e incluso de la Fiscalía General del Estado.

§ 463. Los Órganos de Control Externo autonómicos han recibido, en algunos casos, el mandato de liderar la lucha antifraude por parte de sus poderes legislativos. Este es el camino que han seguido el Consejo de Cuentas de Galicia, la Audiencia de Cuentas de Canarias, la Cámara de Cuentas de Madrid y la Cámara de Cuentas de Castilla La Mancha. Las referencias normativas son las siguientes:

- La Ley 5/2017, de 20 de julio, de modificación de la Ley 4/1989, de 2 de mayo, de la Audiencia de Cuentas de Canarias.

- La Ley 8/2015, de 7 de agosto, de reforma de la Ley 6/1985, de 24 de junio, del Consejo de Cuentas, y del texto refundido de la Ley de Régimen Financiero y Presupuestario de Galicia, aprobado por Decreto legislativo 1/1999, de 7 de octubre, para la prevención de la corrupción.

- La Ley 9/2019, de 10 de abril, de modificación de la Ley 11/1999, de 29 de abril, de la Cámara de Cuentas de la Comunidad de Madrid.

- La Ley 7/2021, de 3 de diciembre, de la Cámara de Cuentas de Castilla-La Mancha

§ 464. La creación de Agencias Antifraude autonómicas y locales, con dependencia habitualmente también del poder legislativo, ha sido la opción más habitual, creando organismos especializados en la investigación del fraude y la corrupción. La decana de todas estas entidades es la Oficina Antifraude de Cataluña (OAC) de 2008 (Escoda, 2014), si bien el impulso de regeneración democrática de la segunda década de este siglo (Ponce, 2017) ha promovido finalmente la previsión legal de creación de las siguientes ACAs a nivel autonómico y local:

- La Ley 14/2008, de 5 de noviembre, de la Oficina Antifraude de Cataluña.
- La Ley 11/2016, de 28 de noviembre, de la Agencia de Prevención y Lucha contra el Fraude y la Corrupción de la Comunitat Valenciana.
- La Ley 16/2016, de 9 de diciembre, de creación de la Oficina de Prevención y Lucha contra la Corrupción en las Illes Balears.
- La Ley Foral 7/2018, de 17 de mayo, de creación de la Oficina de Buenas Prácticas y Anticorrupción de la Comunidad Foral de Navarra.
- La Ley 5/2017, de 1 de junio, de Integridad y Ética Públicas [Agencia de Integridad y Ética Públicas de Aragón].
- La Ley 8/2018, de 14 de septiembre, de Transparencia, Buen Gobierno y Grupos de Interés [Oficina de Buen Gobierno y Lucha contra la Corrupción de Asturias].
- La Ley 2/2021, de 18 de junio, de lucha contra el fraude y la corrupción en Andalucía y protección de la persona denunciante [Oficina Andaluza contra el Fraude y la Corrupción].
- El Acuerdo del Pleno del Consejo Municipal del Ayuntamiento de Barcelona, de 29 de diciembre de 2015, de Creación de la Oficina de Transparencia y Buenas Prácticas.
- El Acuerdo del Pleno del Ayuntamiento de Madrid, de 23 de diciembre de 2016, por el que se aprueba el Reglamento Orgánico de la Oficina Municipal contra el Fraude y la Corrupción.

§ 465. **La Proposición de Ley Integral de Lucha contra la Corrupción y Protección de los Denunciantes,** instada por el Grupo Parlamentario de Ciudadanos y publicada en el Boletín Oficial de las Cortes Generales de 23 de septiembre de 2016, ha sido el primer antecedente parlamentario de creación de una "Autoridad Independiente de la Integridad Pública". La propuesta legislativa preveía una agencia que asumía funciones de prevención, detección, protección del denunciante e investigación del fraude y, en la vertiente contraria, de fomento de la integridad y la ética pública. Además, regulaba los lobbies y proponía modificaciones de la legislación de los altos cargos y de transparencia y buen gobierno.

Fundamentos fenomenológicos y axiológicos

§ 466. Los **modelos** de agencias anticorrupción a nivel internacional son sumamente diversos, como ha estudiado Ponce (2017), hasta el punto de que pueden identificarse como tales a cualquier órgano o unidad vinculada con la lucha antifraude o, desde una visión más estricta, como configuró el Banco Mundial, con referencia en exclusiva a la unidad verificadora de declaraciones patrimoniales de funcionarios y persecución de casos de corrupción. Por lo tanto, conviene atenerse, como propone el citado autor, a una visión intermedia que considere como agencias anticorrupción a aquel órgano "separado y permanente cuya función principal es proveer de liderazgo centralizado en áreas nucleares de la actividad anticorrupción" (Ponce, 2017, 3).

§ 467. El **mandato** de establecer un "órgano u órganos de prevención de la corrupción" del artículo 6 CNUCC otorga libertad a los Estados parte para decidir la inserción de estas unidades especializadas en los ordenamientos jurídicos. Por una parte, cabe la posibilidad de atribuir esta política preventiva a órganos ya existentes, como pueden ser los Defensores del Pueblo, los Tribunales de Cuentas, los Consejos de Transparencia o incluso formando parte de las funciones asignadas a las Fiscalías Anticorrupción. Por otro lado, hay cierta tendencia internacional a la constitución de nuevos organismos, dotados de independencia, que asuman total o parcialmente las funciones preventivas, bajo variadas denominaciones como agencias, oficinas u autoridades adjetivadas como anticorrupción, antifraude, de buenas prácticas, de ética pública o de integridad institucional. Por lo tanto, aunque estos organismos presentan características muy diversas, su razón de ser siempre se centran en liderar "la reacción contra fenómenos de mala administración negligente o dolosa (esto es, corrupción) que florecen en ámbitos de opacidad" (Ponce, 2017, 3).

§ 468. Las **razones** para adoptar la decisión institucional sobre la atribución de las funciones de prevención aparecen claramente descritas en la Guía Técnica UNODC (2010). En primer lugar, recomienda la creación de unidades especializadas dentro de órganos de control existentes, cuando se cuente con instituciones sólidas y con acreditada experiencia en el control de la actividad financiera pública. Por el contrario, si las entidades de control han perdido la legitimidad social o carecen de vocación para especializarse en estos temas, resultaría necesario constituir un organismo propio de nueva creación.

§ 469. La *U.S. Government Accountability Office* (GAO) es un buen ejemplo de la primera opción pues, en base a su experiencia previa, en la ya citada reforma de 2004 asumió normativamente como propia la función de lucha contra la corrupción y constituyó la *Forensic Audits and Special Investigations* y el sistema de información *on line FraudNet* (Fernández Ajenjo, 2011). En la actualidad ha avanzado de manera importante en esta tarea, llegando a realizar actividades de agente encubierto para descubrir malas prácticas reiteradas en la actuación de los servicios públicos (Arias, 2019).

§ 470. La creación de la **Oficina Europea de Lucha Antifraude** (OLAF) es clara muestra de que en la Unión Europea se ha optado por la segunda opción, mediante Decisión de la Comisión, de 28 de abril de 1999. En esta elección influyeron decisivamente los informes elaborados durante la crisis institucional que conllevó a la dimisión de la Comisión Santer y que pusieron de manifiesto las ausencias de *expertise* y potestad de los organismos de control comunitarios existentes en materia de lucha antifraude (Fernández Ajenjo, 2011).

§ 471. Los **modelos funcionales** de ACAs también pueden ser muy diversos, abarcando la totalidad o repartiéndose las mismas entre el organismo especializado y otras autoridades. Desde un punto de vista teórico pueden establecer cuatro clases o tipos de agencias antifraude:

a) Las *Agencias de prevención*, que tendrán asignadas funciones tales como la elaboración de la estrategia anticorrupción, la elaboración de guías sobre códigos de conducta, la evaluación de los planes antifraude y los sistemas de integridad, la propuesta o informe de recomendaciones legislativas o la formación y promoción en materia de ética pública y lucha contra la corrupción. Así, por ejemplo, el Consejo de Cuentas de Galicia tiene atribuida sustancialmente estas funciones en el artículo 5 bis de la Ley 6/1985, de 24 de junio, del Consejo de Cuentas, tras la reforma producida por la Ley 8/2015, de 7 de agosto.

b) Las *Agencias de detección o inteligencia*, que se encargan de la llevanza de los canales externos de denuncias, la protección del denunciante, la explotación de las bases de datos o la coordinación institucional. Este es el caso, en materia de blanqueo, del Servicio Ejecutivo de la Comisión de Prevención del Blanqueo de Capitales e Infracciones Monetarias (SEPBLAC) que recepciona las comunicaciones sobre indicios de diversas fuentes, produce informes de inteligencia financiera y realiza análisis estratégicos, en su condición de Unidad de Inteligencia Financiera prevista en la Ley 10/2010, de 28 de abril, de prevención del blanqueo de capitales y de la financiación del terrorismo (Álvarez y Eguidazu, 2007).

c) Las *Agencias de investigación*, que tienen asumido los procedimientos indagatorios de naturaleza administrativa, la adopción de medidas cautelares, la emisión de recomendaciones e incluso la adopción de sanciones coercitivas por el incumplimiento de la normativa anticorrupción. Así, por ejemplo, la Agencia de Prevención y Lucha contra el Fraude y la Corrupción valenciana asume, por mandato legal, las funciones de investigación e inspección en esta materia, así como buena parte de las funciones de prevención (v. gr. "contribución de una cultura social de rechazo de la corrupción") o detección (v. gr. recepción de denuncias y protección del denunciante).

d) Las *Agencias de enjuiciamiento o correctivas*, que realizan funciones de instrucción de procedimientos punitivos de naturaleza penal o administrativa, enjuiciamiento de delitos e infracciones y recuperación de activos. En el marco de los Estados de Derecho sujetos a la separación de poderes la plenitud de las funciones jurisdiccionales únicamente corresponderá a la rama del Poder Judicial, pero algunas de las funciones correctivas pueden ser ejercidas por órganos o unidades especializadas como la Fiscalía Anticorrupción dependiente de la Fiscalía General del Estado o la Oficina de Gestión y Recuperación de Activos del Ministerio de Justicia.

§ 472. Los **criterios** para la constitución de ACAs y la definición de las funciones preventivas que deben asumir dependerá de las circunstancias normativas y fácticas del sistema institucional donde deban insertarse. No obstante, la creación irreflexiva y alejada de los principios de *better regulation* ha conllevado al fracaso de numerosas instituciones destinadas a ser un baluarte en la lucha contra la corrupción. Con la finalidad de evitar estos problemas, sería conveniente seguir las siguientes recomendaciones (Ponce Solé, 2017; Benítez Palma, 2017; y Fernández Ajenjo, 2019a):

1°. Evaluación de los impactos internos y externos para evitar la *hiperinstitucionalización*.

2°. Definición de funciones adecuadas y medios suficientes para evitar instituciones meramente ornamentales.

3°. Diálogo interinstitucional para evitar el despilfarro de los recursos limitados.

§ 473. **El modelo estatal** de la Autoridad Independiente de Protección del Informante, A.A.I. (AIPI) se establece alrededor de las funciones de detección, vía la gestión de los canales externos y la protección de los denunciantes, sin llegar a ser plenamente una unidad de inteligencia encargada de la recopilación de datos e indicios sobre irregularidades graves y su posterior explotación analítica. Más reducido es aún su papel en materia de prevención, limitado únicamente al asesoramiento y fomento de su ámbito de actuación, en contraste con otras agencias autonómicas que han recibido el mandato de "prevenir y erradicar el fraude y la corrupción de las instituciones públicas valencianas y para el impulso de la integridad y la ética pública" (artículo 1.3 LACA Valencia). Por último, la función de investigación no se encuentra recogida expresamente entre sus atribuciones descritas en el artículo 43 LPI y se encuentra restringida a analizar la verosimilitud de los hechos denunciados, debiendo trasladar las actuaciones con celeridad a las autoridades competentes para su tramitación.

§ 474. La existencia de **unidades antifraude en sectores administrativos especializados** se encuentra, en muchos casos, plenamente consolidada (v.gr., la AEAT o la Inspección de Trabajo y Seguridad Social) y debe constituir un importante apoyo para completar el sistema institucional de lucha contra la corrupción. De esta forma, la AIPI, A.A.I. podrá encargarse de centralizar las informaciones recibidas sobre un extenso y complejo ámbito administrativo, como, por ejemplo, los tributos, el trabajo, la sanidad, la educación o el medioambiente, y, tras previo análisis de verosimilitud, trasladar el asunto a la autoridad administrativa o judicial competente para su investigación. En las instituciones administrativas y jurisdiccionales se cuenta con unidades con la suficiente especialización técnica y jurídica para realizar las correspondientes investigaciones, como, por ejemplo, la Oficina Nacional de Investigación del Fraude (ONIF) de la Agencia Estatal de Administración Tributaria.

Marco jurídico de la Directiva de protección de las personas que informen sobre infracciones del Derecho de la Unión

§ 475. Las **autoridades competentes** para recibir y dar tratamiento adecuadamente a las denuncias recibidas serán designadas por los Estados miembros, debiendo ostentar independencia y autonomía suficiente, y suficiencia y adecuación de recursos (artículo 11 DPIUE). Para su designación, se podrá optar entre "autoridades judiciales, organismos de regulación o de supervisión competentes en los ámbitos específicos de que se trate, o autoridades con una competencia más general a escala central dentro de un Estado miembro, autoridades encargadas del cumplimiento del Derecho, organismos de lucha contra la corrupción o defensores del pueblo" (considerando 64 DPIUE).

§ 476. Las **autoridades con competencia plena**, que constituye la primera opción Legislativa, en esta materia, deberán recibir las atribuciones suficientes para "garantizar un seguimiento adecuado, también para valorar la exactitud de las alegaciones formuladas en la denuncia y para ocuparse de las infracciones denunciadas, a través de la apertura de una investigación interna, de una investigación, del enjuiciamiento, de una acción de recuperación de fondos u otras medidas correctoras adecuadas, de conformidad con su mandato" (considerando 65 DPIUE).

§ 477. Las **autoridades con competencia reducidas**, como segunda opción, se encargarán de la "denuncia a otra autoridad que deba investigar la infracción denunciada, y garantizar que haya un seguimiento adecuado por parte de dicha autoridad (considerando 65 DPIUE).

§ 478. Las **autoridades con competencias especializadas** en un sector o materia administrativa, como, por ejemplo, si establece un canal de denuncia externa a nivel central sobre las ayudas otorgadas por el Estados, deberán recibir garantías sobre su independencia y autonomía; si bien el establecimiento de dichos canales de denuncia externa no debe afectar a las competencias de los Estados miembros o de la Comisión en materia de supervisión en el ámbito de las ayudas estatales, ni tampoco debe afectar a la competencia exclusiva de la Comisión en lo que respecta a la declaración de compatibilidad de dichas ayudas, en particular con arreglo al artículo 107, apartado 3, del TFUE" (considerando 65 DPIUE).

§ 479. Las **autoridades competentes en materia de competencia** relativas a las infracciones de los artículos 101 y 102 del TFUE, serán designadas por los Estados miembros conforme al artículo 35 del Reglamento (CE) 1/2003 del Consejo, sin perjuicio de las competencias de la Comisión en este ámbito (considerando 65 DPIUE).

§ 480. La **formación especializada** del personal de las autoridades competentes responsable de tramitar las denuncias es un elemento crítico para el buen funcionamiento del sistema, por lo que deberá instruírsele profesionalmente y "también sobre las normas aplicables en materia de protección de datos, para tratar las denuncias y garantizar la comunicación con los denunciantes, así como para seguir adecuadamente las denuncias" (considerando 74 DPIUE).

§ 481. La **revisión de los procedimientos** por las autoridades competentes deberá realizarse, al menos, cada tres años, teniendo en cuenta su "experiencia y la de otras autoridades competentes y adaptarán sus procedimientos en consecuencia" (artículo 14 DPIUE). Por lo tanto, "la revisión periódica de los procedimientos de las autoridades competentes y el intercambio de buenas prácticas entre ellas deben garantizar que estos procedimientos sean adecuados y, por lo tanto, sirvan para su objeto" (considerando 78 DPIUE).

Régimen jurídico de la Ley de Protección del Informante

DISPOSICIONES GENERALES

§ 482. El **fundamento legislativo** de la constitución de una nueva institución como la "Autoridad Independiente de Protección del Informante, A.A.I." se justifica porque "resulta de especial interés que sea una entidad que bajo un especial régimen de autonomía y con un marcado carácter técnico y especializado en la materia sea la encargada de la llevanza y gestión del citado canal externo" (preámbulo LPI). Ante la especificidad de la materia, el legislador no ha considerado conveniente que estas funciones sean ejercidas por autoridades ya existentes en el sector público, sino que ha decidido configurar una nueva autoridad administrativa independiente que se constituya en el "pilar básico del sistema institucional en materia de protección del informante" (preámbulo LPI).

§ 483. La **naturaleza jurídica** de la AIPI, A.A.I. es del máximo nivel de autonomía dentro de la Administración Institucional, pues se trata de un ente de derecho público de ámbito estatal configurado como una autoridad administrativa independiente de las previstas en el artículo 109 LRJSP (artículo 42.1.párrafo 1 LPI).

§ 484. La **denominación oficial** será la «Autoridad Independiente de Protección del Informante, A.A.I.», haciendo referencia las siglas a su naturaleza de «autoridad administrativa independiente» (artículo 42.1. párrafo 2 LPI), tal y como establece el artículo 109 LRSP.

§ 485. La **ubicación de la sede** de la AIPI, A.A.I. deberá determinarse conforme a lo previsto en el Real Decreto 209/2022, de 22 de marzo, por el que se establece el procedimiento para la determinación de las sedes físicas de las entidades pertenecientes al sector público institucional estatal y se crea la Comisión consultiva para la determinación de las sedes. Este nuevo procedimiento ya se ha utilizado para la elección de la sede física de organismos como Agencia Española de Supervisión de la Inteligencia Artificial y la Agencia Espacial Española (Oliver, 2023).

§ 486. El **principio rector** de su estatus orgánico y funcional es la "plena autonomía e independencia orgánica y funcional respecto del Gobierno, de las entidades integrantes del sector público y de los poderes públicos en el ejercicio de sus funciones" (artículo 42.1.párrafo 1 LPI). No obstante, se establecen dos limitaciones legales y una garantía adicional:

   a) La *incardinación orgánica* que, aunque no adopta la fórmula de la adscripción, que supondría una dependencia funcional y presupuestaria, si supone una vinculación con el Gobierno, a través del Ministerio de Justicia (artículo 42.2 LPI).

b) La *sujeción directiva* a "las facultades de dirección de la política general del Gobierno ejercidas a través de su capacidad normativa" (artículo 42.2 LPI).

c) La *independencia operativa*, pues "ni el personal ni los miembros de los órganos de la Autoridad Independiente de Protección del Informante, A.A.I. podrán solicitar o aceptar instrucciones de ninguna entidad pública o privada" (artículo 42.2 LPI).

§ 487. El **principio de cooperación** obliga a la AIPI, A.A.I. a mantener una estrecha relación con las autoridades autonómicas que ostenten funciones en materia de protección al denunciante, lo que se deberá realizar mediante reuniones semestrales o por convocatoria de la presidencia de AIPI, A.A.I., a petición propia o a solicitud de otra autoridad, para la aplicación coherente de esta normativa, el intercambio mutuo de información y la constitución, en su caso, de grupos de trabajo (artículo 42.3 LPI).

§ 488. Las **funciones** principales de la AIPI, A.A.I. corresponden a la gestión del canal externo y la adopción de medidas de protección y, como funciones complementarias, el preceptivo informe sobre disposiciones generales en la materia, la potestad sancionadora por el incumplimiento de la ley y el fomento de la cultura de la información. De forma detallada, el catálogo funcional de la AIPI, A.A.I. será el siguiente (artículo 43 LPI):

1. Gestión del canal externo de comunicaciones regulado en el título III.

2. Adopción de las medidas de protección al informante previstas en su ámbito de competencias, de acuerdo con lo dispuesto en el artículo 41.

3. Informar preceptivamente los anteproyectos y proyectos de disposiciones generales que afecten a su ámbito de competencias y a las funciones que desarrolla.

4. Tramitación de los procedimientos sancionadores e imposición de sanciones por las infracciones previstas en el título IX, en su ámbito de competencias, de acuerdo con lo dispuesto en el artículo 61.

5. Fomento y promoción de la cultura de la información.

§ 489. Finalmente, la **Estrategia nacional contra la corrupción** se atribuye directamente al Gobierno, con la colaboración con las Comunidades Autónomas, en el plazo de dieciocho meses desde la entrada en vigor de la ley y "al menos deberá incluir una evaluación del cumplimiento de los objetivos establecidos en la presente ley, así como las medidas que se consideren necesarias para paliar las deficiencias que se hayan encontrado en ese periodo de tiempo" (disposición adicional quinta LPI). Dado que la entrada en vigor se ha producido el 13 de marzo de 2023, el plazo finalizará el 13 de septiembre de 2024.

RÉGIMEN JURÍDICO

§ 490. El **régimen jurídico** de la AIPI, A.A.I. se encuentra constituido por lo dispuesto en la Ley del Informante y en su Estatuto, siendo de aplicación supletoria, en lo que sea compatible con su independencia, las normas reseñadas en el artículo 110.1 LRJSP (artículo 44.2 LPI).

§ 491. Los **estatutos** de la AIPI, A.A.I. serán aprobados por el Consejo de Ministros, mediante real decreto, para desarrollar su estructura, organización y funcionamiento interno (artículo 44.2 LPI). La tramitación del real decreto comenzará con la propuesta conjunta de los Ministerios de Justicia, y de Hacienda y Función Pública y su aprobación se producirá en el plazo de un año desde la entrada en vigor de esta ley. El citado plazo finalizará el 13 de marzo de 2024, pues la ley entró en vigor el 13 de marzo de 2023.

§ 492. El **régimen de personal** se remite al TRLEBEP, pudiendo ser personal funcionario o laboral (artículos 45.1 LPI). No obstante, del régimen jurídico y la atribución de funciones de la AIPI, A.A.I. se infieren las siguientes especificidades:

a) La *plantilla* se conformará, como regla general, con funcionarios de carrera, conforme al artículo 9.2 TRLEBEP, pues las funciones atribuidas a la AIPI, A.A.I. en el artículo 43 LPI, excepto el "fomento y promoción de la cultura de la información", implican el ejercicio de potestades públicas o salvaguardia de los intereses generales.

b) El *personal directivo* se seleccionará bajo "los principios de competencia y aptitud profesional, mérito y capacidad y a criterios de idoneidad, y se llevará a cabo mediante procedimientos que garanticen la publicidad y concurrencia" (artículo 45.2 LPI, en consonancia con lo previsto en el artículo 13 TRLEBEP).

c) La *formación específica* sobre el tratamiento de las comunicaciones será imperativa, conforme al artículo 45.3 LPI.

§ 493. El **régimen de contratación** se remite a la legislación sobre contratación del sector público, recayendo la figura del órgano de contratación en el titular de la presidencia de la AIPI, A.A.I., sin perjuicio de las posibles delegaciones (artículo 46 LPI).

§ 494. El **régimen patrimonial** le atribuye patrimonio propio e independiente y, además, contará con los siguientes medios económicos que, como novedad, le atribuyen un porcentaje de las sanciones pecuniarias a determinar por Ley de Presupuestos (artículo 47 LPI):

"a) Las asignaciones que se establezcan anualmente con cargo a los Presupuestos Generales del Estado.

b) Los bienes y derechos que constituyan su patrimonio, así como los productos y rentas del mismo.

c) El porcentaje que se determine en la Ley de Presupuestos Generales del Estado sobre las cantidades correspondientes a sanciones pecuniarias impuestas por la propia Autoridad en el ejercicio de su potestad sancionadora.

d) Cualesquiera otros que legal o reglamentariamente puedan serle atribuidos".

§ 495. El **régimen de asistencia jurídica** para el asesoramiento, representación y defensa en juicio atribuye su ejercicio a la Abogacía General del Estado-Dirección del Servicio Jurídico del Estado, mediante la firma del correspondiente convenio (artículo 48 LPI).

§ 496. El **régimen presupuestario, de contabilidad y control económico y financiero** se someterá a las siguientes condiciones (artículo 49 LPI):

– La elaboración y aprobación anual de su propio anteproyecto de presupuestos, con créditos de gastos de carácter limitativo.

– Las modificaciones y especificaciones de los créditos se regirán por la normativa aplicable a los organismos autónomos en la LGP.

- La aprobación de gastos y ordenación de pagos atribuida a la presidencia de la AIPI, A.A.I., salvo los casos reservados a la competencia del Gobierno.
- La rendición de cuentas por parte de la presidencia de la AIPI, A.A.I.
- El control de la Intervención General de la Administración del Estado en los términos que establece la LGP.
- El control de eficacia y supervisión continua previsto en la Ley 40/2015.

§ 497. El **régimen presupuestario transitorio** de la AIPI, A.A.I. remite su financiación con cargo a los créditos presupuestarios del Ministerio de Justicia, hasta que cuente con presupuesto propio (disposición transitoria tercera LPI).

§ 498. El **régimen de recursos** de los actos y resoluciones de la AIPI, A.A.I. se regula en el artículo 20 LPI y remite a las previsiones generales de la LPAC, si bien las decisiones de la presidencia agotarán la vía administrativa y las decisiones adoptadas en la tramitación de las informaciones no serán recurribles conforme al artículo 20 LPI, tras la finalización de la vía administrativa.

§ 499. La **jurisdicción contencioso-administrativa** será competente para atender los recursos contra los actos y disposiciones de la AIPI, A.A.I., que agoten la vía administrativa (artículo 50.1 LPI). Las autoridades judiciales encargada de resolver los recursos de la AIPI, A.A.I. y de las autoridades autonómicas referidos a la Ley del Informante serán las siguientes (disposición final segunda LPI):

a) Las *Salas de lo Contencioso-Administrativo de los Tribunales Superiores de Justicia* conocerán en única instancia de los recursos que se deduzcan en relación con "los actos y disposiciones dictados por las autoridades independientes autonómicas u órganos competentes de las comunidades autónomas referidos en la Ley reguladora de la protección de las personas que informen sobre infracciones normativas y de lucha contra la corrupción" (artículo 10.1.m) LJCA).

b) La *Sala de lo Contencioso-Administrativo de la Audiencia Nacional* atenderá los actos y disposiciones dictados por la Autoridad Independiente de Protección del Informante, A.A.I. (disposición adicional cuarta.5 LJCA).

§ 500. Las **circulares y recomendaciones,** dictadas para establecer criterios y prácticas adecuadas para el correcto funcionamiento de la Autoridad, serán aprobadas por la presidencia de la AIPI, A.A.I (artículo 51.1 LPI). Las circulares serán normas de obligado cumplimiento, por lo que se elaborarán por el procedimiento establecido para las disposiciones de carácter general y serán publicadas en el Boletín Oficial del Estado. Hay que recordar que el procedimiento de normas con rango reglamentario, en el ámbito estatal, se atenderá a lo previsto en el artículo 26 Ley 50/1997, de 27 de noviembre, del Gobierno.

De forma agregada, el Gobierno se encuentra habilitado para dictar las disposiciones reglamentarias de desarrollo y ejecución de la ley (disposición final décima LPI).

§ 501. La **potestad sancionadora** por la comisión de infracciones recogidas en el título IX se ejercerá conforme a lo previsto en el citado título (artículo 52 LPI).

ORGANIZACIÓN

§ 502. La **presidencia** de la AIPI, A.A.I. ostenta su representación y gobierno, con rango de Subsecretaría, y su titular será elegido por Real Decreto, a propuesta del Ministerio de Justicia, por cinco años no renovables, previa comparecencia en la Comisión correspondiente del Congreso de los Diputados, "entre personas de reconocido prestigio y competencia profesional en el ámbito de las materias competencia de la Autoridad". La Comisión parlamentaria correspondiente deberá ratificar el nombramiento por mayoría absoluta en un mes desde que reciba la comunicación (artículo 53 LPI).

§ 503. Como **órgano asesor** no vinculante de la presidencia de la AIPI, A.A.I. se constituye la Comisión Consultiva de Protección del Informante, que se reunirá al menos semestralmente y cuando así lo disponga la presidencia. Este órgano estará presidido por el titular de la AIPI, A.A.I. y contará con trece miembros nombrados por orden del Ministerio de Justicia, entre personas con rango de Director General o asimilado, si bien hay un par de supuestos abiertos a la sociedad civil, los cuales actuarán en representación de las siguientes entidades y órganos (artículo 54 LPI):

"a) Un representante del Tribunal de Cuentas.

b) Un representante del Consejo de Transparencia y Buen Gobierno.

c) Un representante de la Oficina Independiente de Regulación y Supervisión de la Contratación.

d) Un representante de la Autoridad Independiente de Responsabilidad Fiscal.

e) Un representante del Banco de España.

f) Un representante de la Comisión Nacional del Mercado de Valores.

g) Un representante de la Comisión Nacional de los Mercados y la Competencia.

h) Un representante de la Abogacía General del Estado-Dirección del Servicio Jurídico del Estado.

i) Un representante de la Oficina Nacional de Auditoría de la Intervención General de la Administración del Estado.

j) Un representante del Ministerio de Hacienda y Función Pública perteneciente a la Agencia Estatal de Administración Tributaria.

k) Dos representantes designados por el Ministerio de Justicia por un período de cinco años entre juristas de reconocida competencia con más de diez años de ejercicio profesional.

l) Un representante de las personas informantes a nivel nacional de la asociación o asociaciones más representativas".

§ 504. Las **funciones de la Presidencia** de la AIPI, A.A.I. son plenas dentro de su potestad gubernativa o de autoorganización (representación legal, dirección y coordinación, sancionadora, etc.), conforme establece el artículo 55 LPI.

§ 505. Las **funciones de asesoramiento** de la Comisión Consultiva de Protección del Informante serán las siguientes (artículo 56 LPI):

a) Emitir "informe en todas las cuestiones que le someta la persona titular de la presidencia de la Autoridad Independiente de Protección del Informante, A.A.I".

b) "Formular propuestas en temas relacionados con las materias de competencia de esta".

§ 506. La **organización interna** se regirá por su Estatuto y el Reglamento de funcionamiento interno (artículo 57 LPI).

§ 507. La **inamovilidad** de la Presidencia es una de las garantías de la independencia de la AIPI, A.A.I., por lo que, salvo dimisión o expiración del mandato, la separación del cargo solo podrá ser acordada por Real Decreto en los siguientes casos tasados, que precisan de la ratificación del Congreso por mayoría absoluta en los tres primeros casos (artículo 58 LPI):

"a) Incumplimiento grave de sus obligaciones.

b) Incapacidad sobrevenida para el ejercicio de su función.

c) Incompatibilidad.

d) Condena firme por delito doloso".

§ 508. El **control parlamentario** obliga a la comparecencia anual de la Presidencia ante las comisiones competentes del Congreso de los Diputados y el Senado (artículo 59 LPI).

§ 509. La **Memoria anual y las estadísticas** cierran el régimen de rendición de cuentas de la AIPI, A.A.I. que se atenderá a las siguientes reglas (disposición adicional tercera LPI):

a) La *Memoria anual* será elaborada por el presidente en el primer trimestre del año para dar cuenta de las actuaciones del año anterior, de acuerdo a las siguientes condiciones:

– "El número y naturaleza de las comunicaciones presentadas y también las que fueron objeto de investigación y su resultado, especificándose las sugerencias o recomendaciones formuladas a la Autoridad Independiente de Protección del Informante, A.A.I. y el número de procedimientos abiertos".

– "No constarán datos y referencias personales que permitan la identificación de las personas informantes ni de las afectadas, excepto cuando ya sean públicas como consecuencia de una sentencia penal o contencioso-administrativa firme".

– "Será pública, se dará traslado a las Cortes Generales de modo previo a la comparecencia a que alude el artículo 59".

b) La *información estadística* acerca de las informaciones del canal externo, que deberá disponer, conforme al artículo 27.2 DPIUE, de forma preferentemente agregada, de los siguientes datos:

- número de comunicaciones recibidas por las autoridades competentes;
- número de investigaciones y actuaciones judiciales iniciadas a raíz de dichas comunicaciones, y su resultado, y
- estimación del perjuicio económico y los importes recuperados tras las investigaciones y actuaciones judiciales relacionadas con las infracciones, si se hubieran podido obtener.

Reflexión final y comentarios

§ 510. Un **modelo de éxito, como la ANAC italiana,** que ha permitido subir al país vecino 14 puntos en el Índice de Percepción de la Corrupción de Transparencia Internacional en la última década, hubiese hecho conveniente que el legislador español explorase su viabilidad en nuestro sistema institucional de integridad. De esta forma, los problemas de solapamiento e ineficacias económicas que la *hiperinstitucionalización* plantea, en donde convergen múltiples organismos como consejos de transparencia, oficinas de conflictos de interés, oficinas de contratación pública, etc., podrían solventarse atribuyendo a una sola entidad las funciones preventivas, la gestión de los canales externos y la protección del denunciante, las investigaciones administrativas y la imposición de sanciones (Nieto Martín, 2021).

§ 511. El **sistema institucional** de gestión de los canales externos en materia de protección del denunciante se configura de forma compartida entre el nivel estatal y autonómico, para lo cual se prevé la reunión periódica de estas autoridades para la aplicación coherente de la normativa, el intercambio mutuo de información y la constitución, en su caso, de grupos de trabajo. En este sentido, como ha analizado Ragués (2017), la creación de una Autoridad Independiente que implica una instancia intermedia entre el informante y las autoridades encargadas de la investigación administrativa, la instrucción y la resolución sancionadora puede incrementar la complejidad de un proceso jurídico en el que ya, de por sí, intervienen numerosas instituciones.

Como punto de partida, esta configuración institucional presenta, al menos transitoriamente, ciertas asimetrías, dado que la AIPI, A.A.I. se debe configurar en el plazo de un año desde la entrada en vigor de la Ley, mientras el plazo de adaptación de las autoridades autonómicas concluye previamente a los seis meses. Por lo tanto, muy posiblemente, esta nueva estructura institucional tarde más de un año en estar operativa, pues será difícil que en este plazo se produzca la creación, organización y financiación de la nueva Autoridad (Villoria, 2022).

En concreto, el plazo establecido para las autoridades autonómicas ha sido especialmente poco realista, como ha destacado Jiménez Asensio (2022), pues la tramitación legislativa de las normas legales suele extenderse a un plazo mayor y, además, la adaptación legislativa se ha circunscrito entre el 13 de marzo de 2023 y 19 de septiembre de 2023, cuando en dicho periodo debían de celebrarse buena parte de elecciones autonómicas prescritas por la ley.

§ 512. La **asimetría institucional a nivel territorial**, destacada en el apartado anterior, puede *cronificarse*, como ha puesto de manifiesto Jiménez Asensio (2023a), quien fundadamente, a modo de advertencia sobre los riesgos de esta regulación, se ha preguntado: "¿Qué ocurre si una Comunidad Autónoma no suscribe tales convenios [con la AIPI]?; ¿Quedan los "denunciantes" desprotegidos? ¿Cabe una aplicación asimétrica territorial y temporalmente para una materia de tanta importancia?". Conforme a la previsión legislativa, la gestión de los canales externos en el sector público autonómico y local, en aquellas comunidades autónomas donde no se haya asignado una autoridad competente o no se haya firmado un convenio con la AIPI, A.A.I., quedará huérfana de institución de referencia para la presentación de denuncias externas y la protección de los correspondientes informantes.

Por lo tanto, la preocupación expresada por el legislador, que declara que "la protección integral del informante exige no dejar espacios de impunidad" (preámbulo LPI), no se acompasa con la solución adoptada en el texto normativo, pues la vía convencional para que la AIPI, A.A.I. asuma estas funciones, en caso de vacío institucional autonómico, únicamente se recoge de forma potestativa. Como, de nuevo, ha reflexionado Jiménez Asensio (2023b):

"Menos coherente es aún esa puesta en marcha asimétrica que dejará temporalmente buena parte del territorio nacional a oscuras en lo que a la disponibilidad de canales externos alternativos respecta, que son al fin y a la postre la pieza de cierre del modelo al concentrar las facultades sancionadoras directas en aplicación de esta Ley. Que en unas CCAA se aplique ya en su plenitud la Ley, mientras que en otras se difiera por razones fácticas, no es de recibo".

Hay que recordar que la plenitud de autoridades competentes para la gestión de los canales externos y la protección de los informantes en todos los niveles territoriales se deduce del mandato del artículo 11 DPIUE, que no permite que existan lagunas competenciales a nivel territorial dentro de su ámbito material de aplicación. Por lo tanto, el vacío institucional que permite la Ley del Informante puede situar a España en una situación de incumplimiento del deber de transposición íntegro del mandato de la Directiva.

La solución a este problema se hubiese alcanzado con la introducción de una disposición transitoria que atribuyera provisionalmente a la AIPI, A.A.I. la competencia en los ámbitos territoriales donde la respectiva Comunidad Autónoma no hubiese designado la correspondiente autoridad competente. Como bien recuerda el propio legislador, esta posibilidad cumpliría con "la doctrina del Tribunal Constitucional, expuesta en la sentencia 130/2013, al indicar que «en casos como los que contemplamos, las disposiciones del Estado que establezcan reglas destinadas a permitir la ejecución de los Reglamentos comunitarios en España y que no puedan considerarse normas básicas o de coordinación, tienen un carácter supletorio de las que pueden dictar las comunidades autónomas para los mismos fines de sus competencias. Sin olvidar que la cláusula de supletoriedad del artículo 149.3 de la Constitución Española no constituye una cláusula universal atributiva de competencias, en tales casos, la posibilidad de que el Estado dicte normas innovadoras de carácter supletorio está plenamente justificada»" (preámbulo LPI). Por lo tanto, sigue justificando el preámbulo LPI, "la Autoridad Independiente de Protección del Informante, A.A.I. podrá tramitar las comunicaciones que se reciban a través de su canal externo que afecten al ámbito competencial de aquellas comunidades autónomas que así lo decidan y suscriban el correspondiente convenio, y aquellas otras que no prevean órganos propios que canalicen, en su ámbito competencial, las comunicaciones externas". En consonancia con esta justificación, el Anteproyecto de Ley elaborado por el Ministerio de Justicia expresamente recogía en la disposición adicional tercera que:

"La Autoridad Independiente de Protección del Informante podrá actuar como canal externo de informaciones y como una autoridad independiente de protección de informantes [...] respecto de aquellas comunidades autónomas y ciudades con Estatuto de Autonomía que no atribuyan a ninguna Autoridad u organismo propio la gestión del canal externo de comunicaciones".

Tras la elaboración del Anteproyecto de Ley se procedió a dar audiencia a las agencias antifraude autonómicas y locales el 23 de marzo de 2022 y a las Comunidades Autónomas en la Conferencia Sectorial de la Administración de Justicia de 25 de marzo de 2022 (Jiménez Franco, 2022). Como ha señalado el Dictamen del Consejo de Estado, no consta como se ha sustanciado este trámite ni las observaciones que se hubieran podido formular, pero lo cierto es que el Proyecto de Ley visado por el Consejo de Ministros ya recogía la redacción de la actual disposición adicional segunda relativa a los convenios con las comunidades autónomas en los mismos términos finalmente aprobada por las Cortes Generales.

Finalmente, la Ley del Informante aprobó la nueva redacción de la disposición adicional segunda LPI que deja vacante el ejercicio de las competencias de autoridad competente de naturaleza externa en las comunidades autónomas cuyas asambleas legislativas no hayan procedido a la correspondiente designación funcional. No obstante, el preámbulo LPI ha mantenido la fundamentación inicial del Anteproyecto de Ley elaborado por el Ministerio de Justicia, de forma contradictoria con lo finalmente regulado en su articulado.

§ 513. La plenitud competencial de la AIPI, A.A.I. en el ámbito del sector público estatal y el sector privado interterritorial es el criterio que se deduce de la atribución como autoridad competente a efectos del canal externo de informaciones (artículo 24 LPI), la adopción de medidas de protección de los informantes (artículo 41 LPI) y el ejercicio de la potestad sancionadora (artículo 61 LPI). No obstante, es necesario plantear las siguientes cuestiones controvertidas en esta materia:

a) La *AIPI, A.A.I. será autoridad competente para la gestión del canal externo de informaciones que afecten tanto al sector público estatal como del "resto de entidades del sector público, los órganos constitucionales y los órganos de relevancia constitu-*

cional a que se refiere el artículo 13" (artículo 24.1.b) LPI). En esta relación se incorporan sujetos no pertenecientes al Poder Ejecutivo como la Corona, las Cortes Generales, el Tribunal de Cuentas, el Defensor del Pueblo, el Poder Judicial y el Tribunal de Constitucional, lo que puede producir conflictos institucionales en el esquema de separación de poderes.

b) La *AIPI, A.A.I. solo será autoridad competente para el sector público estatal en materia de protección del informante y potestad sancionadora*, conforme a lo señalado en los artículos 41 y 61 LPI. En estos supuestos, se respeta el principio de separación de poderes, pero los informantes sobre infracciones producidas en el seno de estas instituciones no tendrán una autoridad externa de referencia, por lo que deberán solicitar el amparo de las autoridades designadas dentro de los sistemas internos de información. De la misma forma, tampoco existirá autoridad competente para la aplicación del régimen sancionador.

§ 514. La **denominación oficial** de "Autoridad Independiente de Protección del Informante, A.A.I." es fiel reflejo de la intención del legislador, que no ha optado ni por una oficina con vocación de liderar la totalidad del ciclo preventivo de lucha anticorrupción, como sus homólogas europeas (Oficina Europea de Lucha Antifraude, *Agence Française Anticorruption* o *Autorità Nazionale Anticorruzione* italiana) o nacionales (Oficina Antifraude de Cataluña, Agencia de Prevención y Lucha contra el Fraude y la Corrupción de la Comunitat Valenciana, Oficina de Prevención y Lucha contra la Corrupción en las Illes Balears y Oficina Andaluza contra el Fraude y la Corrupción). Tampoco se ha decantado por la tendencia más reciente de ser la cúspide de los sistemas de integridad institucional, como la Oficina de Buenas Prácticas y Anticorrupción de la Comunidad Foral de Navarra y las *non nata* Agencia de Integridad y Ética Públicas de Aragón y Oficina de Buen Gobierno y Lucha contra la Corrupción de Asturias.

En este sentido, Jiménez Asensio (2023a) no ha valorado positivamente la denominación, que únicamente hace referencia a una de sus funciones, como es la protección, obviando la referencia al canal externo, sino que, además, conlleva connotaciones negativas con la mención a la corrupción, por lo que aboga por seguir el ejemplo aragonés que se refiere a las Autoridades de Integridad Pública. Abundando en este argumento, las referencias únicas a las funciones de protección del denunciante o de lucha contra el fraude y la corrupción parece vincular a la AIPI, A.A.I. más con la fase represivas y penal, lo que puede llevar a la ciudadanía una cierta confusión sobre la naturaleza y funciones de estas entidades.

La proposición de Ley de Ciudadanos proponía una denominación claramente positiva: "Autoridad Independiente de Integridad Pública" que nos parece adecuada, en línea con el planteamiento citado de Jiménez Asensio. No obstante, resulta conveniente, en nuestra opinión, que la denominación agregue la referencia tradicional "antifraude" o "anticorrupción" para denotar que estas instituciones abarcan los aspectos positivos y negativos en materia de prevención contra las malas prácticas institucionales. A modo de mera propuesta, la denominación adecuada para esta clase de instituciones de nuevo cuño convendría que incluyeran términos como "integridad" o "ética" y "antifraude" o "anticorrupción", como, por ejemplo: "Autoridad de Integridad y Prevención Antifraude (AIPAF).

§ 515. La **evaluación** de los impactos externos e internos previa es imprescindible antes de abordar la creación de una nueva entidad pública para evitar el riesgo de *hiperinstitucionalización* e incluso "las soluciones meramente cosméticas, es decir, aquellas que tratan de acallar la preocupación de la opinión pública mediante medidas como la creación de instituciones con nombres relevantes y altisonantes" (Fernández Ajenjo, 2019d).

La Memoria de Análisis del Impacto Normativo del APL cifraba el impacto presupuestario inicial de constitución de la AIPI, A.A.I. en 5,74 millones de euros, con un presupuesto ordinario anual de 3,88 millones de euros y una dotación de personal de 28 personas. A efectos comparativos, la plantilla de personal puede ser un buen indicador, observándose que la OAC cuenta con 53 personas en plantilla en abril de 2023 (https://seuelectronica.antifrau.cat/es/plantilla-es.html) y la misma cifra alcanza la relación de puestos de trabajo de la AVAF (https://www.antifraucv.es/wp-content/uploads/2023/04/230405_Publicacion_DOGV.pdf). Por lo tanto, las previsiones de personal de la AIPI, A.A.I., que tiene un menor rango de funciones con respecto a las citadas agencias autonómicas, pueden juzgarse adecuada.

Por su parte, la evaluación del impacto realizada por la propuesta de Directiva justificaba la existencia de importantes beneficios económico-sociales en forma de reducción del fraude presupuestario, mejora de la contratación pública, mejora de las condiciones de trabajo y de la transparencia de la competencia del mercado. En la planificación estratégica y en la elaboración del programa presupuestario de la AIPI, A.A.I. sería muy conveniente el diseño de indicadores que permitan el seguimiento de estas magnitudes para poder justificar que la creación de la institución obtiene los resultados para los cuáles ha sido creada.

No hay que olvidar que la alternativa de atribuir estas funciones a alguna de las diversas autoridades de naturaleza independiente ya existentes hubiera contribuido a no incrementar "el riesgo de atomización de los organismos de control que participan directa o indirectamente en la lucha contra la corrupción" (Sierra, 2022, 81). Por otra parte, también hubiera supuesto un ahorro de coste, al menos en cuanto a la infraestructura de gobernanza, que supone la creación de una nueva institución. En este sentido, Ferrán (2022) ha considerado que se trata de una oportunidad perdida, pues el Tribunal de Cuentas podría haber asumido estas funciones, de forma menos gravosa, con base a su experiencia en materia de fiscalización de buena parte de las materias sujetas al ámbito de aplicación de la Ley del Informante: económico-financiera, transparencia, igualdad, o medio ambiente, y, además, garantizaría mejor la protección de la identidad del informante, pues en el inicio de sus actuaciones investigadoras no se podría conocer si surgen por propia iniciativa de la entidad o por una denuncia.

§ 516. La **constitución** de la AIPI, A.A.I., con un ámbito de aplicación ceñido al sector público estatal y de última ratio en el campo autonómico y local, debe valorarse positivamente, pues, como recomienda la Guía Técnica UNODC (2010), se hacía necesario cubrir un vacío institucional existente en el ámbito estatal, aunque, como se ha analizado, solo lo logre parcialmente. Este déficit ha sido denunciado reiteradamente en los encuentros de la Red de Oficinas y Agencias Anticorrupción (Llinares, 2023), punto de encuentro entre las agencias autonómicas y locales, el SNCA y la OIRESCON estatales y los OCEX autonómicos con competencias de prevención de la corrupción.

§ 517. La **restringida atribución funcional** de la AIPI, A.A.I. ha sido quizás la cuestión más controvertida en el diseño de la nueva autoridad, por diferenciarse sustancialmente del amplio catálogo que en materia de prevención del fraude han recibido hasta el momento la mayor parte de las autoridades autonómicas homólogas. Como ha estudiado Nieto Martín (2021), la primera oleada de ACAs de los años 50 (v. gr., Singapur) hicieron hincapié en ejercitar la actividad investigadora en entornos fuertemente criminalizados, la Unión Europea ha seguido este modelo en los 90 con la OLAF ante la falta de facultades para actuar directamente en la esfera penal; pero, en la actualidad, se está imponiendo la función preventiva (v. gr. la ANAC italiana y la AFA francesa), aunque dotadas diferentes niveles de potestades sancionadoras. La nueva autoridad española se ha centrado en un plano intermedio entre la tarea de impulso y supervisión de la función de prevención, vinculada a los programas de cumplimiento y a los códigos de conducta principalmente, y la esfera de la investigación administrativa que puede terminar con recomendaciones de iniciar procedimientos disciplinarios o penales.

En favor de la elección del legislador hay que argumentar que el amplísimo catálogo de irregularidades normativas que podrán ser objeto de denuncia ante la AIPI, A.A.I., que abarcan todo el acervo comunitario y, al menos, el ordenamiento jurídico estatal, hace inviable que pueda tener medios personales suficientes y especializados para realizar investigaciones en todos los campos de la legislación, como el tributario, financiero, contractual, laboral, etc. A modo de ejemplo, la OLAF únicamente centra sus esfuerzos en la protección de los intereses financieros de la Unión Europea y cuenta con una plantilla superior a 300 personas, según las últimas Memorias Anuales publicadas. Además, debe tenerse en cuenta que en casi todos los sectores existen agencias u órganos especializados en el control e inspección de las posibles irregularidades (AEAT, CNMC, IGAE, etc.), por lo que circunscribir en estas cuestiones la labor de la AIPI, A.A.I. a la mera recepción de informaciones y su traslado a la autoridad correspondiente, previo análisis de su verosimilitud, puede resultar una alternativa razonable.

No obstante, hubiese sido conveniente que la AIPI, A.A.I. hubiese recibido la atribución de las funciones de asesoramiento y evaluación de las medidas preventivas y de inteligencia y análisis de datos, con el fin de cubrir el déficit institucional en materia de prevención de la corrupción existente, al menos, a nivel estatal. En la actualidad, el Servicio Nacional de Coordinación Antifraude (SNCA), insertado en la IGAE, ejerce parcialmente estas funciones, sobre todo en materia de protección de los intereses financieros comunitarios, pero el legislador tampoco ha optado por completar su estatuto jurídico, apenas pergeñado en la disposición adicional veinticinco LGS.

En sentido contrario, el legislador ha argumentado que la nueva autoridad independiente recibe funciones que "van más allá del contenido de la norma europea" (preámbulo LPI), como el asesoramiento sobre las propuestas legislativas sobre las materias de su competencia o el fomento y promoción de la cultura de la información. No obstante, debe recordarse que la Guía Técnica UNODC (2010) incluye, entre otras, el siguiente catálogo de funciones que deben atender las autoridades especializadas en prevención de la corrupción: impulsar planes de prevención, facilitar las reclamaciones ciudadanas, ejercer facultades investigativas o valorar la aplicación de los planes aprobados. A este respecto, el análisis previsor de Benítez (2017) ha advertido que estas agencias especializadas deben dotarse de funciones bien definidas y medios suficientes.

§ 518. La **parquedad de las facultades** atribuidas a la AIPI, A.A.I. es consecuencia lógica y razonable de las funciones que tiene asignadas. Por ello, las facultades otorgadas a la nueva institución son notablemente inferiores a sus homólogas comunitarias y autonómicas, pues, por ejemplo, en materia de investigación, no se le reconoce expresamente el acceso a bases de datos, la práctica de visitas *in situ*, la posibilidad de obtención de autorización judicial para la entrada en domicilios constitucionalmente protegidos, la expresa capacidad de solicitar información de las entidades financieras o la realización de operaciones digitales forenses.

A pesar de estar razones, hubiese sido conveniente otorgarle facultades que son básicas para la validación de la verosimilitud de las informaciones recibidas en el breve espacio temporal, que la normativa otorga a la AIPI, A.A.I., y, en especial, el acceso directo a bases de datos como, a modo de ejemplo, como la Plataforma de Contratación del Sector Público, la Base de Datos Nacional de Subvenciones o el Minerva, que se configura como una herramienta informática de *'datamining'* para el análisis de riesgo de conflicto de interés. Aunque estas facultades podrían entenderse incluidas dentro del genérico deber de colaboración atribuido por la Ley del Informante, la especial importancia del principio de legalidad como garantía de los ciudadanos, que condiciona el desarrollo de los procedimientos de naturaleza inspectora, hubiese hecho conveniente la expresa previsión normativa de esta facultad de acceso (Fernández Ajenjo, 2022).

§ 519. La **potestad normativa** *ad extra* reconocida expresamente a la AIPI, A.A.I. a través de la facultad de dictar circulares y, ya sin rango imperativo, de recomendaciones es una atribución poco frecuente en la legislación de las ACAs y resaltable favorablemente, pues le permitirá establecer criterios homogéneos y de obligado cumplimiento en materias como los sistemas de información, los canales externos, la protección del informante o el procedimiento sancionador previsto en la ley.

No obstante La referencia del artículo 51 LPI que indica que estas disposiciones se dictarán "para el correcto funcionamiento de la Autoridad" puede generar confusión, como ha advertido Sierra (2022), sobre si su ámbito de aplicación tiene vocación puramente de instrucción interna o también pueden dictarse disposiciones con efectos sobre terceros. La lectura del preámbulo LPI parece disipar estas dudas, pues afirma: "la posibilidad de que la propia Autoridad Independiente de Protección del Informante, A.A.I. pueda elaborar circulares y recomendaciones que establezcan *los criterios y prácticas adecuadas para el cumplimiento de las disposiciones contenidas en esta ley y las normas que la desarrollen"*. Además, debe tenerse en cuenta que la potestad reglamentaria interna se regula de forma independiente en el artículo 57 LPI que dispone expresamente la aprobación de un Reglamento de funcionamiento.

En el mismo sentido lo entendió el Dictamen del Consejo de Estado (2022, 64), que indica que "la referencia a la obligatoriedad de las circulares no puede sino hacer referencia a su eficacia *ad extra*, en la medida en que, más allá de su obligatoriedad *ad intra* en la estructura administrativa de la Autoridad, podrán afectar a todos los ciudadanos". El citado documento destaca la incidencia de la actividad de la Autoridad sobre los "derechos individuales de las personas físicas" y considera acertado su tramitación por el procedimiento de las disposiciones de carácter general como "garantía de transparencia y de respeto a la legalidad indispensable", si bien proponía que el proyecto normativo agregara al procedimiento trámites como la consulta pública.

La atribución de potestad reglamentaria a la AIPI, A.A.I. está en consonancia con la Guía Técnica UNODC (2010), que estima que los órganos especializados en prevención de la corrupción deben tener "la autoridad legislativa formal necesaria para desempeñar sus funciones", debiendo incluirse, dentro de este marco normativo, los siguientes elementos:

> "– dar al órgano o a los órganos la autoridad legal para elaborar las políticas y decidir las prácticas previstas en la Convención;
> – permitirles publicar guías y elaborar códigos de conducta;
> – permitirles hacer recomendaciones en materia de la legislación futura y disponer que se les consulte antes de que se apruebe toda disposición legislativa nueva;
> – en caso de que tengan facultades investigativas, permitirles hacer investigaciones por propia iniciativa, sin exigir autorización legislativa previa;
> – concederles facultades para que puedan exigir documentación, información, testimonios y demás elementos de prueba;
> – velar por que puedan intercambiar información con los órganos nacionales e internacionales pertinentes que participen en la lucha contra la corrupción, incluidos, según proceda, los correspondientes organismos encargados de hacer cumplir la ley;
> – velar por que tengan independencia necesaria para cumplir sus funciones;
> – garantizar la protección de su personal contra procedimientos civiles cuando desempeñen sus funciones de buena fe;
> – establecer niveles adecuados de rendición de cuentas y presentación de informes;
> – asegurarse de que están bien dirigidos; y garantizarles un nivel de recursos adecuado".

§ 520. La **potestad normativa** *ad intra* corresponde, en primer lugar, al Gobierno, que aprobará el Estatuto y el Reglamento de régimen interno de la AIPI, A.A.I. Esta configuración del régimen jurídico de funcionamiento es habitual en la normativa de otras autoridades administrativas independientes, como se recoge, por ejemplo, en el artículo 8.1 de la Ley Orgánica 6/2013, de 14 de noviembre, de creación de la Autoridad Independiente de Responsabilidad Fiscal. No obstante, la normativa reguladora de otros organismos públicos dotados de independencia les concede mayor potestad autoorganizativa, al designar al Gobierno únicamente como autoridad para aprobar los estatutos de la entidad y reconociendo a la propia entidad la capacidad de aprobar el reglamento de régimen o funcionamiento interno. Por ejemplo, de esta forma se ha establecido en el artículo 16.1 Ley 3/2013, de 4 de junio, de creación de la Comisión Nacional de los Mercados y la Competencia.

§ 521. La **naturaleza jurídica** de autoridad administrativa independiente de ámbito estatal trata de dotar a la AIPI, A.A.I. de la suficiente independencia organizativa y funcional, tal y como aconsejan los organismos internacionales. Así, por ejemplo, la Guía Técnica UNODC (2010, 11-12) recomienda que las autoridades especializadas en la prevención de la corrupción se atengan a un marco legislativo, sometido a la reserva de ley, que garantice su independencia operacional, pues mediante "la creación por ley o, como demuestra la experiencia, garantías constitucionales de independencia hacen más probable que el órgano o los órganos tengan facultades suficientes para promover políticas eficaces, asegurar su aplicación, y dan una sensación de estabilidad".

El Consejo de Estado (2022, 58) ha ponderado favorablemente las garantías de independencia que la Ley del Informante otorga al nuevo organismo, al considerar que "el anteproyecto de Ley recoge suficientes garantías jurídicas en cuanto a la independencia de la Autoridad, de modo que a juicio del Consejo de Estado se atiene a la Directiva". En este sentido, ha recordado la jurisprudencia del Tribunal de Justicia de la Unión Europea que ha señalado que la normativa comunitaria sobre autoridades de control exige total independencia en el ejercicio de sus funciones, por lo que, por ejemplo, las competentes en materia de protección de datos personales no pueden admitir "la mera posibilidad de que las autoridades de tutela puedan ejercer influencia política sobre las decisiones de las autoridades de control" (STJUE de 9 de marzo de 2010). Por otra parte, su régimen jurídico contiene numerosas garantías de independencia, como la "plena autonomía e independencia orgánica y funcional respecto del Gobierno, de las entidades integrantes del sector público y de los poderes públicos en el ejercicio de sus funciones" (artículo 42.1 LPI); el "desempeño de las

funciones que le asigna la legislación, y sin perjuicio de la colaboración con otros órganos y de las facultades de dirección de la política
general del Gobierno ejercidas a través de su capacidad normativa, ni
el personal ni los miembros de los órganos de la Autoridad Independiente de Protección del Informante, A.A.I. podrán solicitar o aceptar
instrucciones de ninguna entidad pública o privada"; las especiales
condiciones del nombramiento y temporalidad de la Presidencia de
la Autoridad (artículo 53 LPI); el régimen de personal, de contratación y patrimonial (artículos 45 a 47 LPI); la condición de última vía
administrativa de las decisiones de la Presidencia (artículo 50 LPI); la
adscripción al Ministerio de Justicia "meramente a efectos de relación
con el Gobierno"; y las causas tasadas de cese de la persona titular
(artículo 58 LPI).

A pesar de este parecer favorable, el Dictamen del Consejo de Estado aportó dos propuestas de naturaleza organizativa para la mejora
de la independencia de la entidad, que no fueron atendidas por el
legislador: la delimitación de los requisitos de elegibilidad y del régimen de incompatibilidades. De la misma forma, el legislador no ha
aprovechado la legislación reguladora de la AIPI, A.A.I. para reforzar,
dentro de su marco jurídico especial, las garantías de independencia
que han recibido otras entidades de naturaleza independiente, pues el
régimen jurídico previsto en la LRJSP establece importantes tutelas
del Ejecutivo al remitirse a la aplicación supletoria del régimen jurídico de los organismos autónomos. A modo de ejemplo, la legislación
específica de otras autoridades administrativas independientes ha ampliado su margen de independencia con la asignación de las siguientes
atribuciones:

a) El *reconocimiento expreso de su plena independencia del Gobierno y las Administraciones Públicas y su único sometimiento
   al control parlamentario y judicial* previsto en el artículo 2.1 de
   la Ley 3/2013, de 4 de junio, de creación de la Comisión Nacional de los Mercados y la Competencia.

b) La *plena competencia para aprobar los gastos y ordenar los
   pagos* atribuida a la CNMC en el artículo 34.3 de la citada Ley
   3/2013.

c) La *potestad para aprobar las modificaciones de su presupuesto*, salvo las que incrementen gastos de personal, prevista en el

artículo 12.2 de la Ley Orgánica 6/2013, de 14 de noviembre, de creación de la Autoridad Independiente de Responsabilidad Fiscal y el artículo 44.4 del Real Decreto 215/2014, de 28 de marzo, por el que se aprueba el Estatuto Orgánico de la Autoridad Independiente de Responsabilidad Fiscal.

Por otra parte, atendiendo a razones de armonización legislativa, hubiese sido conveniente que la configuración institucional de la AIPI, A.A.I. se asimilara a la establecida para las homólogas agencias autonómicas. Así, la AVAF se ha constituido como una entidad con personalidad jurídica propia, dotada de independencia frente a todas las Administraciones Públicas (Llinares, 2023) y cuya adscripción a *Les Corts* únicamente implica la sujeción a la misma Intervención, la integración presupuestaria, pero en una partida independiente aprobada por el propio organismo, y la rendición de cuentas (artículos 1 y 30 LACA Valencia). Por lo tanto, esta última autoridad no se encuentra sujeta a mecanismo de tutela alguno por parte de ningún órgano del Poder Ejecutivo ni en materia presupuestaria, de contratación, autorización de gastos y pagos y de control financiero.

§ 522. El **desfase temporal** entre el corto plazo de tres meses otorgado para la constitución de los sistemas internos de información y el largo interregno de un año otorgado al Gobierno para el desarrollo de los Estatutos de la AIPI, A.A.I. no ha permitido que el proceso de implantación de los canales internos fuera desarrollado bajo el apoyo y tutela de la autoridad de control externo a través de la expedición de las oportunas circulares y recomendaciones, a salvo de las entidades ubicadas en comunidades autónomas que contaban ya con una agencia antifraude. Hubiese sido conveniente aprovechar el plazo de dos años otorgado por la Directiva 2019/1937 para la transposición legislativa y constituir primeramente la AIPI, A.A.I., con lo que la implantación de los sistemas internos de información se hubiera desarrollado bajo la tutela técnica de esta institución.

Con el plazo temporal concedido para la constitución de la AIPI, A.A.I., que vence el 13 de marzo de 2024, la puesta en funcionamiento de este órgano exigido por la Directiva 2019/1937 puede trasladar el incumplimiento de trasposición en más de tres años. Hay que recordar que, tras la aprobación de los Estatutos de la AIPI, A.A.I., todavía será necesario un lapso temporal mayor para su constitución efectiva y el pleno desarrollo normativo y técnico del canal externo.

A mayor abundamiento, la conveniencia de haber abreviado la creación de la Autoridad Independiente se hace más perentoria desde el momento que la Comisión Europea expedientó a España (junto con otros veintitrés países) por el retraso en la trasposición en 2022 y finalmente remitió el caso español (junto con otros siete países -Alemania, República Checa, Estonia, Hungría, Italia, Luxemburgo y Polonia-) al Tribunal de Justicia de la Unión Europea en febrero de 2023.

§ 523. El **compromiso de elaborar políticas estratégicas de prevención de la corrupción** que establezca objetivos y metas es una recomendación de *good governance* de toda política pública y, como ha señalado la doctrina, uno de los mayores déficits de nuestro sistema de lucha contra la corrupción (Villoria, 2022). De esta forma, la Convención de Naciones Unidas contra la Corrupción de 2033 recoge expresamente esta necesidad en el artículo 5 "Políticas y prácticas de prevención de la corrupción":

> "1. Cada Estado Parte, de conformidad con los principios fundamentales de su ordenamiento jurídico, formulará y aplicará o mantendrá en vigor *políticas coordinadas y eficaces contra la corrupción* que promuevan la participación de la sociedad y reflejen los principios del imperio de la ley, la debida gestión de los asuntos públicos y los bienes públicos, la integridad, la transparencia y la obligación de rendir cuentas.
>
> 2. Cada Estado Parte procurará establecer y fomentar prácticas eficaces encaminadas a prevenir la corrupción.
>
> 3. Cada Estado Parte procurará *evaluar periódicamente* los instrumentos jurídicos y las medidas administrativas pertinentes a fin de determinar si son adecuados para combatir la corrupción".

Este mandato de planificación estratégica se reitera, de forma transversal, en el conjunto del tratado convencional, asignando a los órganos especializados de prevención la aplicación y/o supervisión de estas políticas (artículo 6.1 CNUCC), perfeccionando los programas de capacitación sobre la planificación estratégica contra la corrupción (artículo 60.1.b) CNUCC) o evaluando las políticas en vigor (artículo 61.3 CNUCC).

La Comisión Europea ha recomendado específicamente a todos los Estados Miembros la elaboración de estrategias anticorrupción y ha contribuido a facilitar su implantación con la publicación de las "Directrices sobre las estrategias nacionales de lucha contra el fraude" de 2016. En el Informe Especial 06/2019 del Tribunal de Cuentas Europeo "Lucha contra el fraude en el gasto de cohesión de la UE" se destacaba que, hasta ese momento, diez Estados, incluyendo a España, no se habían dotado de este instrumento orientador.

La Ley del Informante ha establecido el compromiso del Gobierno para aprobar la estrategia nacional contra la corrupción en el plazo de dieciocho meses desde la entrada en vigor de la ley con la colaboración de las comunidades autónomas (disposición adicional quinta LPI). Por lo tanto, el plazo finalizará el 13 de septiembre de 2024. A nivel legislativo, habrá que tener en cuenta que este instrumento debe coordinarse con otras políticas públicas, como la Estrategia Nacional de Contratación Pública prevista en el artículo 334 LCSP, que debe elaborar la Oficina de Supervisión de la Contratación. También deberá tener en cuenta los documentos elaborados por las comunidades autónomas, como la "estrategia de lucha contra la corrupción y de fortalecimiento de la integridad pública" aprobada por el Gobierno de la Generalitat de Cataluña el 15 de enero de 2020.

El proceso de la planificación estratégica antifraude propuesto por las Directrices COM 2016 recomienda su desarrollo en cuatro fases: visión preliminar, la elaboración de planes, la ejecución de las medidas y la evaluación de los resultados. Desde el punto de vista práctico, es conveniente, además, elaborar un Plan de Acción relativo a la "hoja de ruta que establece los pasos para la aplicación de la estrategia nacional de lucha contra el fraude y para el seguimiento de sus objetivos" (Directrices COM 2016, 91), así como seleccionar proyectos e hitos realistas y ejecutables en el plazo establecido. El objetivo final es la aprobación, implementación y seguimiento de estrategias que eludan el riesgo de *hiperplanificación* cosmética que se ha desarrollado en buena parte de las políticas públicas, que únicamente obtienen como resultado complejos y voluminosos documentos que se alojan en los sitios web corporativos, sin que logren obtener la atención ni de las instituciones ni de la ciudadanía (Fernández Ajenjo, 2021).

En estos momentos, el proyecto de elaboración de la estrategia nacional se ha iniciado por el SNCA, conforme establece el apartado 2.a) de la disposición adicional vigésima quinta LGS, en octubre de

2021 y "cuenta con la asistencia técnica de la Organización para la Cooperación y Desarrollo Económico (OCDE) y la financiación de la Comisión a través de la Dirección General de Apoyo a las Reformas Estructurales (DG REFORM)" (SNCA, 2022, 6).

§ 524. La **formación especializada del personal** es un elemento clave para la AIPI, A.A.I., pues el ejercicio poco experimentado de sus funciones dañará gravemente su necesaria legitimación social (Fernández Ajenjo, 2022). En principio, el personal técnico de la autoridad parte del difícil reto impuesto por la normativa de actuar en dos campos tan distintos como el sector público y el sector privado (Sierra, 2022). Por otra parte, el principio de diligencia e imparcialidad profesional exigible a quienes gestionan los sistemas de información y protección de los denunciantes que en el campo privado implican perfiles profesionales con formación específica, como, por ejemplo, la proporcionada por la Asociación de Examinadores de Fraude Certificados (ACFE). En el ámbito público, el SNCA desarrolla esta actividad formativa, como establece el apartado 2.4 de la disposición adicional vigésima quinta LGS. También puede incardinarse esta actividad dentro de la función de fomento de la cultura de la información atribuida a la AIPI, A.A.I. en el artículo 43.5 LPI.

El artículo 6.2 CNUCC también reconoce la importancia de que el personal de los órganos especializados en la prevención de la corrupción cuente con capacitación específica que se pueda requerir para el desempeño de sus funciones. De forma más detallada, la Guía Técnica UNODC (2010, 13) realiza las siguientes recomendaciones:

> "Como parte de su plan anual de actividades y de sus estimaciones presupuestarias, el órgano o los órganos deben determinar sus necesidades de personal. La autoridad que los cree ha de considerar la posibilidad de dejar que estos órganos planifiquen sus propias políticas de recursos humanos, determinen el número y las calificaciones profesionales de su personal, así como las especializaciones que se necesitan *y los criterios y requisitos de formación*. En bien de la transparencia, sería razonable que publicaran sus procedimientos de contratación y nombramiento, que deben satisfacer los requisitos establecidos en el artículo 7 de la Convención y ser objeto de auditoría".

§ 525. El **régimen patrimonial de ingresos** por las sanciones impuestas por la AIPI, A.A.I. queda sujeto a la determinación anual del porcentaje a percibir por parte de la Ley de Presupuestos Generales del Estado. Esta previsión es contraria a la recomendación de la Guía Técnica UNODC (2010, 12-13) que, en aras de asegurar la independencia de estas instituciones, recomienda que la financiación de estos organismos se sujete a un plan plurianual que no quede sujeta a eventuales mermas injustificadas por parte de los legisladores:

> "Es importante que el órgano u órganos estén financiados de forma apropiada y adecuada. Una manera de hacerlo es que su plan anual de actividades, con todos los detalles presupuestarios, se presente directamente al correspondiente comité presupuestario de la legislatura para su aprobación. *En lo posible, la financiación de estos órganos debe aprobarse sobre una base plurianual. Así habrá menos posibilidades de que la legislatura utilice su facultad de aprobar el presupuesto para limitar la independencia de estos órganos o para influir indebidamente en relación con determinados casos de corrupción.* Otro método consistiría en conceder a estos órganos, una suma global y de modo que quedara libre de toda influencia legislativa a la hora de decidir cómo distribuirla. El órgano o los órganos deciden a qué destinan sus recursos, pero cada año deben presentar cuentas y ser objeto de los debidos procesos de auditoría externa propios de las entidades públicas de índole equivalente. Hay muchas otras formas de garantizar una financiación apropiada; pero lo fundamental, es que el órgano o los órganos de lucha contra la corrupción sean independientes",

§ 526. El régimen económico-financiero y de control se encuentra muy condicionado por la adscripción de la AIPI, A.A.I. al Ministerio de Justicia, lo que le somete a las condiciones de gestión financiera propias de los organismos públicos dependientes del Poder Ejecutivo. A continuación, se realiza un análisis de las consecuencias de la vinculación gubernamental de la AIPI, A.A.I.:

a) La *falta de previsión de una partida presupuestaria independiente*, que se integrara en los Presupuestos Generales del Estado, tal y como prevé la normativa de las agencias anticorrupción autonómicas actualmente en funcionamiento, Así, por ejemplo, el artículo 30.1 LACA Valencia establece que "La dotación económica necesaria para el funcionamiento de la agencia constituirá una partida independiente en los presupuestos generales de las Corts Valencianes".

b) La *remisión del régimen de modificaciones del presupuesto a lo previsto en la LGP* para los organismos autónomos, que otorga la competencia, con carácter general, al Gobierno, al Departamento de Hacienda o al Ministerio de adscripción (artículos 61 a 63 LGP), sin más excepciones que algunos créditos extraordinarios y suplementos de escasa relevancia cuantitativa (artículo 56 LGP) y ciertos supuestos de generaciones de crédito y las establecidas a favor de los ministros, siempre que el mismo no decida su avocación (artículo 63.2 LGP). Además, estas competencias de los titulares de los organismos autónomos decaen si se emite un informe negativo por parte de la Intervención Delegada, en cuyo caso la decisión quedará en manos de la decisión del Ministerio de Hacienda (artículo 62.2 LGP).

c) La *aprobación de gastos y ordenación de pagos* atribuida a la Presidencia de la AIPI, A.A.I. precisará de la autorización previa del Consejo de Ministros para los gastos superiores a doce millones de euros (artículo 74.5 LGP). Esta tutela financiera se aplica exclusivamente sobre los órganos dependientes del Ejecutivo, sin que afecte a aquellos de adscripción a los poderes legislativo y judicial, que cuentan con dotación diferenciada en los Presupuestos Generales del Estado (artículo 74.1 LGP).

d) La *sujeción al control de la Intervención General de la Administración del Estado*, que es un órgano del Departamento de Hacienda del Poder Ejecutivo, en los términos que establece el título VI LGP. En el caso de las agencias antifraude autonómicas, el control de la actividad económico-financiera corresponde habitualmente a la Intervención del correspondiente Parlamento y, por lo tanto, no dependiente funcionalmente del Poder Ejecutivo. Por ejemplo, la AVAF "está sujeta a la Intervención de Les Corts, en la forma que se determine, y justificará su gestión, anualmente, a la Sindicatura de Comptes" (artículo 30.6 LACA Valencia).

e) El *sometimiento al control de eficacia y supervisión continua previsto para las autoridades dependientes* (artículo 85 LRJ-SP). Por la importante repercusión de esta competencia sobre la viabilidad de la AIPI, A.A.I., se analizará continuación con más detenimiento.

§ 527. El **control de eficacia y supervisión continua**, al que se encuentra sometida la AIPI, A.A.I. (artículo 49.5 LPI), puede conllevar la disolución automática o, al menos, la puesta en cuestionamiento de su supervivencia a partir de un informe emanado de los órganos del

Poder Ejecutivo, lo que compromete la reserva de ley recomendada por la Guía Técnica UNODC (2010) para la regulación de las autoridades especializadas en la prevención de la corrupción. El sistema de supervisión continua es un principio general de actuación aplicable a todas las *entidades dependientes* de las Administraciones Públicas "con el objeto de comprobar la subsistencia de los motivos que justificaron su creación y su sostenibilidad financiera, y que deberá incluir la formulación expresa de propuestas de mantenimiento, transformación o extinción" (artículo 81.2 LRJSP). En el marco de las entidades integrantes del sector público institucional estatal esto implica un doble control: el control de eficacia de la inspección de servicios del Departamento de adscripción y a la supervisión continua de la IGAE. La evaluación realizada por ambos órganos administrativos se reflejará en un informe conjunto que podrá contener "recomendaciones de mejora o una propuesta de transformación o supresión del organismo público o entidad" (artículo 85 LRJSP).

Cuando el informe conjunto de la Inspección de Servicios y la IGAE sobre el seguimiento del plan de actuación concluya que se ha producido "el incumplimiento de los fines que justificaron la creación del organismo o que su subsistencia no es el medio más idóneo para lograrlos", la institución incurrirá en una causa de disolución prevista en el artículo 96.1.c) LRJSP. De esta forma, el organismo público deberá iniciar, por imperativo legal, los trámites para su disolución, el cual se producirá, en todo caso, de forma automática, en el plazo de dos meses desde la notificación del citado informe (artículo 96.2 LRJSP).

Por lo tanto, resulta un serio riesgo para AIPI, A.A.I., que debe defender su independencia frente a todos los departamentos y organismos del sector público estatal, que pueda producirse su disolución como consecuencia de un informe emanado de los órganos de control del Poder Ejecutivo, que puede ser sujeto afectado por las investigaciones y los procedimientos sancionadores de la propia autoridad externa. En este supuesto, se producirá la extinción de un organismo como consecuencia del control ejercido por el Poder Ejecutivo, cuando el mismo se constituyó por mandato legal del Poder Legislativo.

Esta facultad gubernamental para decidir si la AIPI, A.A.I. se encuentra incursa en una causa de disolución es contraria a la recomendación de la Guía Técnica UNODC (2010, 8) relativa a establecer "el contexto legislativo necesario para que el órgano o los órganos estén facultados para actuar con igual autoridad en todos los sectores". El citado documento (UNODC, 2010, 11) recomienda la aplicación del principio de reserva de ley de los organismos especializados de prevención de la corrupción, con el fin de garantizar su independencia operacional, para lo cual:

> "Los medios de garantizar la independencia y la obligación de rendir cuentas deben estar legislados y no obedecer a decretos ejecutivos (*mediante los cuales es fácil crear un órgano, pero también disolverlo*). La creación por ley o, como demuestra la experiencia, garantías constitucionales de independencia hacen más probable que el órgano o los órganos tengan facultades suficientes para promover políticas eficaces, asegurar su aplicación, y dan una sensación de estabilidad".

Finalmente destacar que la sujeción al mecanismo de supervisión continua no se ha incluido en la legislación reguladora de otras autoridades administrativas y organismos de naturaleza independiente, como se puede observar en el artículo 12 de la Ley Orgánica 6/2013, de 14 de noviembre, de creación de la Autoridad Independiente de Responsabilidad Fiscal; el artículo 23 del Real Decreto 919/2014, de 31 de octubre, por el que se aprueba el Estatuto del Consejo de Transparencia y Buen Gobierno; o el artículo 34 de la Ley 3/2013, de 4 de junio, de creación de la Comisión Nacional de los Mercados y la Competencia.

§ 528. Para la **selección del Presidente** de la AIPI, A.A.I. no se han establecido requisitos más concretos que la genérica descripción de "personas de reconocido prestigio y competencia profesional en el ámbito de las materias competencia de la Autoridad" (artículo 53.2 LPI). Como ha destacado Sierra (2022), podrían haberse exigido un mínimo de años de experiencia o relacionar los ámbitos profesionales llamados a cubrir estos puestos, como, por ejemplo, auditores públicos y privados, oficiales de cumplimiento, inspectores de las materias afectadas por la ley, personal de las fuerzas y cuerpos de seguridad del Estado, miembros de la judicatura o la fiscalía, o académicos, investigadores y activistas especializados. Por otra parte, la participación social en la elección del titular de la nueva entidad hubiese especialmente conveniente por la importancia que el activismo cívico ha tenido en el impulso de la normativa de protección del informante (Jover, 2020), por lo que el proceso selectivo hubiese gozado de mayor confianza con la participación de los poderes ejecutivo y judicial, que es lo previsto por la norma, más la aportación de la sociedad civil (Jiménez Franco, 2022). Por ejemplo, este procedimiento tripartito ha sido establecido para la elección del Director de la Agencia Valenciana Antifraude, en el artículo 26.4 LACA Valencia.

§ 529. La **Comisión Consultiva de Protección del Informante** encargada de asesorar a la AIPI, A.A.I. debe considerarse un acierto legislativo, pues permitirá el intercambio de opiniones y experiencias entre los representantes de los principales órganos técnico-administrativos del sector público estatal encargados de fiscalizar e inspeccionar las principales áreas vinculadas con la lucha contra la corrupción. También es especialmente resaltable la apertura prevista hacia la participación de la sociedad civil, con la selección de dos juristas de reconocido prestigio y un representante de las personas informantes a nivel nacional de la asociación o asociaciones más representativas. No obstante, en su composición también hubiese sido conveniente contar un representante del SEPBLAC, del SNCA y de la Red de Agencias Anticorrupción, pues se trata de organismos con experiencia directa en funciones de la misma naturaleza y, en algunos casos, con competencias concurrentes con las propias de la AIPI, A.A.I.

§ 530. La **rendición de cuentas** de la AIPI, A.A.I., más allá de la sujeción al control de las autoridades de control financiero, se dirige tanto al ámbito parlamentario como a la sociedad civil. Para ello, se han establecido dos instrumentos de rendición de cuentas: la comparecencia anual de la presidencia ante las comisiones competentes del Congreso de los Diputados y el Senado (artículo 59 LPI) y la elaboración de la Memoria anual, que será objeto de publicación y se trasladará a las Cortes Generales (disposición adicional tercera.3 LPI). No obstante, no se han establecido medidas coercitivas contra el cumplimiento de estas obligaciones, que bien podrían suponer una causa de cese o sanción para el Presidente, en línea con lo propuesto por Jiménez Franco (2022).

En la Guía Técnica UNODC (2010, 12) se analiza la compatibilidad entre la independencia y la obligación de rendir cuentas, fundamentalmente ante las autoridades parlamentarias y judiciales:

"No debe verse una contradicción entre la independencia y la obligación de rendir cuentas. Los órganos de lucha contra la corrupción actuarán como parte de un sistema de gestión establecido que incluye controles apropiados y eficaces y en el que nada ni nadie está por encima de la ley. La independencia debe equilibrarse con mecanismos que garanticen la transparencia y la responsabilidad del órgano o de los órganos, por ejemplo, mediante la presentación de informes a instituciones competentes, como comités parlamentarios, o porque pueden ser objeto de examen por parte de ellas, o la obligación de informar al parlamento, de someterse a una auditoría externa anual o, si corresponde, a los tribunales mediante un examen judicial".

§ 531. Para finalizar, debe proponerse, de *lege ferenda*, la elaboración del **Informe sobre el Estado de la Corrupción en España**, cuya tramitación podría atribuirse a la AIPI, A.A.I., que periódicamente debería analizar la percepción social frente a este fenómeno, las áreas de riesgos más sensibles que deben ser objeto de seguimiento, control e investigación y los resultados más importantes en las actividades de prevención y represión de este fenómeno. De esta forma, también se cubriría el mandato del artículo 10.c) CNUCC que propugna el incremento de la transparencia de las Administraciones Públicas como un valor necesario para combatir la corrupción y, entre las medidas que propone en esta materia, incluye expresamente en su apartado c) la "publicación de información, lo que podrá incluir informes periódicos sobre los riesgos de corrupción en su administración pública".

A este respecto, también hay que resaltar la información y evaluación periódica que debe realizar la Comisión Europea, que debe elaborar un informe sobre la ejecución y aplicación de la presente Directiva, a más tardar el 17 de diciembre de 2023, a partir de la información recibida de los Estados Miembros (artículo 27 DPIUE). Además, la Comisión elaborará un informe en el que evaluará la repercusión de las normas nacionales de transposición de la presente Directiva, a más tardar el 17 de diciembre de 2025, teniendo en cuenta el primer informe y las estadísticas aportadas por los Estados Miembros (artículo 25.3).

Por otra parte, la Comisión Europea, con la colaboración de la OLAF, también elabora anualmente el "Informe sobre la protección de los intereses financieros de la UE", previsto el artículo 325 del Tratado de Funcionamiento de la Unión Europea (TFUE), a partir de las medidas adoptadas en el marco de la UE y las irregularidades notificadas por los Estados Miembros, para evaluar las áreas de mayor riesgo hacia las que deben dirigirse los esfuerzos de las autoridades encargadas de gestionar el presupuesto comunitario. De la misma forma, la Comisión elabora bianualmente un "Informe sobre la Lucha contra la corrupción en la Unión Europea", previsto en la Comunicación COM (2011) 308 sobre la lucha contra la corrupción en la Unión Europea, que analiza las buenas prácticas y deficiencias en la ejecución de las políticas antifraude de los Estado Miembros.

Título IX
RÉGIMEN SANCIONADOR

Antecedentes de política legislativa y de Derecho comparado

§ 532. El **Consejo de Europa** (2014) ha declarado que los Estados deben trasladar contundentemente que los ataques a los denunciantes son incompatibles con una sociedad plenamente democrática. El régimen sancionador trata de reforzar este mensaje, al margen de la posible intervención del Derecho penal en los casos más graves, y, además, el mismo deberá extenderse a los empleadores o los responsables del tratamiento de las informaciones que no han realizado una investigación rápida y adecuada. Por otra parte, razones de equidad aconsejan extender el reproche jurídico a los informantes falaces y, con carácter general, a los infractores de esta norma jurídica (García Mexía, 2008).

§ 533. La **Guía Denunciantes UNODC** (2016, 27) reconoce, en la línea de equidad entre denunciantes y denunciados, que la atribución de responsabilidades personales puede ser fuertemente disuasoria frente a las represalias, pero, de la misma forma, debe preverse la existencia de sanciones "si una persona comunica información a sabiendas de que es falsa".

§ 534. En el **Derecho comparado** podemos destacar los siguientes ejemplos de adjudicación de potestad sancionadora a las agencias anticorrupción o la previsión de sanciones a los *represaliadores* de los denunciantes.

a) En *Italia*, la ANAC es competente para imponer sanciones a aquellas personas que ejercen represalias a los denunciantes y también a las administraciones que no actúan frente a las denuncias (Nieto Martín, 2021).

b) En *Francia*, la AFA también tiene potestad para sancionar a las empresas privadas incumplidoras, pero esta capacidad no se extiende al ámbito de las organizaciones públicas (Nieto Martín, 2021).

c) En *Irlanda* se han establecido fuertes sanciones a las entidades que han adoptado medidas perjudiciales contra los trabajadores que han denunciado incumplimientos normativos (Campanón, 2020).

d) En *Suecia*, la Ley de Acceso Público a la Información e Información Reservada de 2009 reconoce a los empleados públicos el derecho a facilitar información a los medios de comunicación, y los empleadores del sector público pueden ser sancionados con una multa pecuniaria o con pena de prisión si adoptan represalias con los mismos (UNODC, 2016). Con carácter general, la Constitución y la Ley de Libertad de Prensa reconocen el derecho de los funcionarios públicos a comunicar información a los medios de comunicación y a otras fuentes externas, salvo excepciones como la seguridad nacional, y quienes adopten represalias pueden ser sancionados con una multa o con pena de prisión de hasta cinco años. No obstante, se ha aprobado una reforma constitucional en 2022 que restringe la publicación de información confidencial que pueda dañar las relaciones internacionales.

§ 535. La **Ley 19/2013, de 9 de diciembre, de transparencia, acceso a la información pública y buen gobierno** ha establecido un régimen sancionador hacia los altos cargos de las Administraciones Públicas que incumplan con las obligaciones de buen gobierno y, entre las infracciones graves, castiga la "obstaculización al ejercicio de las libertades públicas" (artículo 29.1.i) y "el abuso de autoridad en el ejercicio del cargo" (artículo 29.2.a), lo que puede conllevar, según los casos, la declaración pública de incumplimiento, la no percepción de la indemnización por cese o la destitución e inhabilitación.

§ 536. Las **agencias antifraude autonómicas** presentan una situación dispar en materia sancionadora (Nieto Martín, 2021). La ACA de Cataluña, muy posiblemente por su carácter precursor, no ha recibido originariamente la facultad de imponer sanciones de ningún tipo. Por el contrario, las ACAs de Baleares, Aragón y Valencia si tienen un régimen sancionador, pero vinculado exclusivamente a la obstrucción al ejercicio de sus funciones. Por su parte, las ACAs de Valencia, Navarra y Andalucía han recibido agregadamente la capacidad de sancionar a quienes adopten medidas represivas contra los informantes. Por ejemplo, "la facultad sancionadora legalmente reconocida de AVAF, que van desde 200 euros por infracciones leves hasta 400.000 euros por infracciones muy graves" (Huss, Beke, Wynarski y Slot, 2023, 185).

En el proceso de adaptación de las agencias autonómicas, la Oficina Antifraude de Cataluña ha recibido el ejercicio de la potestad sancionadora en su ámbito de actuación, por remisión a la Ley del Informante (disposición adicional séptima Ley 3/2023, de 16 de marzo, de medidas fiscales, financieras, administrativas y del sector público para el 2023).

Fundamentos fenomenológicos y axiológicos

§ 537. El **principio de prudencia** recomienda que la reacción jurídica frente a los actos irregulares comience por la prevención y la cooperación de todos los actores implicados (Cortina, 2014), reservando el régimen sancionador (disciplinario, administrativo o penal) para las conductas contumaces o especialmente graves. Como regla general, frente al error y la desviación de las previsiones normativas es siempre más recomendable comenzar con una recomendación o apercibimiento (Gomá, 2013) que sirva de *nudge* o acicate que estimule el cumplimiento.

Esta reacción suave (*soft power*) frente a la infracción puede ser especialmente útil en la implementación de nuevas políticas públicas, como es el caso de la política anticorrupción y, en concreto, de los programas de protección de los denunciantes. No obstante, la Ley del Informante ha optado por la vía dura para contravenciones formales, aunque sumamente importantes, de su normativa, como la no disposición de sistemas de información con todos los requisitos o la no adopción de garantías suficientes de confidencialidad. Desde un punto de vista axiológico y criminológico consideramos que el requerimiento o apercibimiento previo debidamente cumplimentado podría exonerar de la imposición de las sanciones, cuando no se hayan cometido daños irreparables, lo que contribuiría a una implantación de estas medidas más adecuada y a evitar, como ha destacado Nieto Martín (2021, 28) al analizar la exclusividad de las investigaciones reactivas, "un serio peligro [de] que las agencias sean miradas como organismos inquisidores y su actividad sea obstaculizada o simplemente ignorada, condenándolas a la irrelevancia"

§ 538. El **principio de proporcionalidad** también resulta recomendable axiológicamente en materia sancionadora (y reconocido legalmente por el artículo 29 LRJSP). La Ley del Informante impone fuertes penas de hasta 300.000 euros para las personas físicas y hasta 1.000.000 euros para las personas jurídicas, aunque es cierto que en la graduación de las sanciones se ponderarán circunstancias como el perjuicio causado o la importancia económica del autor. En las reflexiones finales de este título se analizará comparativamente las multas previstas en esta norma con otras de similar naturaleza para valorar su grado de proporcionalidad en el conjunto del Derecho administrativo sancionador.

§ 539. Por **razones de equidad**, como ya se ha señalado, la desvaloración ética y sus repercusiones punitivas deben recaer tanto sobre el *represaliador* y sus posibles coadyuvantes como en los informantes falaces y, con carácter general, a todo el que incurra en graves vulneraciones de deberes como la confidencialidad o la diligencia en la gestión de las comunicaciones.

§ 540. Todos aquellos que colaboran en la **represalia** atentan contra los valores éticos de respeto hacia los demás, de justicia vinculada con el respeto de la ley y la autoridad, y de autodominio frente a las pasiones, pero generalmente cada supuesto encarna más específicamente los distintos antivalores. El *represaliador-denunciado* puede llegar a recurrir a la violencia física o moral, que se traduce en amenazas verbales o incluso agresiones físicas. El *represaliador-sustituto*, que habitualmente interviene desde el puesto que el denunciado ha debido abandonar tras el escándalo como consecuencia de la publicidad de los hechos, transgrede la justicia con actuaciones parciales e inequitativas que incluyen acoso laboral, procedimientos disciplinarios o intempestivas reclamaciones judiciales. Por último, el inesperado *represaliador-coadyuvante*, que permite, por acción u omisión, que las amenazas se hagan efectivas, colabora movido bien por obediencia o fidelidad ciega hacia los líderes institucionales o bien por cobardía o simple comodidad.

§ 541. Al **informante conscientemente inveraz** cabe reprocharle principalmente la falta de respeto al valor de la verdad, que además se convierte en una conducta incívica e insolidaria al hacer mal uso de unos mecanismos, como los canales de denuncia, pensados precisamente para mejorar el funcionamiento de las instituciones. La relevancia dañina de su actitud nefanda implica para los afectados y sus instituciones un fuerte daño reputacional, y para las entidades que deben examinar sus reclamaciones falsarias un coste económico que repercute sobre el Erario público.

§ 542. El **responsable del sistema y sus colaboradores** suelen incurrir generalmente en la falta de mantenimiento del deber de confidencialidad, bien por imprudencia en la preservación de la identidad del informante al gestionar la comunicación o bien por indiscreciones en su entorno personal sobre datos relacionados con las mismas. En estos casos, se incurre en el incumplimiento del extremo deber de cautela y mesura que requiere la gestión de toda la información relativa a estos canales. El antídoto preventivo contra este problema debe dirigirse a extremar la formación del personal dedicado a estas tareas y al establecimiento de sistemas de información que minimicen la capacidad de filtraciones indeseadas.

§ 543. Por lo tanto, la **reacción coactiva del Derecho** contra quienes dañan "la credibilidad del sistema" se encuentra plenamente justificada. No obstante, las penas propuestas deben ser siempre proporcionadas para "garantizar que no tengan un efecto disuasorio en los denunciantes potenciales" (considerando 102 DPIUE).

Marco jurídico de la Directiva de protección de las personas que informen sobre infracciones del Derecho de la Unión

§ 544. El **fundamento** de la Directiva 2019/1937 para exigir a los Estados Miembros el establecimiento de un régimen sancionador se basa fundamentalmente en garantizar el real funcionamiento del sistema de protección al denunciante, evitando que las represalias o la utilización espuria del derecho a la comunicación desalienten y desprestigien a los sistemas de información. En este sentido, el considerando (102) DPIUE establece las siguientes apreciaciones:

- "Las *sanciones penales, civiles o administrativas* son necesarias para garantizar la eficacia de las normas sobre protección de los denunciantes.

- Las *sanciones contra quienes tomen represalias* u otras acciones perjudiciales contra los denunciantes pueden desalentar tales acciones.
- Son necesarias asimismo *sanciones contra las personas que comuniquen o revelen públicamente información* sobre infracciones cuando se demuestre que lo hicieron a sabiendas de su falsedad, con el fin de impedir nuevas denuncias maliciosas y de preservar la credibilidad del sistema.
- La *proporcionalidad de tales sanciones* debe garantizar que no tengan un efecto disuasorio en los denunciantes potenciales".

§ 545. La **naturaleza** de las sanciones por infracción de la normativa de protección al denunciante será definida por los Estados Miembros teniendo en cuenta tres parámetros: efectividad, proporcionalidad y disuasión (artículo 23 DPIUE).

§ 546. Los *represaliadores*, sean personas físicas o jurídicas, deberán ser sancionados en tres supuestos previstos por los apartados a), b) y c) del artículo 23.1 DPIUE:

"a) impidan o intenten impedir las denuncias;

b) adopten medidas de represalia contra las personas a que se refiere el artículo 4;

c) promuevan procedimientos abusivos contra las personas a que se refiere el artículo 4".

§ 547. Los **responsables del sistema o cualesquiera personas** será sancionados cuando "incumplan el deber de mantener la confidencialidad de la identidad de los denunciantes, tal como se contempla en el artículo 16".

§ 548. Los **informantes o reveladores públicos** que presenten información falsa a sabiendas, deberán ser sancionados y, además, se "establecerán medidas para indemnizar los daños y perjuicios derivados de dichas denuncias o revelaciones públicas de conformidad con el Derecho nacional" (artículo 23.2 DPIUE).

§ 549. Finalmente, conviene aclarar que la **condición de** *represaliador* no tiene por qué coincidir con la identidad de la persona perjudicada, pues incurrirán en infracción todo el que, por acción y omisión, sea autor de actos que formen parten de las prohibiciones de represalia. A estos efectos, el considerando (87) Directiva 2019/1937 dice:

> "Los denunciantes deben ser protegidos contra toda forma de represalia, ya sea directa o indirecta, que se tome, se aliente o se tolere por su empresario o por los clientes o destinatarios de servicios y por personas que trabajen por cuenta o en nombre de estas, incluidos, por ejemplo, los compañeros de trabajo y directivos de la misma organización o de otras organizaciones con las que el denunciante esté en contacto en el contexto de sus actividades laborales".

Régimen jurídico de la Ley de Protección del Informante

§ 550. El **régimen jurídico** aplicable a los procedimientos sancionadores de esta ley se remite expresamente a las principios y reglas previstos en la Ley 40/2015, de 1 de octubre, y la Ley 39/2015, de 1 de octubre (artículo 60 LPI):

a) Los *principios de la potestad sancionadora* previstos en los artículos 25 a 31 LRJSP), que deberán informar todo procedimiento sancionador en el ámbito administrativa, hacen referencia a la legalidad, la irretroactividad, la tipicidad, la responsabilidad, la proporcionalidad, la prescripción y a la no concurrencia de sanciones.

b) El *procedimiento sancionador* en materia de aplicación de la Ley del Informante se regirá por las prescripciones del procedimiento administrativo común del título IV LPAC, con las especialidades que para el procedimiento sancionador se establecen en la citada norma.

§ 551. La **competencia** para el ejercicio de la potestad sancionadora se atribuye a la AIPI, A.A.I. o a los órganos competentes de las comunidades autónomas, según el marco de sus funciones y competencias (artículo 61.1 LPI). La AIPI, A.A.I. ostenta las competencias sobre el sector público estatal y el sector privado con carácter general, si bien, en este último caso, únicamente si no hay previsión legislativa autonómica en sentido contrario (artículo 61.2 LPI). Las agencias autonómicas podrán asumir la sanción de las infracciones de su ámbito autonómico y local y del ámbito del sector privado que afecte a su territorio (artículo 61.3 LPI).

§ 552. La *notitia criminis* puede ser comunicada a otra autoridad, quienes, cuando se trate de "alguna de las infracciones previstas en el título IX, deberá remitirla a la Autoridad Independiente de Protección del Informante, A.A.I. dentro de los diez días siguientes a aquel en el que la hubiera recibido. La remisión se comunicará al informante dentro de dicho plazo" (artículo 23 LPI).

§ 553. La concurrencia con las facultades disciplinarias internas de cada entidad no implica contradecir el principio *non bis in idem*, pues serán compatibles con la potestad sancionadores reconocida en la ley (artículos 61.1 y 67 LPI).

§ 554. Los sujetos responsables serán las personas físicas o jurídicas que incurran en las infracciones previstas en la ley, determinando la resolución sancionadora la persona o personas responsables cuando la infracción se cometa por órgano colegiado, siempre exceptuando a los ausentes o quienes votaran en contra (artículo 62 LPI).

§ 555. Las infracciones muy graves a efectos de esta ley serán las siguientes acciones u omisiones (artículo 63.1 LPI):

"a) Cualquier actuación que suponga una efectiva limitación de los derechos y garantías previstos en esta ley introducida a través de contratos o acuerdos a nivel individual o colectivo y en general cualquier intento o acción efectiva de obstaculizar la presentación de comunicaciones o de impedir, frustrar o ralentizar su seguimiento, incluida la aportación de información o documentación falsa por parte de los requeridos para ello.

b) La adopción de cualquier represalia derivada de la comunicación frente a los informantes o las demás personas incluidas en el ámbito de protección establecido en el artículo 3 de esta ley.

c) Vulnerar las garantías de confidencialidad y anonimato previstas en esta ley, y de forma particular cualquier acción u omisión tendente a revelar la identidad del informante cuando este haya optado por el anonimato, aunque no se llegue a producir la efectiva revelación de la misma.

d) Vulnerar el deber de mantener secreto sobre cualquier aspecto relacionado con la información.

e) La comisión de una infracción grave cuando el autor hubiera sido sancionado mediante resolución firme por dos infracciones graves o muy graves en los dos años anteriores a la comisión de la infracción, contados desde la firmeza de las sanciones.

f) Comunicar o revelar públicamente información a sabiendas de su falsedad.

g) Incumplimiento de la obligación de disponer de un Sistema interno de información en los términos exigidos en esta ley".

§ 556. Las **infracciones graves** a efectos de esta ley serán las siguientes acciones u omisiones (artículo 63.2 LPI):

"a) Cualquier actuación que suponga limitación de los derechos y garantías previstos en esta ley o cualquier intento o acción efectiva de obstaculizar la presentación de informaciones o de impedir, frustrar o ralentizar su seguimiento que no tenga la consideración de infracción muy grave conforme al apartado 1.

b) Vulnerar las garantías de confidencialidad y anonimato previstas en esta ley cuando no tenga la consideración de infracción muy grave.

c) Vulnerar el deber de secreto en los supuestos en que no tenga la consideración de infracción muy grave.

d) Incumplimiento de la obligación de adoptar las medidas para garantizar la confidencialidad y secreto de las informaciones.

e) La comisión de una infracción leve cuando el autor hubiera sido sancionado por dos infracciones leves, graves o muy graves en los dos años anteriores a la comisión de la infracción, contados desde la firmeza de las sanciones".

§ 557. Las **infracciones leves** a efectos de esta ley incluirán las siguientes acciones u omisiones (artículo 63.3 LPI):

"a) Remisión de información de forma incompleta, de manera deliberada por parte del Responsable del Sistema a la Autoridad, o fuera del plazo concedido para ello.

b) Incumplimiento de la obligación de colaboración con la investigación de informaciones.

c) Cualquier incumplimiento de las obligaciones previstas en esta ley que no esté tipificado como infracción muy grave o grave".

§ 558. La **prescripción de las infracciones** previstas en esta ley sigue el régimen general del artículo 30 LRJSP y se producirá a los tres años en las infracciones muy graves, dos años en las graves y seis meses en las leves, y, en caso de interrupción del plazo por las causas legalmente previstas, el mismo se reanudará a los tres meses de paralizarse el procedimiento sin causa imputable al infractor (artículo 64 LPI).

§ 559. Las **sanciones principales** tendrán naturaleza de multa pecuniaria y las **adicionales** podrán suponer el acuerdo de amonestación pública, prohibición de obtener subvenciones o beneficios fiscales hasta cuatro años y prohibición de contratar con el sector público hasta tres años. El rango de sanciones pecuniarias oscila entre los 1.001 euros hasta el 1.000.000 euros, conforme al siguiente baremo (artículo 65 LPI):

> "a) Si son *personas físicas* las responsables de las infracciones, serán multadas con una cuantía de 1.001 hasta 10.000 euros por la comisión de infracciones leves; de 10.001 hasta 30.000 euros por la comisión de infracciones graves; y de 30.001 hasta 300.000 euros por la comisión de infracciones muy graves.
>
> b) Si son *personas jurídicas* serán multadas con una cuantía hasta 100.000 euros en caso de infracciones leves, entre 100.001 y 600.000 euros en caso de infracciones graves y entre 600.001 y 1.000.000 de euros en caso de infracciones muy graves".

§ 560. La **publicidad** de las sanciones en el Boletín Oficial del Estado se limita a las relativas "a infracciones muy graves de cuantía igual o superior a 600.001 euros impuestas a entidades jurídicas" y únicamente se producirá "tras la firmeza de la resolución en vía administrativa", y en la misma constará, "al menos, información sobre el tipo y naturaleza de la infracción y, en su caso, la identidad de las personas responsables de las mismas de acuerdo con la normativa en materia de protección de datos".

§ 561. La **graduación** de las infracciones tendrá "en cuenta la naturaleza de la infracción y las circunstancias concurrentes en cada caso" y podrá atender a los siguientes criterios (artículo 66 LPI):

> "a) La reincidencia, siempre que no hubiera sido tenido en cuenta en los supuestos del artículo 63.1.e) y 2.e).
>
> b) La entidad y persistencia temporal del daño o perjuicio causado.
>
> c) La intencionalidad y culpabilidad del autor.
>
> d) El resultado económico del ejercicio anterior del infractor.
>
> e) La circunstancia de haber procedido a la subsanación del incumplimiento que dio lugar a la infracción por propia iniciativa.
>
> f) La reparación de los daños o perjuicios causados.
>
> g) La colaboración con la Autoridad Independiente de Protección del Informante, A.A.I., u otras autoridades administrativas".

§ 562. La **prescripción de las sanciones** también sigue el régimen general del artículo 30 LRJSP y se producirá a los tres años en las infracciones muy graves, a los dos años en las graves y al año en las leves, contados desde que el día siguiente en que sea ejecutable y volviendo a reanudarse el plazo si la ejecución se paraliza durante un mes por causa no imputable al infractor (artículo 68 LPI).

Reflexión final y comentarios

§ 563. La **naturaleza** de la potestad sancionadora de la Administración forma parte junto a la potestad penal de los Tribunales de un único *ius punendi* del Estado, según la doctrina jurídica comúnmente aceptada (Nieto García, 2002). Las reticencias hacia la capacidad punitiva de las entidades públicas, como explica el citado autor, deben soslayarse con un ejercicio de congruencia, pues si se exige a las autoridades la regulación de alguna actividad, debe aceptarse que se impongan sanciones por su incumplimiento. En este mismo sentido, la ausencia de la atribución de competencias sancionadoras de la pionera Oficina Antifraude de Cataluña ha sido, tras su constitución, la principal reclamación de la doctrina especializada en materia de lucha contra la corrupción (Capdeferro, 2016). De la misma forma, la implantación de los programas de integridad y las medidas antifraude, como ha reflexionado Sierra (2020) acerca de las entidades públicas, cuenta con pocos estímulos para su implantación, por lo que la atribución de herramientas coactivas a las agencias antifraude es indispensable para que se cumplan las obligaciones establecidas normativamente.

§ 564. La **inaplicación real de las medidas punitivas,** sobre todo cuando los incumplimientos afectan a las administraciones públicas, debe hacer pensar si no resulta más realista configurar esquemas progresivos que estimulen el cumplimiento, antes que recurrir directamente al sistema sancionador. El reciente informe del Tribunal de Cuentas sobre la aplicación del régimen sancionador de la Ley de Transparencia y Buen Gobierno en el sector público local ha demostrado que no se ha abierto ningún expediente relacionado con el amplio catálogo de conductas prohibidas por la Ley. En buena medida, la experiencia de las agencias antifraude demuestra que es mucho más efectivo para la protección de los denunciantes una rápida actuación informal y concomitante de la institución vigilante ante el órgano administrativo que adopta la presunta represalia, que la apertura de procedimientos sancionadores a posteriori que resolverían tarde los problemas de la posible víctima.

Por ello, resultaría conveniente valorar otras experiencias de Derecho comparado que, además, se ajustan más a la realidad de la vigilancia del cumplimiento de las normas de protección. A partir de la experiencia de Suecia, que expone la Guía Denunciantes UNODC (2016), puede obtenerse la conclusión que el objetivo es centrarse en establecer medidas disuasorias de diversa naturaleza frente a las represalias. Para ello, conviene establecer tres niveles correctivos frente a las mismas: el mero apercibimiento para que cese la acción de forma inmediata, la sanción administrativa para quien mantiene las medidas de represalia y el delito cuando se han tomado decisiones de manera arbitraria. En virtud del principio de intervención mínima del Derecho penal, el delito de represalia debe reservarse para los casos más graves, pero no debe olvidarse que el uso arbitrario de las potestades públicas constituye un delito de prevaricación que ya se encuentra en estos momentos perseguido por el Derecho penal.

En esta cuestión es también especialmente resaltable la corrección de errores del Reglamento Europeo sobre Protección de Datos, publicada en el «Diario Oficial de la Unión Europea» del día 4 de marzo de 2021, que ha considerado que el apercibimiento no es una sanción, sino "una medida adecuada, de naturaleza no sancionadora, incluida dentro de los poderes correctivos de las autoridades de control" (AEPD, 2023). Esta enmienda ha supuesto la reforma de la LOPDGDD, por la Ley 11/2023, de 8 de mayo, de transposición de Directivas de la Unión Europea en materia de accesibilidad de determinados productos y servicios, migración de personas altamente cualificadas, tributaria y digitalización de actuaciones notariales y registrales; y por la que se modifica la Ley 12/2011, de 27 de mayo, sobre responsabilidad civil por daños nucleares o producidos por materiales radiactivos, para establecer el "procedimiento de apercibimiento como un procedimiento específico, más flexible y rápido, con una duración máxima de seis meses, que va a permitir agilizar la respuesta a las reclamaciones presentadas por los ciudadanos" (AEPD, 2023).

De la misma forma, la citada modificación legal ha reformado la Ley 34/2002, de 11 de julio, de servicios de la sociedad de la información y de comercio electrónico, que ya había previsto la posibilidad del apercibimiento y la moderación de las sanciones en 2014, para profundizar en el empleo del apercibimiento como alternativa previa al procedimiento sancionador (artículo 39 ter).

Finalmente, sobre este asunto conviene recordar las palabras del maestro Nieto García (2002, 32-34) que advierte de que las normas represivas deben atenerse a la realidad, teniendo en cuenta su eficacia e implantación social, pues si no se:

> "estará infrautilizando su potestad sancionadora y el Derecho Administrativo Sancionador será un mero instrumento profesional de profesores y de abogados, quienes lo utilizarán fundamentalmente contra el propio Estado".

§ 565. La aplicación de *nugdes* o acicates conductuales convendría que fuera la primera opción para la implementación de las políticas antifraude. A modo de ejemplo, este ha sido el camino seguido por el Consejo de Cuentas de Galicia que, tras recibir la función de prevención de la corrupción en la Ley 8/2015, de 7 de agosto, de reforma de la Ley 6/1985, de 24 de junio, del Consejo de Cuentas, estableció una estrategia colaborativa para que las Administraciones Públicas gallegas adaptaran los sistemas de control interno a las mejores prácticas antifraude (Santana, 2021).

El predominio del modelo de *Command and Control* en la actividad administrativa, y en particular en el Derecho administrativo sancionador, resulta sumamente costoso para las instituciones públicas, cuando con técnicas de *nudging*, como podría ser el *benchmarking* interinstitucional al informar públicamente del cumplimiento de las demás entidades, puede reducir significativamente, según los estudios realizados, el grado de incumplimiento en muchos sectores (Ponce, 2014). Una nueva ley que trata de resolver un problema enraizado en la comunidad política no es suficiente para garantizar la integridad institucional, como se ha comprobado con los numerosos fracasos que han alcanzado el Boletín Oficial del Estado (Rivero y Merino, 2013), sino que es necesario modificar la conducta social y para ello son especialmente recomendables las técnicas conductuales. Como se pregunta Rivero (2022, 18), "¿Por qué gastar?" si con una buena regulación y acicates se pueden obtener los mismos resultados que con la sanción. Parece cierto que el recurso de la vía sancionadora en las Administrativas Públicas, como primera opción, proviene de la "inercia institucional", pero resulta necesario atender previamente a la reflexión realizada por Rivero (2013, 18-19):

> "Ya he dicho que una ventaja destacable de los acicates es su menor coste económico e inexistente limitación de derechos y libertades. A diferencia de la actividad administrativa de policía o control, de las herramientas del fomento y el servicio público, los acicates no comportan importantes desembolsos de recursos, ni requieren un aparato fiscalizador y sancionador de sus incumplimientos. Solo por esta razón deberían ser planteados como solución de primera instancia, antes de pasar a cualquier otra alternativa. Si la Administración puede conseguir sus objetivos en modos sutiles, el principio de menor restricción y la proporcionalidad abogan claramente por los *nudges*".

§ 566. En la **aplicación del principio de proporcionalidad** de las sanciones, el legislativo nacional se ha encontrado con el mandato expreso de que este poder coercitivo sea suficientemente disuasorio para conminar a los operadores hacia las buenas prácticas que eviten los incumplimientos normativos y la adopción de represalias contra los informantes. Por lo tanto, el rango de multas pecuniarias previsto en la Ley del Informante es especialmente significativo, pues, como se ha señalado, puede alcanzar en los supuestos más graves, la multa de 1.000.000 euros hacia las personas jurídicas infractoras.

El Consejo Fiscal consideró que "la cuantía fijada para las multas impuestas a personas físicas por la comisión de infracciones leves, se considera que la misma no respeta el principio de proporcionalidad" y propuso que la cuantía máxima de las sanciones leves no superara los 5.000 euros, si bien se ha optado legislativamente por imponer un máximo de 10.000 euros (FGE, 2022, 115). En este sentido, consideramos más adecuado al principio de proporcionalidad la previsión del artículo 39 bis. "Moderación de las sanciones", de la Ley 34/2002, de 11 de julio, de servicios de la sociedad de la información y de comercio electrónico que establece la aplicación de la escala inferior en gravedad de las infracciones en determinados supuestos que implican una disminución el grado de culpabilidad del afectado.

El Tribunal Supremo ha planteado una cuestión de inconstitucionalidad al problema del posible exceso de la cuantía de las sanciones por el Tribunal de Cuentas en los supuestos los apartados a) y b) del artículo 17 bis.Uno de la Ley Orgánica 8/2007, de 4 de julio, sobre financiación de los partidos políticos, en los que establece el siguiente inciso: "sin que en ningún caso pueda ser inferior a veinticinco mil euros". En opinión del magistrado ponente, como detalla Arias (2023b):

> "«Una respuesta sancionadora excesiva con respecto al desvalor del hecho ilícito supone, así, una vulneración del principio de legalidad de los delitos y las penas, consagrado por el artículo 25 de la Constitución», insiste el magistrado del Supremo, para agregar que «el principio de proporcionalidad, como es notorio, constituye uno de los pilares de todo el Derecho Administrativo contemporáneo, tanto a nivel nacional como supranacional»".

Finalmente, hay que hacer una referencia a la amplitud de la horquilla de la multa pecuniaria, sobre todo en su tramo más elevado, aplicando a contrario sensu la doctrina del Tribunal Constitucional, que ha advertido (Casino, 2021) que:

> "El establecimiento en cada uno de los supuestos recogidos en el art. 153.1 LOREG de una horquilla, en la que la cantidad mínima y la máxima se encuentran cuantitativamente tan cercanas, no puede considerarse que no garantice mínimamente la seguridad jurídica de los ciudadanos, que no ignoran las consecuencias que han de seguirse de la realización de una conducta legalmente tipificada como infracción administrativa. No existe, como en otras ocasiones ha ocurrido, un amplísimo margen de apreciación en la fijación del importe de la multa que se puede imponer al infractor por el órgano sancionador, al que, de acuerdo con la doctrina referida, cabe reconocerle legalmente una cierta facultad discrecional en la individualización de la sanción" (STC 150/2020, de 22 de octubre).

§ 567. Las **divergencias entre el régimen sancionador estatal y el autonómico**, allí donde las comunidades autónomas han legislado en esta materia, debe considerarse a priori aceptable bajo la doctrina constitucional, generalizada desde la STC 87/1985, de 16 de julio, que afirma que la potestad sancionadora no es un título competencial autónomo, sino que se encuentra unida al titular de la materia sustantiva. No obstante, las diferencias punitivas entre los sectores territoriales (estatal y autonómicos), como establecía en la mencionada sentencia y se ha reiterado por el Tribunal Constitucional, no pueden ser tales que atenten contra la competencia exclusiva del Estado para "la regulación de las condiciones básicas que garanticen la igualdad de todos los españoles en el ejercicio de los derechos y en el cumplimiento de los deberes constitucionales" (artículo 149.1.1º CE). Por lo

tanto, las normas autonómicas no pueden "modular los tipos y sanciones previstos por la legislación estatal, pero siempre que al hacerlo
no rompa la unidad en lo fundamental del esquema sancionatorio"
(Casino, 2023).

§ 568. A continuación, se presenta un **resumen comparativo de las
sanciones,** fundamentalmente de naturaleza pecuniaria, que en actualidad establecen las legislaciones de las agencias antifraude:

- La *LACA del Estado* establece multas, cuya escalar variará, entre las personas físicas y jurídicas, de 1.001 hasta 10.000 euros
  para las infracciones leves, de 10.001 hasta 600.000 euros en
  las infracciones graves y de 30.001 hasta 1.000.000 euros en
  las infracciones muy graves.

- La *LACA de Valencia* establece la multa de 200 hasta 5.000
  euros para las infracciones leves, la multa 1.001 € a 10.000 €
  en las infracciones graves y la multa de 30.001 hasta 400.000
  euros para las infracciones muy graves.

- La *LACA de Baleares* establece la multa de 1 € a 1.000 € para
  las infracciones leves, la multa de 5.001 hasta 30.000 euros (o
  hasta el 5% de la cuantía defraudada) en las infracciones graves y la multa de 10.001 € a 100.000 € (o hasta el 20% de la
  cuantía defraudada) para las infracciones muy graves.

- La *LACA de Andalucía* establece la multa entre 300 y 3.000
  euros para las infracciones leves, la multa desde 3.001 y 30.000
  euros en las infracciones graves y la multa desde entre 30.001 a
  100.000 euros para las infracciones muy graves.

- La *LACA de Navarra* establece la multa hasta 2.000 euros para
  las infracciones leves, la multa desde 2.001€ a 20.000€ en las
  infracciones graves y la multa desde 20.001€ a 60.000€ para
  las infracciones muy graves.

- La *LACA de Aragón* no establece multas pecuniarias, sino la
  amonestación para las infracciones leves, la declaración y publicidad en las infracciones graves y la declaración, publicidad,
  el cese del cargo y la obligación de restituir lo defraudado para
  las infracciones muy graves.

§ 569. La **vigencia de la prohibición de contratar** prevista en el
artículo 65.2.c) LPI, y que concordaba con el artículo 71.1.b) LCSP

(disposición adicional sexta LPI), se ha puesto en cuestión por un problema de técnica legislativa. En concreto, la posterior aprobación de la Ley 4/2023, de 28 de febrero, para la igualdad real y efectiva de las personas trans y para la garantía de los derechos de las personas LGTBI ha modificado de nuevo la letra b) del apartado 1 del artículo 71 LCSP para incluir la prohibición de contratar "por infracción grave o muy grave en materia de igualdad de trato y no discriminación por razón de orientación e identidad sexual, expresión de género o características sexuales, cuando se acuerde la prohibición en los términos previstos en la Ley para la igualdad real y efectiva de las personas trans y para la garantía de los derechos de las personas LGTBI".

Esta concatenación normativa, ausente de la necesaria coordinación por parte del legislador, había dejado sin vigencia la prohibición de contratar introducida por la disposición final sexta LPI. No obstante, esta discordancia ha sido superada por la modificación introducida por la disposición final séptima.Uno de la Ley 11/2023, de 8 de mayo, de trasposición de Directivas de la Unión Europea en materia de accesibilidad de determinados productos y servicios, migración de personas altamente cualificadas, tributaria y digitalización de actuaciones notariales y registrales; y por la que se modifica la Ley 12/2011, de 27 de mayo, sobre responsabilidad civil por daños nucleares o producidos por materiales radiactivos.

§ 570. El **vacío institucional de las autoridades sancionadoras** se reitera, como en los casos de la atribución de los canales externos y la protección del denunciante, pero únicamente en relación con el sector público autonómico, pues en el ámbito del sector privado la AIPI, A.A.I. será competente, salvo legislación autonómica en sentido contrario. En el anteproyecto de ley se omitía la referencia a la capacidad sancionadora de las comunidades autónomas en su ámbito territorial del sector privado, pero esta carencia fue corregida a instancias del informe del Consejo Fiscal (FGE, 2022).

§ 571. La **publicidad** de las sanciones únicamente se producirá en los supuestos de infracciones muy graves de personas jurídicas, tras la firmeza de la resolución administrativa. Se trata de un criterio más restringido que el seguido por la legislación de las agencias antifraude autonómicas que, carácter general, establecen la publicidad a través de su Diario Oficial tanto de las infracciones graves como de la muy graves sin la previsión del requisito de firmeza. A estos efectos, el artículo 19.4 LACA Valencia establece que "las sanciones por infracciones graves o muy graves establecidas por la agencia, se publicarán en el «Diari Oficial de la Generalitat Valenciana» para conocimiento general".

A nivel legislativo estatal, la normativa de la AEPD mantiene un criterio todavía más amplio de transparencia de la actividad sancionadora y el artículo 50 LOPDGDD mandata la publicación tanto de las resoluciones que pongan fin a los procedimientos sancionadores como a los procedimientos de apercibimiento. De forma aún más amplia, la CNMC ha recibido la facultad de dar a conocer las sanciones impuestas, su cuantía, el nombre de los sujetos infractores y la infracción cometida, la incoación de expedientes sancionadores, las resoluciones que pongan fin a los procedimientos y las resoluciones que acuerden la imposición de medidas cautelares, como se deduce del artículo 37 de la Ley 3/2013 y el artículo 69 de la Ley 15/2007. Como reconoce el preámbulo de la Ley 15/2007, esta publicidad se fundamenta en el deber de transparencia y "la especial responsabilidad ante la sociedad por su actuación" y "reforzará el poder disuasorio y ejemplar de las resoluciones que se adopten".

Estas previsiones de publicidad de las sanciones en materia de la competencia han encontrado respaldo jurisprudencial en la STS 952/2019, de 28 de marzo, la STPIUE 198/2003 (Bank Austria/Comisión) de 30 de mayo de 2006 y la STJUE 162/2015 (caso Evonik Degussa GMbH/Comisión Europea) de 14 de marzo de 2017. En concreto, la STJUE 162/2015 argumenta que:

> "el derecho a la protección de la vida privada garantizado por el artículo 8 del CEDH y el artículo 7 de la Carta no puede impedir la divulgación de información que, como la que se prevé publicar en el caso de autos, se refiere a la participación de una empresa en una infracción del Derecho de la Unión en materia de prácticas colusorias, declarada en una decisión de la Comisión adoptada con arreglo a lo previsto en el artículo 23 del Reglamento n° 1/2003 y destinada a publicarse de conformidad con el artículo 30 del mismo Reglamento, ya que un particular no puede, de acuerdo con reiterada jurisprudencia del Tribunal Europeo de Derechos Humanos, invocar lo dispuesto en el artículo 8 del CEDH para quejarse de un perjuicio a su reputación que resulte de forma previsible de sus propias acciones."

Por su parte, el Informe del Consejo de Estado (2022) al Anteproyecto de Ley del Informante ha criticado el carácter potestativo para las autoridades competentes de la publicidad de las sanciones, el momento y el contenido. El legislador atendió parcialmente estas alegaciones, aunque ha mantenido el carácter facultativo ("podrán") de la decisión de publicar la sanción. Esta decisión legislativa es concordante con la STS 217/2023, de 20 de enero, que considera que la aplicación del principio de proporcionalidad, en una materia que afecta a la protección de datos, no permite "automatismos" para evitar daños reputacionales y alarma social. A estos efectos, recuerda la STJUE de 27 de septiembre de 2017 que consideraba que no era contraria a la normativa de protección de datos la publicación por la autoridad tributaria eslovaca de una lista de personas consideradas testaferros, pero al afectar esta publicidad a la reputación, la presunción de inocencia y la libertad de empresa, corresponderá a los jueces nacionales comprobar, en aplicación casuística del principio de proporcionalidad, el cumplimiento de las siguientes condiciones:

> "la finalidad exacta de la elaboración de la lista, los efectos jurídicos a que se sujeta a las personas que figuran en ella y si la lista misma es o no pública (apartado 111), afirmando que la protección del derecho fundamental a la intimidad a nivel de la Unión exige que las excepciones a la protección de los datos personales y las limitaciones de esa protección no excedan de lo estrictamente necesario (apartado 112), que no existan medios menos gravosos para alcanzarlos (apartado 113) y que han de concurrir las demás condiciones de la Directiva para que el tratamiento de datos personales sea lícito (apartado 115), advirtiendo, por último, de que, aun si existieran motivos para limitar algunos de esos derechos, tal limitación debería ser necesaria para la salvaguardia de otros intereses, como en el caso, un interés económico y financiero importante en asuntos fiscales (apartado 116)".

§ 572. La **prohibición de recibir subvenciones** a los sancionados por infracciones muy graves fue cuestionada por el CGPJ (2022), pues la ley no vincula la punición accesoria a que la represalia se encuentre relacionado con el campo de las subvenciones. A tal efecto, recuerda el Dictamen 297/2018 del Consejo de Estado, de 14 de mayo, que considera que "no existe correlación entre la medida prevista (imposibilidad de obtener una subvención, bonificación o ayudas públicas de ningún tipo) y la conducta que se pretende reprobar (actuaciones sancionadas por resolución administrativa firme por atentar, alentar o tolerar prácticas en contra de la Memoria Histórica y Democrática de Extremadura). Sin cuestionar lo condenable de estas actuaciones, su realización no justifica *per se* la imposición de una inhabilitación total y absoluta para su destinatario de ningún tipo de medida de fomento que pueda tener fines distintos y ajenos a los concernientes a la actuación reprobada. Debería por ello acotarse con mayor precisión el objeto y la duración de la medida referida y vincularlos de manera expresa con la actuación cuya sanción merece aquella". Por estas razones legales, considera que hubiese sido conveniente que la prohibición se remitiera a los casos de represalias vinculadas con la obtención de subvenciones en las Administraciones Públicas, pues la adopción de medidas para impedir el conocimiento de las irregularidades cometidas por una entidad puede considerarse justificación y causa suficiente para no recibir más ayudas públicas durante un periodo determinado.

TRATAMIENTO ESPECÍFICO DE LA DENUNCIA ANÓNIMA

Antecedentes de política legislativa y de Derecho comparado

§ 573. El caso **Watergate** supuso la ruptura a nivel internacional, como ya se ha reflejado en páginas anteriores, entre la tradicional desconfianza hacia el denunciante anónimo y la valoración social de quien opta por salirse de las rutas predefinidas de las relaciones de confianza corporativa y personal (García Mexía, 2001). En el escándalo político norteamericano de los años 70 la prensa publicó noticias, suministradas por un informante anónimo, sobre malas prácticas gubernamentales que terminaron, como hecho más relevante, con la dimisión del presidente Richard Nixon. Las fuentes periodísticas no serían desveladas completamente hasta 33 años después, cuando se confirmó que el Director Asociado del FBI, W. Mark Felt, había facilitado información confidencial a los reporteros del Washington Post.

§ 574. Hasta este antecedente, el **debate jurídico-procesal** se decantaba mayoritariamente por la proscripción de las denuncias anónimas, enraizadas en fuertes razones históricas para no dar credibilidad a las informaciones recibidas de fuentes no identificadas. Estos antecedentes han sido recogidos con detalle, con la perspectiva histórica española, por la STS 1825/2013, de 11 de abril:

> "Sus suspicacias acerca del significado procesal de la denuncia anónima están históricamente justificadas. La Novísima Recopilación (Título XXXIII, Ley VII) prohibió la investigación de los hechos denunciados anónimamente, salvo que tuvieran carácter de notoriedad. La necesidad de poner límites a la delación está presente en la redacción de Ley de Enjuiciamiento Criminal de 1872 (arts. 166 y 168) y en la Compilación General de 1879 al descartar la denuncia anónima como vehículo idóneo para desencadenar el proceso penal".

§ 575. El **Informe Nolan británico** de 1995, desde la perspectiva más reciente a nivel internacional, hacía hincapié en la importancia de establecer mecanismos internos para facilitar la denuncia de las acciones irregulares que pudiesen ser detectadas por los propios funcionarios públicos. Además, advertía expresamente de los problemas que, para la lucha contra la corrupción, se podrían acarrear si se obligaba a los servidores públicos a comunicar las irregularidades e identificarse ante su superior, en virtud del principio de jerarquía.

§ 576. De la misma forma, la **Convención Interamericana contra la Corrupción** reconoce, en el artículo III.8, la importancia de proteger la identidad de los funcionarios públicos y los ciudadanos que denuncien de buena fe los actos de corrupción. A través del Mecanismo de Seguimiento de la Implementación de la Convención Interamericana contra la Corrupción (MESICIC) se ha interpretado esta previsión normativa reiteradamente en el sentido de amparar no solo la denuncia confidencial, sino también el anonimato. Así, el Informe Hemisférico de la Segunda Ronda de Análisis de MESICIC de 11 de diciembre de 2008 recomendó "establecer mecanismos de denuncia, como la denuncia anónima y la denuncia con protección de identidad, que garanticen la seguridad personal y la confidencialidad de identidad de los funcionarios públicos y ciudadanos particulares que de buena fe denuncien actos de corrupción", como recoge el documento explicativo de la propuesta de Ley Modelo (2011, 7). Estas cautelas sobre la reserva de identidad se adoptan como garantía hacia el denunciante para que pueda aportar la información sin temor a las posibles represalias. No obstante, la consecuencia jurídica de la denuncia anónima no conllevará directamente la apertura de un procedimiento, sino que deberá ser valorada por la autoridad competente, quien deberá decidir sobre el inicio de las investigaciones. La nueva versión de la Ley Modelo OEA (2013) ha recogido estas recomendaciones en el artículo 9 "Denuncia anónima" que establece: "El denunciante, por razones de seguridad, podrá presentar la denuncia reservándose su identidad y, en este caso, la autoridad competente valorará la información recibida y, en uso de sus facultades, determinará si da trámite a la denuncia presentada".

§ 577. La **Convención de las Naciones Unidas contra la Corrupción** ha reconocido también la viabilidad de la denuncia anónima como instrumento de lucha antifraude, al establecer en el artículo 13.2:

> "Cada Estado Parte adoptará medidas apropiadas para garantizar que el público tenga conocimiento de los órganos pertinentes de lucha contra la corrupción mencionados en la presente Convención y facilitará el acceso a dichos órganos, cuando proceda, para *la denuncia, incluso anónima,*

de cualesquiera incidentes que puedan considerarse constitutivos de un delito tipificado con arreglo a la presente Convención".

§ 578. La **Guía Técnica UNODC** (2010, 115) recomienda a los Estados parte que analicen la posibilidad de autorizar el anonimato de los denunciantes que teman ser reconocidos y desconfíen de los cauces institucionales. A este respeto recuerda la doctrina del Tribunal Europeo de Derechos Humanos:

> "En ese sentido, es pertinente la jurisprudencia del Tribunal Europeo de Derechos Humanos, según la cual el mantenimiento del anonimato del testigo no implica violación del artículo 6 de la Convención relativo a un juicio imparcial si los procedimientos seguidos por las autoridades judiciales han compensado suficientemente las desventajas con las que ha actuado la defensa (por ejemplo, que un juez de instrucción que conozca la identidad del testigo lo interrogue en presencia de un abogado defensor que no la conozca) (véase Doorson V.s. Países Bajos, sentencia de 26 de marzo de 1996, demanda Núm. 20524/92, informes 1996-II, párrs. 72-73)".

§ 579. La **Guía Legislativa UNODC** (2012) resalta la importancia de la participación ciudadana en la lucha contra la corrupción, por lo que recomienda a los Estados parte permitir la denuncia anónima de estas contravenciones.

§ 580. La **Guía Denunciantes UNODC** (2016, 53) ha estudiado en profundidad la problemática práctica de las denuncias anónimas, es decir, de aquellas que facilitan "alguna información sin que nadie conozca la fuente". De entrada, no debe confundirse confidencialidad, que supone reserva de la identidad, con anonimato, que implica el desconocimiento absoluto de quien denuncia. La ventaja indudable desde el punto de vista práctico es que, sin conocer la identidad del denunciante, las acciones de represalia no resultan fáciles de ejecutar, por lo que es de esperar, y así parecen demostrarlo las experiencias prácticas en los distintos países, que haya una mayor confianza en facilitar información a las autoridades. Por otra parte, también plantea inconvenientes porque dificulta las investigaciones al no permitir solicitar la ampliación de la información o puede favorecer las comunicaciones basadas en razones personales o la recepción masiva de informaciones infundadas. Por lo tanto, recomienda estudiar a fondo la incorporación de la denuncia anónima, teniendo en cuenta los siguientes condicionantes (UNODC, 2016, 57-58):

"– Aunque el método de revelación (por ejemplo, un sobre sin membrete o un canal encriptado de Internet) puede proteger la identidad de la fuente de la información, esto no significa que no se pueda deducir o adivinar a partir de la información en sí.

– La información proveniente de fuentes anónimas rara vez es admisible como prueba en los tribunales (véase más abajo).

– La revelación anónima de información puede tener como resultado que las sospechas recaigan en otra persona ajena que, por ende, sufrirá las consecuencias.

– Los sistemas de denuncia anónima han suscitado preocupación en términos de la recopilación equitativa de datos privados, en particular entre las autoridades europeas responsables de la protección de los datos, lo que ha dado lugar a la imposición de mayores requisitos a las líneas de atención telefónica en las empresas, como, por ejemplo, la inclusión de normas que limiten el tiempo en que puede conservarse esa información.

– Las investigaciones apuntan a que los receptores de informaciones anónimas les atribuyen menos credibilidad y les asignan menos recursos de investigación.

– Sigue existiendo un estrecho vínculo entre las denuncias anónimas y las delaciones anónimas (a menudo sobre los vecinos) que han ocurrido y ocurren en los regímenes totalitarios, o las denuncias dolosas contra opositores políticos.

– A menos que los sistemas de denuncia cuenten con características avanzadas, el anonimato vuelve prácticamente imposible mantener contacto con los denunciantes, pedirles aclaraciones o más datos, tranquilizarlos acerca de su situación o hacerles comentarios.

– Aun así, los sistemas de denuncia anónima podrían generar información valiosa (pistas de investigación y análisis de la corrupción).

– Es posible valerse de comunicaciones intermediarias para alentar a un denunciante anónimo a que deje esa condición en una etapa posterior en caso de que la denuncia resulte necesaria como prueba".

§ 581. La **Unión Europea** ha aceptado, con carácter general, la herramienta de la denuncia anónima para perseguir las irregularidades contra el Derecho comunitario, como, por ejemplo, en materia de defensa de la competencia o para la protección de sus intereses financieros. En este sentido, el artículo 5.1 ROLAF establece que

"El director general podrá iniciar una investigación cuando haya sospecha suficiente, que puede también basarse en información proporcionada por una tercera parte o por *información anónima*, de que se ha incurrido en fraude, corrupción u otra actividad ilegal en detrimento de los intereses financieros de la Unión".

§ 582. EL "Grupo de Trabajo del artículo 29 sobre Protección de Datos" de la Unión Europea, en el "Dictamen 1/2006 sobre la aplicación de las normas de la UE relativas a la protección de datos a programas internos de denuncia de irregularidades en los campos de la contabilidad, controles contables internos, asuntos de auditoría, lucha contra el soborno, delitos bancarios y financieros" establecía como regla general que el denunciante debía identificarse, pero también aceptaba la posibilidad de recibir y tramitar denuncias anónimas en determinadas circunstancias. No obstante, establecía las siguientes prevenciones:

"El anonimato podría no ser una buena solución, tanto para el denunciante como para la organización, una serie de razones:

– el anonimato no impide que otros adivinen con éxito quién planteó la cuestión;

– es más difícil investigar la cuestión si no se pueden realizar preguntas de seguimiento;

– es más fácil organizar la protección del denunciante frente a represalias, especialmente si dicha protección está dispuesta por ley, si las cuestiones se plantean de manera abierta;

– los informes anónimos pueden llevar a las personas a centrarse en el denunciante,

– la organización corre el riesgo de desarrollar una cultura de recibir informes anónimos de mala fe;

– el clima societario dentro la realización podría deteriorarse si los empleados son conscientes de que informes anónimos relativos a ellos podrían cursarse a través del programa en cualquier momento.

No obstante, el Grupo de Trabajo es consciente de que algunos denunciantes podrían no encontrarse siempre en situación o tener disposición psicológica para presentar informes identificados. También es consciente del hecho de que las quejas anónimas son una realidad dentro de las sociedades, incluso y especialmente en ausencia de sistemas de denuncia de irregularidades confidenciales y organizados, y que esta realidad no puede ignorarse".

§ 583. Por el contrario, el **ordenamiento jurídico español** ha sido tradicionalmente reacio a admitir la denuncia anónima por estimar principalmente que atenta contra el derecho de defensa y el principio procesal de igualdad de armas, pues difícilmente, se argumenta, cabe contradecir las acusaciones de un desconocido. Así, el artículo 62.2 LPAC establece que "Las denuncias deberán expresar la identidad de la persona o personas que las presentan y el relato de los hechos que se ponen en conocimiento de la Administración. Cuando dichos hechos pudieran constituir una infracción administrativa, recogerán la fecha de su comisión y, cuando sea posible, la identificación de los presuntos responsables".

§ 584. Por el contrario, la **normativa sectorial** ha admitido la presentación de denuncias anónimas en diversas materias, como, por ejemplo, el artículo 26 bis de la Ley 10/2010, de 28 de abril, de prevención del blanqueo de capitales y de la financiación del terrorismo, modificado por el Real Decreto-ley 11/2018, de 31 de agosto, "en el que se regulan los procedimientos internos de comunicación de potenciales incumplimientos (canales de denuncias internas) para que sus empleados, directivos o agentes puedan comunicar, *incluso anónimamente*, información relevante sobre posibles incumplimientos de esta ley, su normativa de desarrollo o las políticas y procedimientos implantados para darles cumplimiento, cometidos en el seno del sujeto obligado". De la misma forma, con anterioridad, en la Ley Orgánica 12/2007, de 22 de octubre, del régimen disciplinario de la Guardia Civil ya preveía "la posibilidad de que la *denuncia anónima* pueda dar lugar al menos al inicio de una «información reservada»".

§ 585. En materia de **protección de datos personales**, el artículo 24.1 de la Ley Orgánica 3/2018, de 5 de diciembre, de Protección de Datos Personales y Garantía de los DERECHOS DIGITALES, actualmente modificado, establecía que "será lícita la creación y mantenimiento de sistemas de información a través de los cuales pueda ponerse en conocimiento de una entidad de Derecho privado, *incluso anónimamente*, la comisión en el seno de la misma o en la actuación de terceros que contratasen con ella, de actos o conductas que pudieran resultar contrarios a la normativa general o sectorial que le fuera aplicable".

Con la publicación de esta norma legal, se modificó el criterio del Informe 128/2007, del Gabinete Jurídico de la Agencia Española de Protección de Datos que consideraba inválida la denuncia anónima (Fortuny y Vilá, 2022), por lo que en esta regulación se sustanciaron "las diferencias sobre la admisión de informaciones anónimas entre la práctica de las sociedades y la posición de la AEPD. Y se hace referencia explícita a su aplicabilidad a los sistemas de denuncias del sector público" (Parajó, 2022, 49).

Como se ha indicado, esta apertura legal de la denuncia anónima ha quedado suprimida formalmente en el citado artículo 24 LOPD-GDD al remitir su actual redacción a la Ley del Informante, en donde se mantiene el mismo criterio de su admisión.

§ 586. En materia penal, la **Fiscalía General del Estado**, en la Circular de 4/2013, de 30 de diciembre, sobre las diligencias de investigación, argumenta que, "aunque las denuncias deben en principio cumplimentar los requisitos previstos en la Ley de Enjuiciamiento Criminal para ser tenidas como tales, el incumplimiento de alguno de ellos no ha de llevar a su inadmisión si se están poniendo de manifiesto hechos constitutivos de delito perseguibles de oficio con visos de verosimilitud". Por su parte, la Circular 1/2000, de 18 de diciembre, relativa a los criterios de aplicación de la Ley Orgánica 5/2000, de 12 de enero, por la que se regula la responsabilidad penal de los menores ha establecido las siguientes cautelas sobre la denuncia anónima en los ámbitos especialmente delicados como los menores:

> "Este celo se ha de extremar en el caso de las denuncias anónimas, que por lo general deberán conducir al archivo de las Diligencias Preliminares incoadas en base a las mismas, pues repugna a la sensibilidad propia del profesional avezado en el desempeño de funciones tuitivas de menores que una decisión tan trascendente como es el Decreto de incoación del Expediente de reforma, expresión formal de una imputación delictiva sustentada por la autoridad del Ministerio Fiscal, tenga por único fundamento un escrito de procedencia ignorada y de cuyo contenido nadie se hace responsable.
>
> El respeto que el menor debe inspirar a los profesionales de la Justicia como sujeto de derecho obliga a buscar soluciones nada complacientes con el empleo y proliferación de esta insidiosa modalidad de delación y no cabe duda de que el medio más saludable de prevención es la negativa a incoar Expediente de reforma y el archivo de las Diligencias Preliminares.

Sólo en caso de que la denuncia anónima se refiera a hechos de cierta relevancia y contenga en su texto datos particulares de fácil comprobación podrá, con carácter excepcional, motivar el desarrollo de una investigación preliminar que permita contrastar el fundamento y ajuste a la realidad de su contenido inculpatorio. En este supuesto la tramitación de las Diligencias Preliminares despliega su genuina potencialidad tuitiva de los derechos del menor convertida en filtro que depura los datos de hecho sobre los que el Fiscal sustenta su decisión de la apertura del Expediente de reforma".

§ 587. La **jurisprudencia del Tribunal Supremo** ha avalado la efectividad de las confidencias anónimas (Gimeno, 2022), pero considerando que no se trata de una denuncia, en el sentido del artículo 268 LECrim, sino de una forma de recibir la *notitia criminis*, que puede obligar a la policía a comprobar la realidad y a los jueces instructores a practicar diligencias de investigación (STS 583/2017, de 19 de julio), pero no avalar la adopción de medidas que afecten a los derechos fundamentales (STS 181/2014, de 11 de marzo), bajo el principio de que "quien oculta el rostro para acusar, también es capaz de ocultar la verdad en lo que se acusa". Como confirma la STS de 23 de enero de 2019: "La cita jurisprudencial realizada en el recurso refleja un criterio consolidado en el ámbito administrativo, en el que no está prohibido el inicio de actuaciones de inspección o comprobación a partir de una denuncia anónima, sino que se exige una especial prudencia en el control de esa información antes de iniciar las actuaciones".

§ 588. La **jurisprudencia de la STS 272/2020**, de 6 de febrero, ha marcado un importante hito en la aceptación de la denuncia anónima en los programas de *compliance* empresariales y las investigaciones internas (Gimeno, 2022) al considerar que:

"Sobre esta necesidad de implantar estos canales de denuncia, y que se vio en este caso con una alta eficacia al constituir el arranque de la investigación como "*notitia criminis*" se recoge por la doctrina a este respecto que la Directiva se justifica en la constatación de que los informantes, o denunciantes, son el cauce más importante para descubrir delitos de fraude cometidos en el seno de organizaciones; y la principal razón por la que personas que tienen conocimiento de prácticas delictivas en su empresa, o entidad pública, no proceden a denunciar, es fundamentalmente porque no se sienten suficientemente protegidos contra posibles represalias provenientes del ente cuyas infracciones denuncia. En definitiva, se busca reforzar la protección del *whistleblower* y el ejercicio de su derecho a la libertad de expresión e información reconocida en el art. 10 CEDH y 11 de la Carta de los Derechos Fundamentales de la UE, y con ello incrementar su actuación en el descubrimiento de prácticas ilícitas o delictivas, como en este caso se llevó a cabo y propició la debida investigación policial y descubrimiento de los hechos. Debe destacarse, en consecuencia, que la implantación de este canal de denuncias, forma parte integrante de las necesidades a las que antes hemos hecho referencia del programa de cumplimiento normativo, ya que con el canal de denuncias quien pretenda, o planee, llevar a cabo irregularidades conocerá que desde su entorno más directo puede producirse una denuncia anónima que determinará la apertura de una investigación que cercene de inmediato la misma".

§ 589. En el marco de las **agencias antifraude**, la decaída proposición de Ley integral de lucha contra la corrupción y protección de los denunciantes presentada el 23 de septiembre de 2016 por el Grupo Parlamentario de Ciudadanos se decantaba por proscribir terminante la admisión de las denuncias anónimas (Cotino, 2023). Por su parte, la mayoría de las agencias antifraude autonómicas no han realizado un reconocimiento legal del anonimato, pero, por vía reglamentaria o de hecho, han aceptado generalizadamente las denuncias anónimas, como Cataluña, Valencia y Navarra (Cotino, 2023); y, en la práctica, los "buzones anónimos están configurados para ocultar la trazabilidad de la denuncia" (Gimeno, 2022, 343). De hecho, la Oficina Antifraude de Cataluña no admitió primeramente la denuncia anónima en la Instrucción en noviembre de 2011 y, más tarde, cambió de criterio en la Instrucción 1/2016 del Director de la Oficina Antifrau de Catalunya (Cotino, 2023).

En esta evolución, la legislación de la Agencia de Integridad y Ética Públicas de Aragón supuso un paso atrás al prohibir taxativamente las denuncias anónimas en el artículo 46 LACA Aragón. Más recientemente, la legislación de la Oficina Andaluza contra el Fraude y la Corrupción ha admitido, por primera vez a nivel legal, en este ámbito, el anonimato del denunciante (artículo 35 LACA Andalucía), pero estableciendo la obligación de crear un canal o buzón específico para las mismas (disposición adicional segunda LACA Andalucía).

Fundamentos fenomenológicos y axiológicos

§ 590. El **debate moral** sobre la denuncia anónima debe de partir de tener en cuenta que estamos ante "un acto destinado a cambiar las decisiones tomadas por actores más poderosos" (Mansbach, 2011, 15) y potencialmente peligroso para quien se enfrenta a quien ostenta el poder. Por lo tanto, quien oculta su identidad puede tener razones justificadas para confiar únicamente en su propia discreción el mantenimiento del velo sobre sus datos personales.

§ 591. No obstante, la **confidencia "sin rostro"** se ha considerado habitualmente como un desvalor al que cabe imputarle un acto de cobardía por no atreverse a actuar "a cara descubierta". La realidad ha demostrado, por el contrario, que quien se ampara en la discreción también cabe calificarlo de héroe social, porque asume un serio riesgo de que las sospechas finalmente se dirijan hacia él. Como señala Méndez (2015), se suele confundir el valor ético de decir la verdad, que permite el secretismo ante el temor de la injusticia, con el valor de naturaleza espiritual de la sinceridad, que puede otorgarse libérrimamente por quien esté dispuesto a asumir las consecuencias derivadas de la heroicidad. En esta línea, la Guía Denunciantes UNODC (2016, 14) afirma que "los denunciantes no son traidores, sino personas valientes que prefieren actuar contra los abusos de los que se enteran en lugar de optar por la vía fácil y quedarse calladas".

§ 592. Desde el **valor de la justicia**, se ha condenado la reserva personal por atentar contra el derecho de defensa y el derecho a un juicio justo, porque difícilmente cabe contradecir las acusaciones de un desconocido. En este aspecto, la jurisprudencia ha hecho una importante labor para equilibrar ambos intereses: por una parte, retrasando la revelación de la identidad hasta que resulta imprescindible en juicio y, por otra, denegándola cuando la acusación se basa exclusivamente en las pruebas documentales aportadas, sin que sea relevante su testimonio.

§ 593. El **análisis fenomenológico** muestra reiteradamente la importancia de la denuncia anónima como instrumento de lucha contra el fraude, como, por ejemplo, el caso expuesto por la Guía Denunciantes UNODC (2016, 56):

> "Para tener una idea de la eficacia de las denuncias anónimas, cabe señalar que, en los cuatro meses transcurridos entre diciembre de 2013 y

marzo de 2014, el Ministerio de Defensa de Bosnia y Herzegovina había recibido 28 denuncias anónimas de irregularidades dentro del Ministerio y en las fuerzas armadas. En 19 casos, las investigaciones se llevaron a término, mientras que en tres de ellos se determinó que se había demostrado suficientemente la existencia de irregularidades y, por consiguiente, las denuncias se remitieron a otra instancia para la adopción de las medidas que procediera".

§ 594. Los estudios sobre la **experiencia de los buzones que admiten el anonimato**, recogidos en el trabajo de Cotino (2023), también han demostrado una evolución favorable. Por ejemplo, la Agencia Antifraude de Cataluña ha incrementado un 50% el número de denuncias recibidas tras admitir el uso del anonimato (Sierra, 2020 y Capdeferro, 2020). En la Agencia Antifraude Valenciana, por su parte, los datos sobre las denuncias anónimas se encuentran en torno al 50% (Sierra, 2020)

Marco jurídico de la Directiva de protección de las personas que informen sobre infracciones del Derecho de la Unión

§ 595. La **Propuesta de la Comisión**, de 23 de abril de 2018, de Directiva del Parlamento Europeo y del Consejo relativa a la protección de las personas que informen sobre infracciones del Derecho de la Unión no establecía ninguna mención específica al problema de la denuncia anónima.

§ 596. Tras largo **debate parlamentario**, la Directiva 2019/1937 se decantó por dejar libertad a los Estados Miembros para regular la viabilidad de la denuncia anónima, pero siempre bajo el mandato de que, de aceptarse, se protegiera al informante, en caso de ser desvelada su identidad, de la misma forma que al denunciante identificado. En el considerando (34) DPIUE se explica con claridad la decisión adoptada por el legislador comunitario:

"Sin perjuicio de las obligaciones vigentes de disponer la denuncia anónima en virtud del Derecho de la Unión, debe ser posible para los Estados miembros decidir si se requiere a las entidades jurídicas de los sectores privado y público y a las autoridades competentes que acepten y sigan *denuncias anónimas* de infracciones que entren en el ámbito de aplicación de la presente Directiva. No obstante, las personas que denuncien de forma anónima o hagan revelaciones públicas de forma anónima dentro del ámbito de aplicación de la presente Directiva y cumplan sus condiciones deben gozar de protección en virtud de la presente Directiva si posteriormente son identificadas y sufren represalias".

§ 597. Por lo tanto, los **Estados Miembros**, en el ejercicio de su potestad normativa, deberán decidir sobre la admisión de las denuncias anónimas en sus ordenamientos jurídicos (artículo 6.2 DPIUE), con independencia del mantenimiento de los casos ya amparados por la legislación sectorial comunitaria.

§ 598. En el ámbito de las **autoridades competentes**, el denunciante anónimo recibirá obligatoriamente el estatus de informante protegido, si se desvelase su identidad (artículo 6.3 DPIUE):

> "Las personas que hayan denunciado o revelado públicamente información sobre infracciones de forma anónima pero que posteriormente hayan sido identificadas y sufran represalias seguirán, no obstante, teniendo derecho a protección en virtud del capítulo VI, siempre que cumplan las condiciones establecidas en el apartado 1".

§ 599. En el ámbito de las **denuncias internas**, la tramitación de la denuncia anónima deberá ser objeto de "seguimiento diligente cuando así lo establezca el Derecho nacional en lo que respecta a las denuncias anónimas" (artículo 9.1.e. DPIUE).

Régimen jurídico de la Ley de Protección del Informante

§ 600. El **preámbulo** de la Ley del Informante reconoce la reserva de la identidad del informante como un "pilar esencial", pues "la Directiva establece como principio el deber general de mantener al informante en el anonimato". Basándose en esta consideración, el legislador, siguiendo los modelos internacionales, ha optado por "regular las informaciones anónimas y proteger a la persona que las comunica". Esta alternativa ya había recibido apoyo legal, como se ha señalado, en materia de blanqueo de capitales (Real Decreto-ley 11/2018, de 31 de agosto), protección de datos personales (Ley Orgánica 3/2018, de 5 de diciembre) o en el régimen disciplinario de la Guardia Civil (Ley Orgánica 12/2007, de 22 de octubre). Y también en los programas de *compliance* promovidos tras la regulación de la responsabilidad de las personas jurídicas en el Código Penal y, como también se ha referenciado anteriormente, en la legislación de protección del denunciante de algunas comunidades autónomas.

§ 601. El **régimen jurídico** de la denuncia anónima se ha establecido en los siguientes preceptos legales:

a) En los *canales internos*, se permitirá la presentación y tramitación de las comunicaciones anónimas (artículo 7.3 LPI).

b) En los *canales externos*, la recepción de informaciones se podrá realizar de forma anónima (artículo 17.1 LPI).

c) En las *actuaciones ante la AIPI, A.A.I.*, se reconoce al informante el derecho de opción entre la comunicación anónima y no anónima (artículo 21.1° LPI).

d) En las *medidas de protección*, les serán aplicables si, tras escudarse en el anonimato, su identidad es revelada, con las mismas condiciones que el resto de informante (artículo 35.3 LPI).

e) En el *régimen sancionador*, se considerará infracción muy grave "vulnerar las garantías de confidencialidad y anonimato previstas en esta ley, y de forma particular cualquier acción u omisión tendente a revelar la identidad del informante cuando este haya optado por el anonimato, aunque no se llegue a producir la efectiva revelación de la misma (artículo 63.1.c LPI). Además, tendrá la consideración de infracción grave "vulnerar las garantías de confidencialidad y anonimato previstas en esta ley, y de forma particular cualquier acción u omisión tendente a revelar la identidad del informante cuando este haya optado por el anonimato, aunque no se llegue a producir la efectiva revelación de la misma" (artículo 63.2.b LPI).

Reflexión final y comentarios

§ 602. El **debate sobre inserción procesal** en los ordenamientos jurídicos de la denuncia anónima entre los que consideran que es una delación que perjudica el derecho de defensa y quienes lo consideran un instrumento útil especialmente en entornos opacos no es nueva, como ya se ha acreditado. A pesar de ello, como ha afirmado expresivamente Bauzá (2015), en el entorno jurídico y social "seguimos sin saber qué hacer ante la denuncia anónima".

§ 603. Los **instrumentos internacionales**, sobre todo tras el Informe Nolan y de forma decidida tras la Convención de Naciones Unidas contra la Corrupción, se han decantado por entender que el anonimato es la mejor forma de protección del denunciante para evitar la "largo mano" de las represalias. Por lo tanto, la razón de ser de la aceptación de la denuncia anónima es servir de primera medida de protección del informante (Cerrillo i Martínez, 2018) y, como afirma Pérez Monguío (2019), debe operar incluso en favor de quien solicita información con carácter previo.

§ 604. A priori, como destaca Cotino (2023), la **legislación administrativa** parece excluir terminantemente las denuncias anónimas en España. No obstante, sectores administrativos como el tributario o el laboral, a pesar de no prever el anonimato expresamente (artículo 114 Ley 58/2003, de 17 de diciembre, General Tributaria) o incluso indicar que no se tramitarán las denuncias recibidas sin identificación (artículo 20 Ley 23/2015, de 21 de julio, Ordenadora del Sistema de Inspección de Trabajo y Seguridad Social), en la práctica han creado buzones de denuncias que permiten la presentación de informaciones sobre irregularidades sin identificación.

§ 605. El **ámbito judicial** hace tiempo que ha decidido atribuir valor a la denuncia anónima, pero únicamente tras pasar un exigente filtro de garantías. Un buen ejemplo puede deducirse de las reflexiones de la sentencia del Tribunal Supremo de 11 de abril de 2013:

> "Todo indica, por tanto, que la información confidencial, aquella cuyo transmitente no está necesariamente identificado, debe ser objeto de un juicio de ponderación reforzado, en el que su destinatario valore su verosimilitud, credibilidad y suficiencia para la incoación del proceso penal. Un sistema que rindiera culto a la delación y que asociara cualquier denuncia anónima a la obligación de incoar un proceso penal, estaría alentado [sic] la negativa erosión, no sólo de los valores de la convivencia, sino el círculo de los derechos fundamentales de cualquier ciudadano frente a la capacidad de los poderes públicos para investigarle. Pero nada de ello impide que esa información, una vez valorada su integridad y analizada de forma reforzada su congruencia argumental y la verosimilitud de los datos que se suministran, pueda hacer surgir en el Juez, el Fiscal o en las Fuerzas y Cuerpos de Seguridad del Estado, el deber de investigar aquellos hechos con apariencia delictiva de los que tengan conocimiento por razón de su cargo".

§ 606. La **Ley del Informante** no modifica el régimen jurídico de la denuncia anónima en el procedimiento administrativo, pues se mantienen vigentes las previsiones del artículo 62 LPAC, sino que establece un régimen específico para las informaciones o comunicaciones, incluso anónimas, pero no tendrán la naturaleza jurídica de denuncia dentro de nuestro ordenamiento jurídico (Parajó, 2022). Por lo tanto, como señala el citado autor, las informaciones, con independencia de la identificación o no de su autor, permiten actuaciones de comprobación sobre su verosimilitud, pero no producirán el efecto de iniciar el procedimiento administrativo, que siempre se producirá de oficio por la autoridad competente. "En síntesis, este debe seguir siendo el significado de las informaciones anónimas, en el actual contexto normativo, teniendo en cuenta el alcance constitucional del derecho a la defensa (art. 24 CE)" (Parajó, 2022, 64).

§ 607. El **Consejo General del Poder Judicial** (2022) ha advertido que, en la práctica, los órganos como la inspección laboral únicamente analizan las denuncias anónimas en supuestos especialmente importantes y recuerda que la denuncia anónima no es una fuente de prueba, sino un medio de investigación.

§ 608. El **Consejo de Estado** (2022) ha incidido en que la aceptación de las comunicaciones anónimas por la Ley del Informante no se trata tanto de una opción legislativa, sino de la aplicación de la cláusula de no regresión (artículo 25.2 DPIUE), pues la misma ya se encontraban admitidas en el artículo 24 LOPDGDD. A su vez, considera que la comunicación anónima no debería promoverse ni considerarse una regla general, más tras las garantías ofrecidas a la confidencialidad del denunciante. En este sentido, reproduce la observación que realizó a la LOPDGDD:

> "La admisión de la *denuncia anónima*, [...] puede fomentar un uso fraudulento del tratamiento, y presenta ciertas limitaciones prácticas a la hora de presentar testimonios ante la justicia penal; por estas y otras razones, ha sido desaconsejada, entre otros, por el Grupo de Trabajo del artículo 29. En línea con estas observaciones, considera el Consejo de Estado que sería más adecuado limitar la posibilidad de las denuncias anónimas a supuestos excepcionales (lo que no garantiza la mera utilización, en el artículo 25.1 del Anteproyecto, del adverbio "incluso"), dado que la regulación proyectada ya prevé la confidencialidad de los datos del denunciante (apartado 3)".

§ **609.** No obstante, la **experiencia de las agencias antifraude españolas,** como ha afirmado (Cotino, 2023), parece acreditar, en sentido contrario, que la garantía del anonimato favorece romper "los círculos de silencio", no incrementa el número de denuncias falsas y los derechos de los acusados pueden ser garantizados con una buena gestión de las informaciones recibidas, lo que, por otra parte, será exigible a todas las informaciones con independencia de la fuente.

§ **610.** En definitiva, como ha estudiado en profundidad **García-Moreno** (2020), bajo la concepción del denunciante como un mero informante y colaborador con las autoridades competentes, la identidad del mismo no resulta habitualmente especialmente importante, salvo cuando las evidencias aportadas están basadas en su propio testimonio. Por ello, siguiendo el camino marcado por los tribunales, la denuncia anónima debe ser considerada como una fuente de información, al igual, por ejemplo, que las revelaciones periodísticas o las confidencias policiales, si bien, en caso de que finalmente se desvelase la identidad del alertador, se le debería también proteger adecuadamente.

CONCLUSIONES

§ 611. El avance hacia **sistemas democráticos de calidad o avanzados** precisa, como requisito *sine qua non*, una infraestructura ética que permita la toma de decisiones en favor del bien común y postergue a los buscadores de rentas fraudulentas. La construcción de la cultura ética requiere una actitud activa tanto de las instituciones como de los empleados públicos (Barraca, 2013). Por lo tanto, debe abandonarse la actitud pasiva de todos los actores, tanto de la esfera pública como privada, ante el conocimiento de prácticas fraudulentas que, en algunas ocasiones, es *"vox populi"* de todos los participantes en los procesos sociales. No obstante, es cierto que la experiencia de quienes han ejercido la categoría de ciudadanos honrados ha sido, en demasiadas ocasiones, negativa y dolorosa, habiendo sufrido graves perjuicios personales y profesionales.

§ 612. Desde una **perspectiva axiológica**, resulta adecuado el enfoque sistémico de la Directiva (UE) 2019/1937 del Parlamento Europeo y del Consejo, de 23 de octubre de 2019, relativa a la protección de las personas que informen sobre infracciones del Derecho de la Unión que promueve un marco integral para el buen uso de la denuncia pública y la adecuada protección de los denunciantes. La razón del éxito o fracaso de la nueva regulación estará marcada por el establecimiento de una nueva cultura ética en la que las organizaciones asuman como una oportunidad la recepción de las denuncias razonables, los ciudadanos se sientan obligados en conciencia a informar de los actos ilícitos que conozcan y la sociedad aprecie estas actitudes como buenos ejemplos a seguir.

§ 613. El gran reto de toda **política de *good governance***, como es el caso de las políticas anticorrupción, es evitar que las reformas consoliden exclusivamente un incremento de nuevas instituciones e instrumentos cuya implementación se limite a los primeros pasos de la planificación, para terminar los documentos elaborados alojados en lugares remotos de los sitios web corporativos. La experiencia frustrante de medidas presentadas como antídotos infalibles frente al problema de la corrupción, en algunos países latinoamericanos se ha llegado a promocionar la figura del "zar anticorrupción" con escaso éxito, debe servir de acicate para que la normativa protectora de los informantes, denunciantes o alertadores se acompañe de medios personales y materiales suficientes, así como del apoyo desde las altas esferas institucionales y de parte también de la sociedad civil.

§ 614. El **liderazgo** de lucha contra la corrupción y la protección del informante debe corresponder a la Autoridad Independiente de Protección del Informante, A.A.I. Como se ha advertido a lo largo del trabajo, el legislador español le ha dotado de pocas herramientas funcionales para facilitar su éxito, pues ha restringido su campo de actuación, a pesar del título de la norma estatal, a la segunda de las facetas. No obstante, corresponderá a los integrantes de la nueva autoridad administrativa ejercer esta labor con los mayores bríos, para lo cual será fundamental que se apoyen, y para ello sí que les brinda su norma reguladora instrumentos suficientes, en las agencias antifraudes autonómicas y locales que ya han recorrido una parte del camino.

BIBLIOGRAFÍA

Agencia Española de Protección de Datos (2019). "Guía de Privacidad desde el Diseño".
https://www.aepd.es/es/documento/guia-privacidad-desde-diseno.pdf.

Agencia Española de Protección de Datos (2021). "Protección de datos por defecto".
https://www.aepd.es/es/derechos-y-deberes/cumple-tus-deberes/medidas-de-cumplimiento/proteccion-de-datos-por-defecto.

Agencia Española de Protección de Datos (2022a). Informe del Anteproyecto de Ley reguladora de la protección de las personas que informen sobre infracciones normativas y de lucha contra la corrupción por la que se transpone la Directiva (UE) 2019/1937 del Parlamento Europeo y del Consejo, de 23 de octubre de 2019, relativa a la protección de las personas que informen sobre infracciones del Derecho de la Unión.
https://www.aepd.es/es/documento/2022-0020.pdf.

Agencia Española de Protección de Datos (2022b). "Principios".
https://www.aepd.es/es/derechos-y-deberes/cumple-tus-deberes/principios.

Agencia Española de Protección de Datos (2022c). "Protección de datos desde el diseño".
https://www.aepd.es/es/derechos-y-deberes/cumple-tus-deberes/medidas-de-cumplimiento/proteccion-de-datos-desde-el-diseno#:~:text=La%20protecci%C3%B3n%20de%20datos%20desde,evitar%20posibles%20da%C3%B1os%20a%20las.

Agencia Española de Protección de Datos (2023). "Modificación de la Ley Orgánica de Protección de Datos Personales y garantía de los derechos digitales".
https://www.aepd.es/es/prensa-y-comunicacion/notas-de-prensa/modificacion-ley-organica-proteccion-datos-personales-y-garantia-derechos-digitales.

Agencia Valenciana Antifraude (2020). Decálogo para la protección de las personas denunciantes y alertadoras.
https://www.antifraucv.es/el-consell-de-la-agencia-valenciana-antifraude-aprueba-un-decalogo-de-principios-para-proteger-a-las-personas-denunciantes-de-corrupcion/.

Agencia Valenciana Antifraude (2023a). Ley 2/2023: Principales obligaciones y recursos de la AVAF.
https://www.antifraucv.es/wp-content/uploads/2023/03/GUIA-AVAF-LEY-2_2023__.pdf.

Agencia Valenciana Antifraude (2023b). 36 preguntas y respuestas sobre la Ley 2/2023 sobre protección a las personas denunciantes.
https://www.antifraucv.es/36-preguntas-y-respuestas-sobre-la-ley-2-2023/.

Almeida Cerreda, M. (2023). "Un posible régimen especial para los pequeños municipios: justificación, naturaleza, contenido y articulación". Revista de Estudios de la Administración Local y Autonómica (19).

Álvarez Pastor, D.; y Eguidazu Palacios, F. (2007). Manual de prevención del blanqueo de capitales. Marcial Pons.

Amoedo Barreiro, J. D. (2017a). "Hacia una Ley de Protección para los denunciantes de corrupción en España". Revista Internacional de Transparencia e Integridad (3).

Amoedo Barreiro, J. D. (2017b). "Elementos esenciales para un sistema de protección de denunciantes". Revista Internacional de Transparencia e Integridad (4).

Arias Rodríguez, A. (2016). "Declaración de Toledo, 2016". Fiscalizacion.es.
https://fiscalizacion.es/2016/11/19/declaracion-de-toledo-2016.

Arias Rodríguez, A. (2019). "El agente encubierto ¿también en auditoría?". Fiscalizacion.es.
https://fiscalizacion.es/2019/11/17/auditor-encubierto/.

Arias Rodríguez, A. (2023a). "Políticas de formación y sensibilización antifraude". Fiscalización.es.
https://fiscalizacion.es/2023/03/14/politicas-de-formacion-y-sensibilizacion-antifraude.

Arias Rodríguez, A. (2023b). "Lectura imprescindible para candidatos electorales". Fiscalización.es.
https://fiscalizacion.es/2023/06/17/lectura-imprescindible-para-candidatos-electorales/.

Association of Certified Fraud Examiners (2022). Occupational Fraud 2022: A Report to the Nations. file:///G:/Mi%20unidad/Drive2022/Mi%20Tirantlibro%202023/Doc3/ACEF%202022+Report+to+the+Nations.pdf.

Bachmaier Winter, L. (2019). "Whistleblowing europeo y compliance: La Directiva EU de 2019 relativa a la protección de personas que reporten infracciones del Derecho de la Unión". Diario La Ley (9539).

Baena del Alcázar, M. (2000). Curso de Ciencia de la Administración, vol. I. Tecnos (4.ª ed.).

Ballesteros Sánchez, J. (2020). "Pautas y recomendaciones técnico-jurídicas para la configuración de un canal de denuncias eficaz en organizaciones públicas y privadas. La perspectiva española". Derecho PUCP: Revista de la Facultad de Derecho (85).

Banco Mundial (2007). Annual integrity report: fiscal years 2005-2006.
http://documents.worldbank.org/curated/en/517951468779959385/Annual-integrity-report-fiscal-years-2005-2006.

Banco Mundial (2021). Twenty milestones from combating corruption.
https://thedocs.worldbank.org/en/doc/a935cc201495cc9211c1665d7 7f23608-0090012022/original/INT-20th-Anniversary-Twenty-Milestones-FINAL.pdf.

Barraca Mairal, J. (2013). Dirigir con filosofía: el valor del pensamiento en las organizaciones. Every View.

Bauzá Martorell, F. J. (2015). "La denuncia en el anteproyecto de Ley de Procedimiento Administrativo Común de las Administraciones Públicas". Documentación Administrativa (2).

Benítez Palma, E. (2017). "La convivencia entre los Órganos de Control Externo (OCEX) y las Agencias Autonómicas de Prevención y Lucha contra la Corrupción". Auditoría Pública (69).

Benítez Palma, E. (2019). "La propuesta de directiva europea de protección de los denunciantes: Un avance importante con algunas matizaciones". Revista Internacional de Transparencia e Integridad (9).

Bermejo Vera, J. (2000). "La Administración inspectora". En Sosa Wagner, F. (coord.). El derecho administrativo en el umbral del siglo XXI: Homenaje al profesor Dr. D. Ramón Martín Mateo. Tirant lo Blanch.

Campanón Galiana, L. (2020). "Análisis de la Directiva (UE) 2019/1937 del Parlamento Europeo y del Consejo de 23 de octubre de 2019 (*Whistleblowing*), relativa a la protección de las personas que informen sobre infracciones del Derecho de la Unión". Carta Tributaria (59).

Cantos Baquedano, F.; y Santos Lorenzo, S. (2009). Los límites a los poderes de inspección de la Comisión Nacional de la Competencia. Fundación Rafael del Pino.

http://espacioinvestiga.org.

Capdeferro Villagrasa, O. (2016). "Los organismos anticorrupción y el ejercicio de la potestad sancionadora: límites y propuestas para la prevención de la corrupción. En particular, el caso de la Oficina Antifraude de Cataluña". Revista Catalana de Dret Públic (53).

Capdeferro Villagrasa, O. (2020). "*El paper de l'Oficina Antifrau de Catalunya en la lluita contra la corrupció en el sector públic català. Anàlisi i propostes de reforma amb motiu del seu 10è aniversari*". Revista Catalana de Dret Públic (60).

Casanovas, A. (s. f.). "El estándar global de *whistleblowing lines*: ISO 37002". KPGM Tendencias.

https://www.tendencias.kpmg.es/2021/07/estandar-global-de-whistleblowing-lines-iso-37002/.

Casino Rubio, M. (2021). "La graduación *ad hoc* de las infracciones. Motivos para la discusión". Revista de Estudios de la Administración Local y Autonómica (16).

Casino Rubio, M. (2023). "Los límites competenciales de las normas sancionadoras autonómicas". Revista General de Derecho Administrativo (63).

Cerrillo i Martínez, A. (2018). El Principio de integridad en la contratación pública. Thomson Reuters.

Chaves García, J. R. (2023). "Pistoletazo de vigencia para la Ley de Protección de los informantes (Ley 2/2023)". Blog "De la Justicia".

https://delajusticia.com/2023/03/15/pistoletazo-de-vigencia-para-la-ley-de-proteccion-de-los-informantes-ley-2-2023/.

Comisión Nacional del Mercado de Valores (2015). Código de buen gobierno de las sociedades cotizadas.

https://www.cnmv.es/DocPortal/Publicaciones/CodigoGov/CBG_2020.pdf.

Committee on Standards in Public Life (1996). Normas de conducta para la Vida Pública: Informe Nolan. Instituto Nacional de Administración Pública.

Cortina Orts, A. (2014). ¿Para qué sirve realmente la ética? Paidós (3ª ed.).

Consejo de Estado (2017). Dictamen 757/2017 sobre el Anteproyecto de Ley Orgánica de Protección de Datos de Carácter Personal.
https://www.boe.es/buscar/doc.php?id=CE-D-2017-757.

Consejo de Estado (2022). Dictamen 1361/2022 del Anteproyecto de Ley reguladora de la protección de las personas que informen sobre infracciones normativas y de lucha contra la corrupción por la que se transpone la Directiva (UE) 2019/1937 del Parlamento Europeo y del Consejo, de 23 de octubre de 2019, relativa a la protección de las personas que informen sobre infracciones del Derecho de la Unión.
https://www.boe.es/buscar/doc.php?id=CE-D-2022-1361.

Consejo de Europa (1999a). Convenio Penal sobre la Corrupción de 27 de enero de 1999.
https://www.boe.es/diario_boe/txt.php?id=BOE-A-2010-5259.

Consejo de Europa (1999b). Convenio Civil sobre la Corrupción, de 4 de noviembre de 1999.
https://www.boe.es/buscar/doc.php?id=BOE-A-2010-12135.

Consejo de Europa (2014). *Recommendation CM/Rec(2014)7 of the Committee of Ministers to member States on the protection of whistleblowers.*
https://rm.coe.int/16807096c7.

Consejo Económico y Social (2022). Dictamen 3/2022 sobre el Anteproyecto de Ley reguladora de la Protección de las personas que informen sobre infracciones normativas y de lucha contra la corrupción por la que se transpone la Directiva (UE) 2019/1937 del Parlamento Europeo y del Consejo, de 23 de octubre de 2019, relativa a la protección de las personas que informen sobre infracciones del Derecho de la Unión.
https://www.ces.es/documents/10180/5275470/Dic032022.pdf.

Consejo General del Poder Judicial (2022). Informe sobre el Anteproyecto Ley reguladora de la protección de las personas que informen sobre infracciones normativas y de lucha contra la corrupción por la que se transpone la Directiva (UE) 2019/1937 del Parlamento Europeo y del Consejo, de 23 de octubre de 2019, relativa a la protección de las personas que informen sobre derecho de la Unión.
https://www.poderjudicial.es/cgpj/eu/Botere-Judiziala/Botere-Judizialaren-Kontseilu-Nagusia/BJKNko-jarduera/Txostenak/Informe-sobre-el-Anteproyecto-Ley-reguladora-de-la-proteccion-de-las-personas-que-informen-sobre-infracciones-normativas-y-de-lucha-contra-la-corrupcion-por-la-que-se-transpone-la-Directiva--UE--2019-1937-del-Parlamento-Europeo-y-del-Consejo--de-23-de-octubre-de-2019--relativa-a-la-proteccion-de-las-personas-que-informen-sobre-derecho-de-la-Union-.

Cotino Hueso, L. (2023). "De la prohibición al reconocimiento de hecho y de Derecho de las denuncias anónimas". Ros Medina, J. L.; Mayor Balsas, J. M.;

y Hernández Rodríguez, E. (coords.) Transparencia y participación para una nueva gobernanza: en Memoria de Pepe Molina. Tirant lo Blanch.

Cubillo Rodríguez, C. (2002). "Hacia una teoría general sobre la corrupción en la vida pública". Revista Española de Control Externo (11).

Darnaculleta Gardella, M. M. (2020). "Ética Pública y Derecho Administrativo en la era de la posverdad". Revista de Derecho Público: Teoría y Método (1).

Díaz Romero, C. (2017). "Normativa internacional en la lucha contra el fraude y la corrupción: metodología y herramientas". Revista Internacional de Integridad Pública (5).

Escoda Ruanes, E. (2014). "La Oficina Antifraude de Cataluña". En Nieto Martín, A.; y Maroto Calatayud, M. (coord.). Public compliance: prevención de la corrupción en administraciones públicas y partidos políticos. Universidad de Castilla-La Mancha y Tirant lo Blanch.

Espín Martí, R. (2017). El canal de denuncias internas en la actividad empresarial como Instrumento del compliance. Tesis doctoral en la Universitat Autònoma de Barcelona.

European Commission (2014). Evaluación del riesgo de fraude y medidas efectivas y proporcionadas contra el fraude.
https://ec.europa.eu/regional_policy/es/information/publications/guidelines/2014/fraud-risk-assessment-and-effective-and-proportionate-anti-fraud-measures.

European Commission (2016). State of the Union 2016. file:///G:/Mi%20unidad/Drive2022/Mi%20Tirantlibro%202023/DocUE/UE%202016-SOTEU_brochure_EN.pdf.

European Commission (2018a). Communication from the Commission to the European Parliament, the Council and The European Economic and Social Committee: Strengthening whistleblower protection at EU level.
https://eur-lex.europa.eu/legal-content/EN/TXT/?uri=CELEX%3A52018DC0214.

European Commission (2018b). Action Plan against Disinformation.
https://www.eeas.europa.eu/sites/default/files/action_plan_against_disinformation.pdf.

European Commission, European Anti-Fraud Office (2005). OLAF manual (25 February 2005). Publications Office.
https://op.europa.eu/en/publication-detail/-/publication/16712d3b-98f0-42cc-98c1-cf4ca2b54a1a.

European Commission, European Anti-Fraud Office (2013). Directrices sobre los procedimientos de investigación dirigidas al personal de la OLAF.
https://anti-fraud.ec.europa.eu/system/files/2021-09/gip_es.pdf.

European Commission, European Anti-Fraud Office (2014). Guidelines for national anti-fraud strategies for European Structural and Investment Funds (ESIF).
https://ec.europa.eu/sfc/sites/sfc2014/files/sfc-files/Guidelines%20foe%20national%20anti-fraud%20strategies%20for%20ESIF%20EN.pdf.

European Commission, European Anti-Fraud Office (2016). Directrices sobre las estrategias nacionales de lucha contra el fraude (13 de diciembre de 2016).

https://ec.europa.eu/sfc/sites/default/files/ES-TRA-General%20Guidelines%20on%20 National%20Anti-Fraud%20Strategies.pdf.

European Commission, European Anti-Fraud Office (2021). *Guidelines on Investigation Procedures for OLAF Staff* (11 october 2021). https://anti-fraud.ec.europa.eu/system/files/2021-10/gip_2021_en.pdf.

Fernández Ajenjo, J. A. (2007). La Intervención General de la Administración del Estado y el deber de colaboración con la justicia. Ministerio de Economía y Hacienda.

Fernández Ajenjo, J. A. (2011). El control de las Administraciones Públicas y la lucha contra la corrupción: Especial referencia al Tribunal de Cuentas y a la Intervención General de la Administración del Estado. Aranzadi.

Fernández Ajenjo, J. A. (2019a). "Canal de información de fraudes e irregularidades del Servicio Nacional de Coordinación Antifraude". En VV.AA. Especial *Compliance* en el Sector Público. La Ley.

Fernández Ajenjo, J. A. (2019b). "Capítulo VIII. La construcción de una tabla de valores éticos: Excurso sobre la propuesta de directiva relativa a la protección de los informantes". En Campos Acuña, M. C.; Fernández Llera, R.; y Cadaval Sampedro, M. (dirs.). III Informe Red Localis. Retos de las entidades locales ante la transformación digital de la gestión pública. Red Localis, Red Local de Administración Pública: Diputación Provincial de Orense y Wolters Kluwer.

Fernández Ajenjo, J. A. (2019c). Leyes de la corrupción y la ejemplaridad pública. Editorial Amarante.

Fernández Ajenjo, J. A. (2019d). "Problemas y soluciones frente al uso populista del Estado de Derecho: Agencias anticorrupción y Servicios de coordinación antifraude". Revista Internacional de Transparencia e Integridad (9).

Fernández Ajenjo, J. A. (2020a). "Comentarios a la Directiva UE 2019/1937 relativa a la Protección de las Personas que Informen sobre Infracciones del Derecho de la Unión". En: Rodríguez García, N.; y Rodríguez López, F. (ed.): *Compliance* y justicia colaborativa en la prevención de la corrupción. Tirant Lo Blanch.

Fernández Ajenjo, J. A. (2020b). "Estatus axiológico de la Directiva de Protección del Denunciante". Revista Administración & Cidadanía (vol. 15, 1).

Fernández Ajenjo, J. A. (2021). "Ciclo sistémico de lucha antifraude: *Compliance* del sector público, evaluación de riesgos y medidas antifraude". En Rodríguez García, N.; y Rodríguez López, F. "*Compliance*" y responsabilidad de las personas jurídicas. Tirant lo Blanch.

Fernández Ajenjo, J. A. (2022). Instituciones de investigación administrativa y auditoría forense para la prevención del fraude y la corrupción en las Administraciones Públicas. Tirant lo Blanch.

Fernández González, M. C. (2019). "El *whistleblower* en España: un análisis criminológico en la eficacia de proteger o premiar al alertador". En Capdeferro Villagrasa, O. *Compliance* urbanístico: fundamentos teóricos, estudio de casos y desarrollo de herramientas anticorrupción. Aranzadi.

Fernández Llera, R. (2009). "Estabilidad presupuestaria, transparencia y Concierto Económico Vasco". Ekonomiaz: Revista vasca de economía (70).

Fernandez Ramos. S. (2023). "Ley 2/2023, de 20 de febrero, de protección al informante: ámbito material de aplicación". Revista General de Derecho Administrativo (63).

Ferrán Dilla, J. (2022). "Una oportunidad perdida: el control externo y la protección del informante en la ley 2/2023, de 20 de febrero, reguladora de la protección de las personas que informen sobre infracciones normativas y de lucha contra la corrupción". Revista Española de Control Externo (72).

Fiscalía General del Estado (1996). Memoria elevada al Gobierno S.M. presentada al inicio del año judicial por el Fiscal General del Estado.

Fiscalía General del Estado (2011). Circular 1/2011, de 1 de junio, relativa a la responsabilidad penal de las personas jurídicas conforme a la reforma del Código Penal efectuada por Ley Orgánica número 5/2010. https://www.boe.es/buscar/abrir_fiscalia.php?id=FIS-C-2011-00001.pdf.

Fiscalía General del Estado (2016). Circular 1/2016, de 22 de enero, sobre la responsabilidad penal de las personas jurídicas conforme a la reforma del Código Penal efectuada por Ley Orgánica 1/2015. https://www.boe.es/buscar/doc.php?id=FIS-C-2016-00001.

Fiscalía General del Estado (2022). Informe del Consejo Fiscal al Anteproyecto de Ley reguladora de la protección de las personas que informen sobre infracciones normativas y de lucha contra la corrupción por la que se transpone la Directiva (UE) 2019/1937 del Parlamento Europeo y del Consejo, de 23 de octubre de 2019, relativa a la protección de las personas que informen sobre infracciones del Derecho de la Unión. https://www.fiscal.es/documents/20142/290789/Anteproyecto+de+Ley+reguladora+de+la+protecci%C3%B3n+de+las+personas+que+informen+sobre++infracciones+normativas+y+de+lucha+contra+la+corrupci%C3%B3n.pdf/a13f2c89-c092-a03a-ee6c-f74b5af528d1?t=1664359853038.

Fortuny, M.; y Vilà Caselles, O. (2022). "Protección de los denunciantes y protección de datos". En Gimeno Beviá, J.; y López Donaire, M. B. (dirs.). La directiva de protección de los denunciantes y su aplicación práctica al sector público. Tirant lo Blanch.

Francisco (2013). Corrupción y pecado. Publicaciones Caretianas.

García de Enterría, E. (2000). Democracia, Jueces y control de la Administración. Civitas.

García Mexía, P. (2001). Los conflictos de intereses y la corrupción contemporánea. Aranzadi.

García Mexía, P. (2008). Ética y gobernanza: Estado y sociedad ante el abuso del poder. Tirant lo Blanch.

García Ureta, A. (2006). La potestad inspectora de las Administraciones Públicas. Marcial Pons.

García Ureta, A. (2008). La potestad inspectora en el Derecho comunitario: Fundamentos, sectores de actuación y límites. Iustel.

García-Moreno García de la Galana, B. (2018). Los alertadores. una propuesta de regulación. Tesis doctoral dirigida por Adán Nieto Martín en la Universidad de Castilla-La Mancha.

García-Moreno García de la Galana, B. (2020). Del *whistleblower* al alertador. La regulación europea de los canales de denuncia. Tirant lo Blanch.

García-Moreno García de la Galana, B. (2022). "Marco normativo del whistle-blowing". En Gimeno Beviá, J., y López Donaire, M. B. (dirs.). La Directiva de protección de los denunciantes y su aplicación práctica al sector público. Tirant lo Blanch.

Garrido Juncal, A. (2019). "La protección del denunciante: regulación autonómica actual y propuestas de futuro". Revista de Estudios de la Administración Local y Autonómica (12).

Garrido Ramos. A. (2019). "Ponencia en el Espacio *Compliance* de la CNMC celebrado el 19 de marzo de 2019. Comisión Nacional del Mercado y de la Competencia.

Garrós Font, I.; y Romera Santiago, N. (2020). "Hacia una protección efectiva de los denunciantes". Actualidad Administrativa (7).

Gimeno Beviá, J. (2022). "Protección del denunciante y garantías procesales". En Gimeno Beviá, J.; y López Donaire, M. B. (dirs.). La Directiva de protección de los denunciantes y su aplicación práctica al sector público. Tirant lo Blanch.

Gomá Lanzón, J. (2013). Necesario pero imposible. Taurus.

González Navarro, F. (2000). "La Universidad en la que yo creo". Revista de Administración Pública (153).

Greens/EFA (2016). *Position Paper in the context of the European Commission Public Consultation on Whistleblower Protection: Arguments for horizontal legislative action to ensure even and effective protection for whistleblowers in the EU.*
https://www.greens-efa.eu/legacy/fileadmin/dam/Images/Transparency_campaign/WB_directive_draft_for_consultation_launch_May_2016.pdf.

Guillén Caramés, J. (2010). Régimen jurídico de la inspección del Derecho de la Competencia. Aranzadi.

Huss, O.; Beke, M.; Wynarski, J.; y Slot, B. (2023). *Handbook of good practices in the fight against corruption.* European Union.

Ivo Engels, J. (2019). "La nueva historia de la corrupción. Algunas reflexiones sobre la historiografía de la corrupción política en los siglos XIX y XX". Ayer (115).

Jiménez Asensio, R. (2022). "Sistemas de integridad institucional y canales internos de información: desafíos y puntos críticos". Revista Española de Control Externo (72).

Jiménez Asensio, R. (2023a). "La Ley 2/2023, de «protección del informante»: primeras impresiones". Blog la Mirada Institucional.
https://rafaeljimenezasensio.com/2023/02/21/la-ley-2-2023-de-proteccion-del-informante-primeras-impresiones/.

Jiménez Asensio, R. (2023b). "Doce líneas fuerza sobre los sistemas internos de información". Blog la Mirada Institucional.
https://rafaeljimenezasensio.com/2023/02/26/doce-lineas-fuerza-sobre-los-sistemas-internos-de-informacion/.

Jiménez Franco, E. (2022). "Prospectiva administrativa y la futura Ley de protección de los informantes". En Eiros Bachiller, M. (coord.); Sánchez Sánchez, Z. (dir.). Regulación con prospectiva de futuro y de consenso: gobernanza anticipatoria y prospectiva administrativa. Thomson Reuters Aranzadi.

Jiménez Rius, P. (2007). El control de los fondos públicos: Propuestas de mejora. Thomson-Civitas.

Jiménez Vacas, J. J. (2022). "«Compliance» como senda hacia la probidad pública". Centro de Investigación para la Gobernanza Global de la Universidad de Salamanca.
https://cigg-usal.es/resultados-de-investigacion/.

Jover Prado, J. (2020). "La Directiva UE/2019/1937 del Parlamento Europeo y del Consejo, de 23 de octubre de 2019, relativa a la protección de las personas que informen sobre infracciones del Derecho de la Unión (Directiva *Whistleblowers*)". La Ley (9620).

Klitgaard, R. (1994) Controlando la corrupción: Una indagación práctica para el gran problema social de fin de siglo. Buenos Aires.

Kozlovs, M. (2019). "*Auditing the ethical framework of EU institutions: easier said than done*". Journal European Court Auditors (2).

KPGM (2016). *Global Profiles of the Fraudster*.
https://assets.kpmg.com/content/dam/kpmg/pdf/2016/05/profiles-of-the-fraudster.pdf.

Lazcano Brotóns, I. (2004). "La protección de las fuentes periodísticas en el sistema europeo de derechos humanos". Zer. Revista de Estudios de Comunicación (16).

Lizcano Álvarez, J. (2015). Ciencia, economía y transparencia: una visión en clave multidisciplinar y social: discurso de ingreso en la Real Academia de Ciencias Económicas y Financieras. Real Academia de Ciencias Económicas y Financieras.
https://racef.es.

Llinares Gómez, J. A. (2023). "La lucha contra la corrupción en la contratación pública: La experiencia de la agencia valenciana antifraude". Carrillo del Teso. A. E. (dir.); Quintas Pérez, M.; y Lago Montúfar, A. M. (coords.). Desafíos en la lucha contra la corrupción: gestión de riesgos y paradigmas globales. Colex.

Mansbach, A. (2011). "*Whistleblowing as Fearless Speech: The Radical Democratic Effects of Late Modern Parrhesia*." D. Lewis y W. Vandekerckhove (eds.). *Whistleblowing and Democratic Values*. The International Whistleblowing Research Network.

Martínez López-Muñiz. J. L. (2011). "Ética pública y deber de abstención en la actuación administrativa". Derecho PUCP: Revista de la Facultad de Derecho (67).

Meagher, P. (2004). *"Anti-corruption agencies: A review of experience."* Center for Institutional Reform and the Informal Sector at the University of Maryland (Paper 04/02). http://www.iris.umd.edu/Reader.aspx?TYPE=FORMAL_PUBLICATION&ID=3dca81ee-16c2-46f6-a45c-51490fcb3b99.

Méndez, J. M. (1985). Valores Éticos. Estudios de Axiología.

Méndez, J. M. (2007). Curso completo sobre valores humanos. Promociones y Publicaciones Universitarias.

Méndez, J. M. (2015). Introducción a la axiología. Última Línea.

Méndez, J. M. (2023). "La acción humana". El Imparcial (14 de julio de 2023). https://www.elimparcial.es/noticia/256708/opinion/la-accion-humana.html.

Mercadé Piqueras, C. (2020). "La Directiva Europea y el proceso de transposición. Próximos pasos". En CNMC, Jornada sobre "La protección de informantes, alertadores o denunciantes no admite demora" de 13 de febrero de 2020.

Ministerio de Hacienda y Función Pública (2023). Sistema de Integridad de la Administración General del Estado. https://transparencia.gob.es/transparencia/dam/jcr:fc362bf5-ab00-43f3-8ff3-e471dabb0fe0/SISTEMA%20DE%20INTEGRIDAD%20AGE%20V2.1.pdf.

Ministerio de Justicia (2022). Memoria del Análisis de Impacto Normativo: Anteproyecto de Ley reguladora de la protección de las personas que informen sobre infracciones normativas y de lucha contra la corrupción por la que se transpone la Directiva (UE) 2019/1937 del Parlamento Europeo y del Consejo, de 23 de octubre de 2019, relativa a la protección de las personas que informen sobre infracciones del Derecho de la Unión. https://www.mjusticia.gob.es/es/AreaTematica/ActividadLegislativa/Documents/MAIN%20Y%20Tabla%20transposici%C3%B3n%20APL%20INFORMANTES.pdf.

Moretón Toquero, A. (2014). "La protección de las fuentes de información: la integración del modelo español con la jurisprudencia del TEDH". Estudios de Deusto (62/2).

Nieto García, A. (2002). Derecho Administrativo sancionador. Tecnos (3ª ed.).

Nieto Martín, A. (2021). "Las agencias anticorrupción: en busca de un diseño para una institución necesaria". Revista Penal de México (18).

Oliver, G. (2023). "Autoridad Independiente de Protección del Informante, A.A.I." https://eiposgrados.com/blog-dpo/autoridad-independiente-proteccion-del-informante-a-a-i/.

Organización de Estados Americanos (2011). Documento explicativo del proyecto de ley modelo para facilitar e incentivar la denuncia de actos de corrupción y proteger a sus denunciantes y testigos. http://www.oas.org/juridico/ley_explicativo_prot.pdf.

Organización de Estados Americanos (2013). Texto del proyecto de ley modelo para facilitar e incentivar la denuncia de actos de corrupción y proteger a sus denunciantes y testigos.

http://www.oas.org/juridico/PDFs/ley_modelo_proteccion.pdf.
Organización para la Cooperación y el Desarrollo Económico (1997). Convención para Combatir el Cohecho de Servidores Públicos Extranjeros en Transacciones Comerciales Internacionales de la OCDE.
https://www.oecd.org/daf/anti-bribery/ConvCombatBribery_Spanish.pdf.
Organización para la Cooperación y el Desarrollo Económico (2009). Recomendación del Consejo para reforzar la lucha contra la corrupción de funcionarios públicos extranjeros en las transacciones comerciales internacionales.
https://legalinstruments.oecd.org/api/download/?uri=/public/1d14e442-4fc7-4f31-820e-068e8acbcf76.pdf.
Organización para la Cooperación y el Desarrollo Económico (2016). Informe *Committing to Effective Whistleblower Protection*.
http://www.oecd.org/corporate/committing-to—effective-whistleblower-protection-9789264252639-en.htm.
Organización para la Cooperación y el Desarrollo Económico (2017a). *"G20 Anti-Corruption Action Plan Protection of Whistleblowers: Study on Whistleblower Protection Frameworks, Compendium of Best Practices and Guiding Principles for Legislation"*.
https://www.oecd.org/g20/topics/anti-corruption/48972967.pdf.
Organización para la Cooperación y el Desarrollo Económico (2017b). Recomendación del Consejo sobre la Integridad Pública.
https://www.oecd.org/gov/integridad/recomendacion-integridad-publica/.
Ortiz Pradillo, J. C. (2017). "La delación premiada en España: instrumentos para el fomento de la colaboración con la justicia". Revista Brasiliera de Directo Processual Penal (3, 1).
Parajó Calvo, M. (2022). "Análisis del proyecto de ley reguladora de la protección de las personas que informen sobre infracciones normativas y de lucha contra la corrupción". Documentación Administrativa. Nueva época (9)
Pérez Monguió, J. M. (2019). "Del chivato al cooperador: el *whistleblowing*". Revista Vasca de Administración Pública (115).
Ponce Solé, J. (2014). *"Nudging*, simplificación procedimental y buen gobierno regulatorio: el Derecho Administrativo del siglo XXI y sus relaciones con las ciencias sociales". Míguez Macho, L.; Almeida Cerreda, M.; y Santiago Iglesias, D. (coords.). La simplificación de los procedimientos administrativos. Actas del IX Congreso de la Asociación Española de Profesores de Derecho Administrativo: Santiago de Compostela, 7 y 8 de febrero de 2014. Escola Galega de Administración Pública.
Ponce Solé, J. (2017). "Las agencias anticorrupción. Una propuesta de lista de comprobación de la calidad de su diseño normativo". Revista Internacional de Transparencia e Integridad (3).
Ponce Solé, J.; y Villoria Mendieta, M. (2021). Anuario del buen gobierno y de la calidad de la regulación. Fundación Democracia y Gobierno Local.
PricewaterhouseCoopers (2005). *Global Economic Crime and Fraud Survey*.
PricewaterhouseCoopers (2011). *Global Economic Crime and Fraud Survey*.

https://www.pwc.pt/pt/deals/images/2011_global_economic_crime_survey.pdf.

PricewaterhouseCoopers (2018). *Global Economic Crime and Fraud Survey*. https://www.pwc.com/gx/en/news-room/docs/pwc-global-economic-crime-survey-report.pdf.

Ragués i Vallés, R. (2013). *Whistleblowing*: una aproximación al Derecho Penal. Marcial Pons.

Ragués i Vallés, R. (2017). "¿Es necesario un estatuto para los denunciantes de la corrupción?" Diario La Ley (9003).

Richarte i Travesse, F. (2020). Aspectos penales de la Directiva 1937/2019 de protección sobre informantes de infracciones del Derecho Europeo. https://www.eljurista.eu/2020/02/13/aspectos-penales-de-la-directiva-19372019-de-proteccion-sobre-informantes-de-infracciones-del-derecho-europeo/

Richter, W. L.; y Burke, F. (2007). *Combating corruption, encouraging ethics: a practical guide to management ethics*. Rowman & Littlefield (2.ª ed.).

Rivero Ortega, R. (1999). El Estado vigilante: Consideraciones jurídicas sobre la función inspectora de la Administración. Tecnos.

Rivero Ortega, R. (2007). El expediente administrativo: de los legajos a los soportes electrónicos. Aranzadi.

Rivero Ortega, R. (2022). "Preámbulo". En Ponce Solé, J. Acicates (*nudges*), buen gobierno y buena administración: Aportaciones de las ciencias conductuales, *nudging* y sectores público y privado. Marcial Pons.

Rivero Ortega, R. (2023). "Algoritmos, inteligencia artificial y policía predictiva del estado vigilante". Revista General de Derecho Administrativo (62).

Rivero Ortega, R.; y Merino Estrada, V. (2013). "Ejemplaridad pública, *Nudge* y Benchmarking local: herramientas del buen gobierno, la integridad institucional y la innovación democrática". Revista Democracia y Gobierno Local (20).

Rodríguez-Arana Muñoz, J. (2003). "Participación y nuevas políticas públicas". La Ley (tomo 5).

Rodríguez-Medel Nieto, C. (2019). "Protección de los informantes —whistleblowers— y las garantías de los investigados. Análisis de la propuesta de Directiva de la Unión Europea y en España de la Proposición de ley integral de lucha contra la corrupción y protección de los denunciantes". Revista de Estudios Europeos (1).

Royo Montañés, S. (2008). "El Gobierno electrónico en la rendición de cuentas de la administración local". Revista Española de Financiación y Contabilidad (137).

Sánchez Morón, M. (1991). El control de las Administraciones Públicas y sus problemas. Instituto de España y Espasa Calpe.

Santana Suárez, (M. (2021). "La prevención de riesgos de corrupción por el Consello de Contas de Galicia". En Villaverde Gómez, M. B. El control externo y fomento de la integridad: experiencias en la prevención de la corrupción primeras experiencias y resultados en la evaluación de los sistemas de prevención. Thomson Reuters Aranzadi.

Servicio Nacional de Coordinación Antifraude (2022). Guía para la aplicación de medidas antifraude en la ejecución del Plan de Recuperación, Transformación y Resiliencia de 24 de febrero de 2022.
https://www.igae.pap.hacienda.gob.es/sitios/igae/es-ES/snca/Documents/20220224%20 Gu%C3%ADa%20Medidas%20Antifraude.pdf).

Sierra Rodríguez, J. (2020). "Anonimato y apertura de los canales de denuncia de la corrupción". Revista General de Derecho Administrativo (55).

Sierra Rodríguez, J. (2022). "La autoridad independiente de protección del informante en la ley 2/20231". Revista Española de Control Externo (72).

Sierra Rodríguez, J. (2023). "Los sistemas internos de información en la Ley 2/2023 de protección de personas informantes: un análisis jurídico ante su inmediata exigibilidad". Revista Vasca de Gestión de Personas y Organizaciones Públicas (24).

Transparency International (2009). *Recommended draft principles for whistleblowing legislation.*
https://www.transparency.org/files/content/activity/2009_PrinciplesForWhistleblowingLegislation_EN.pdf.

Transparency International (2013). *International principles for whistleblower legislation.*
https://images.transparencycdn.org/images/2013_WhistleblowerPrinciples_EN.pdf.

Transparency International (2018). *A best practice guide for whistleblowing legislation.*
https://transparency.eu/wp-content/uploads/2018/03/2018_GuideForWhistleblowingLegislation_EN.pdf.

Transparencia Internacional España (2017). *Position paper* de Transparencia Internacional España sobre protección de denunciantes (*whistleblowing*).
https://transparencia.org.es/wp-content/uploads/2017/04/position_paper_proteccion_denunciantes.pdf.

Transparencia Internacional España (2019). Recomendaciones de Transparency International España para ofrecer una protección amplia a los denunciantes.
https://transparencia.org.es/wp-content/uploads/2019/10/2019_10_07_RecomendacionesTIE_DirectivaDenunciantes.pdf.

Tribunal de Cuentas Europeo (2016). Informe Especial 06/2019 "Lucha contra el fraude en el gasto de cohesión de la UE".

Tribunal de Cuentas Europeo (2018). Dictamen 4/2018, de 26 de septiembre de 2018, sobre la Propuesta de Directiva del Parlamento Europeo y del Consejo relativa a la protección de las personas que informen sobre infracciones del Derecho de la Unión.
https://eur-lex.europa.eu/legal-content/ES/TXT/PDF/?uri=CELEX:52018AA0004.

United Nations Office on Drugs and Crime (2010). Guía Técnica de la Convención de las Naciones Unidas contra la Corrupción.

United Nations Office on Drugs and Crime (2012). Guía Legislativa para la aplicación de la Convención de las Naciones Unidas contra la Corrupción.

322

United Nations Office on Drugs and Crime (2016). Guía de recursos sobre buenas prácticas en la protección de los denunciantes.

Villegas García, M. A. (2022). "Algunas reflexiones sobre el Proyecto de Ley de protección del informante". Diario La Ley (10187).

Villoria Mendieta, M. (2000). Ética pública y corrupción: Curso de ética administrativa. Tecnos.

Villoria Mendieta, M. (2021). "Un análisis de la Directiva (UE) 2019/1937 desde la ética pública y los retos de la implementación". Revista Española de la Transparencia (12).

Villoria Mendieta, M. (2022). "Un análisis comparado de la lucha contra la corrupción en Europa, con especial referencia a España". Revista Española de Control Externo (72).

Vervaele, J. A. E. (1999), "¿Hacia una Agencia Europea Independiente para luchar contra el fraude y la corrupción en la Unión Europea?". Revista del Poder Judicial (56).

VV.AA. (2013). Principios Globales sobre Seguridad Nacional y el Derecho a la Información.
https://www.oas.org/es/sla/ddi/docs/acceso_informacion_Taller_Alto_Nivel_Paraguay_2018_documentos_referencia_Principios_Tshwane.pdf.

XNET (2019). "Proposición de Ley de Protección Integral de las y los Alertadores de Xnet – Plantilla replicable". Blog Noticias.
https://xnet-x.net/es/proposicion-ley-proteccion-integral-alertadores/.